Im Zentrum dieses aufregenden und subtil menschlichen Romans stehen ein junger Jude auf der Suche nach seinem Lebensweg und der politische Emporkömmling B., dessen Propaganda nach und nach ein bedrohliches, beklemmendes und zutiefst antisemitisches Klima erzeugt. Die symbiotische, ja schicksalshafte Verbindung von Täter und Opfer wird durch klare Beobachtung analysiert und durch das literarische Können des Autors zu einer allgemein menschlichen Parabel erhoben.

1942 begann Hans Keilson im holländischen Versteck mit der Niederschrift des Romans, der erst 1959 in Deutschland erscheinen konnte.

Die amerikanische Neuausgabe 2010, zusammen mit der Novelle ›Komödie in Moll‹, rief weltweit begeisterte Reaktionen hervor: »›Der Tod des Widersachers‹ und ›Komödie in Moll‹ sind zwei Meisterwerke, und Hans Keilson ist ein Genie.« *New York Times*

Hans Keilson wurde 1909 in Bad Freienwalde geboren. Sein erster Roman ›Das Leben geht weiter‹ erschien 1933 bei S. Fischer. Der Arzt und Schriftsteller emigrierte 1936 nach Holland, wo er bis heute lebt. Zuletzt wurde er ausgezeichnet mit dem Johann-Heinrich-Merck-Preis, der Moses-Mendelssohn-Medaille, der Humboldt-Medaille und dem WELT-Literaturpreis. 2005 erschien im S. Fischer Verlag eine Werkausgabe in zwei Bänden.

Unsere Adresse im Internet: www.fischerverlage.de

Hans Keilson

Der Tod des Widersachers

Roman

Mit einem Nachwort von
Heinrich Detering

Fischer Taschenbuch Verlag

Textgrundlage: Hans Keilson: ›Werke in zwei Bänden‹, hg. von Heinrich Detering und Gerhard Kurz, Band 1: ›Romane und Erzählungen‹.
Frankfurt am Main 2005, S. 337–563.

Ungekürzte Ausgabe
Veröffentlicht im Fischer Taschenbuch Verlag,
einem Unternehmen der S. Fischer Verlag GmbH,
Frankfurt am Main, Oktober 2010

Lizenzausgabe mit freundlicher Genehmigung
des S. Fischer Verlages, Frankfurt am Main
© S. Fischer Verlag GmbH, Frankfurt am Main 2005
Für das Nachwort:
© S. Fischer Verlag GmbH, Frankfurt am Main 2010
Druck und Bindung: Druckerei C. H. Beck, Nördlingen
Printed in Germany
ISBN 978-3-596-19190-1

Der Tod des Widersachers

Vorbemerkung

[zur niederländischen Ausgabe von *Der Tod des Widersachers*]

Beim Schreiben dieser Vorbemerkung werde ich mir des Zögerns bewußt, das mich befällt. Ist es nur die Tatsache der Neuauflage eines Buches, ungefähr zwanzig Jahres nachdem es zuerst auf niederländisch erschien? Ist es die Konfrontation mit einem Manuskript, das 1941 konzipiert und danach in einem Garten begraben wurde? Oder sind es die Schatten einer vergangenen Zeit, die sich mit den Schatten vereinen, die die Gegenwart wirft? In dieser neuen Ausgabe wurde gegenüber der vorhergehenden nichts verändert, kein Wort, kein Satz.

Und auch dies scheint mir ganz in Ordnung so. Es hat sich nichts geändert: die vergangene Zeit bleibt die erlittene Zeit. Auch heute. Kein Zögern vermag das zu leugnen.

(1982)

Die hier veröffentlichten Aufzeichnungen wurden mir einige Zeit nach dem Krieg in Amsterdam von einem holländischen Advokaten übergeben. Er selbst hatte sie, wie er mir mitteilte, ungefähr zweieinhalb Jahre nach Kriegsausbruch von einem seiner Klienten erhalten, einem Mann Anfang Dreißig, der ihn zuweilen in harmlosen geschäftlichen Dingen um Rat gefragt hatte, wie es die tägliche Praxis eines Advokaten mit sich bringt. Zwischen ihnen beiden hatte nie ein besonders vertraulicher Ton geherrscht, der als Erklärung für die Tatsache hätte dienen können, daß jener ihm, seinem Rechtsbeistand, ein Bündel beschriebener Papiere überreichte, bevor er selbst für einige Zeit von der Bildfläche verschwand, um sich in Sicherheit zu begeben, nicht ohne vorher erklärt zu haben, daß diese Papiere den gegenwärtigen Besitzer nicht in Gefahr brächten und überall aufbewahrt werden könnten. Der Advokat hatte es jedoch für besser gehalten, sie mit eigenen Dingen und denen anderer Klienten unter seinem Hause einzugraben, wo sie den Krieg überstanden. Während jedoch die meisten vergrabenen Schriftstücke von ihren Besitzern wieder abgeholt werden konnten, blieben diese Aufzeichnungen in seinem Schreibpult liegen.

»Hier«, sagte er und überreichte mir das Bündel. Es war fleckig, zerknittert, die Schrift war zum Teil ausgelaufen, als hätte es längere Zeit im Wasser gelegen.

»Sie sind ja deutsch abgefaßt«, sagte ich überrascht.

»Lesen Sie«, erwiderte er kurz.

»Sie stammen also nicht von einem Holländer«, sagte ich.

»Nein. Lesen Sie und sagen Sie mir, was Sie davon halten.«

Ich begann nach dem Verfasser zu fragen, aber er wich jeder Antwort aus. Ich wußte, daß er vorzüglich Deutsch sprach, und erwog, ob er nicht selbst der Urheber sei. Ich stellte vorsichtige Fragen. Er lachte und sagte nur: »Lesen Sie, wenn Sie wollen.«

»Und was dann?« fragte ich weiter.

»Ich weiß es nicht. Vielleicht fällt Ihnen etwas ein.«

»Ist es keine Mystifikation?«

»Nein, nein«, erwiderte er hastig, »prüfen Sie selbst. Diese Papiere enthalten Aufzeichnungen, die ohne Zweifel als ein Versuch ihres Verfassers gedeutet werden müssen, über sehr persönliche Probleme seines Schicksals mit sich ins reine zu kommen. Aber lesen Sie erst, später können wir uns darüber unterhalten. Er war ein Verfolgter.«

»Das waren wir alle.«

»Sie bringen sie mir zurück?«

Er schloß die Schublade, aus der er sie herausgezogen hatte. Ich sah ihn an, wollte noch einige Fragen stellen. Doch er war ungeduldig. Ich unterließ es.

»Hat es Eile?« fragte ich nur.

»Nein«, erwiderte er. »Sie können mich hier in meiner Kanzlei treffen.«

Wir verabschiedeten uns.

Einige Tage später rief er mich an und erkundigte sich nach der Adresse eines gemeinsamen Bekannten, der plötzlich wieder aufgetaucht war. Ich gab sie ihm.

»Und?« fragte er.

»Ich hatte noch keine Zeit«, antwortete ich.

»Es hat keine Eile. Wir sehen uns?«

»Ich bringe sie Ihnen zurück!« sagte ich.

»Gut«, erwiderte er und lachte.

In den folgenden Tagen las ich sie.

I

Seit Tagen und Wochen denke ich an nichts anderes mehr als an den Tod. Jeden Morgen stehe ich, obwohl ich sonst lange und gerne schlafe, in der Frühe auf nach einer traumlosen Nacht. Ich fühle meine Kräfte stark und bereit in mir wie seit langem nicht mehr. Ich grüße den Tag, der mir den Gedanken an den Tod aufs neue bringt. Mit jedem Atemstoß dringt er tiefer bis in die verborgenste Stelle meines Körpers und erfüllt ihn ganz. Es ist der Tod, der mir die Feder führt, der Tod! Gott allein weiß, welches Erlebnis mir die Gedanken an ihn wie Eierchen in mein Gehirn gelegt hat, wo sie ungemerkt brüteten und reiften, bis sie eines Tages ausschlüpften und sich meinem Bewußtsein vorstellten. Aha, dachte ich, als er zum erstenmal in mir auftauchte, da ist er also, und begrüßte ihn, wie man einen guten alten Bekannten begrüßt, der einen Zug später kam, als man ihn erwartete. In Wahrheit hatte ich gar nicht so sehr auf ihn gewartet, er kam mir immer noch zu früh und überraschend. Ich wünschte ihn mir auch nicht herbei. Früher, wenn ich andere Menschen so über ihre Todesgedanken reden hörte – und über nichts lieben es die Menschen mehr sich auszulassen als über das, was sie ihr Letztes nennen –, blitzte es in mir auf: Und du, was ist mit dir und mit dem Tod, sag, wie hältst du es mit ihm? Dabei rauchte ich seelenruhig meine Zigarette und trank meinen süßen Tee, lauschte den Erzählungen der anderen und fühlte mich wohl. Nichts fiel mir weiter dazu ein. Auf jeden Fall war ich, was man einen interessierten Neutralen nennt. Der Tod – willkommen, dachte ich, oder zum Teufel –, bei Gott, ich weiß nicht, was ich mit ihm anfangen soll. Noch bin ich gesund, pfui, pfui, pfui, fühle mich bei meiner Jugend noch wohl und hoffe nicht, daß ich schon irgendwie ausersehen bin.

Dies alles ist verändert, seit ich an den Tod denke. Und weiter tue ich nichts als sitzen, sitzen und an ihn denken. So erfüllt bin ich, daß, schlüge man mir das Haupt vom Rumpf, mein Magen oder mein rechtes Kniegelenk die Tätigkeit des Denkens an ihn übernehmen und, ich wette, glücklich zu Ende führen würde. So voll bin ich vom Tod, so gesättigt.

Erzählen, wie er in meinen Kopf, in mich hineinkam? Ich entsinne mich nicht und will die Fäden lieber unentwirrt dort lassen, wo sie geknüpft wurden. Es ist das gleiche, wollte man die Frage des Arztes nach dem ersten Auftreten von Schmerzen am Arm nach bestem Wissen und Gewissen beantworten: An einem Dienstag, ich erinnere mich genau, ich ging über den Pferdemarkt und traf einen Bekannten. Er erzählte mir, daß er von Zeit zu Zeit ein zartes Stechen im Arm, oben in der Nähe des Gelenkes, verspüre. Vielleicht Rheumatismus, sage ich. Wer weiß auch, was das sein mag. Wie ich dann weiterlaufe, verspüre auch ich von Zeit zu Zeit so ein feines, leises Ziehen den Arm hinauf in die Schulter, da war es wieder, so zart, vielleicht daß eine Mutter so den ersten Stoß eines Kindes in ihrem Leib vernimmt. Aber nein, das weiß doch niemand, und wer es mir erzählte, wäre ein Narr, oder der andere ein Tor, wenn er es glaubte.

Ich kann nicht sagen, wie es war, als der Tod in mich fuhr, aber wohl, wie es war, als ich ihn verspürte. Wie wenn grimmige Schmerzen nachts den erlösenden Schlaf verstören, erging es mir. Nur daß es kein Schmerz war. Etwas ganz anderes, viel mehr Beseligendes, als ein Schmerz es sein kann, erfüllte mich. Ich verging fast.

Hier muß ich einfügen, welcher Art der Gedanke an den Tod war, der mich überfiel. Nicht der Gedanke an meinen Tod, den ich einst, bald oder in weiter Zukunft, sterben würde, ergriff mich. Beim ewigen Himmel der Nacht, ein so törichter Gedanke liegt mir fern, und ich hoffe nicht, daß ich mich je mit ihm zu beschweren brauche. Der Gedanke an den eigenen Tod – mich läßt der Gedanke kalt, unbewegt, vorerst kann er mich nicht erschüttern. Ich glaube nicht, daß ein ernsthafter Mensch sich je mit dem Gedanken an seinen Tod aufhalten wird. Dies ist nicht meine Sache, wird er sagen, mein Tod ist nicht meine Sache, und an ihn denken hieße sein Leben, das groß sein kann, wenn man es groß ersehnt, verkleinern, hieße die Grenzen angeben, denen es sich freiwillig fügen sollte. Ein Mensch wie ich – und ich bin nicht der einzige, zum Trost weiß ich das – lebt und arbeitet und beginnt sein tägliches Unternehmen in dem Gedanken, daß es so ewig und ununterbrochen weitergehen wird, im Namen des Himmels und aller Gerechten, bis ans Ende aller Zeiten.

Der Gedanke an den Tod meines Feindes war es, der mich wie in kalter Nacht durchfuhr und erschauern ließ. Der Tod meines Feindes – ich denke ihn mit aller Seligkeit, die ein Gedanke haben kann für den, dem ein Gedanke etwas Lebendiges ist. Der Tod meines Feindes – ich denke und erlebe ihn mit der Schwere und Erhabenheit, die ein Gedanke an einen Feind haben kann, der einem wert ist. Der Tod meines Feindes – zu jeder Stunde des Tages sind ihm ein Teil meiner Gedanken geweiht. Es sind die stolzesten Augenblicke über Tag, abgesehen von den Abenden und Nächten, wo kein anderer Gedanke als dieser mich beherrscht. Der Tod meines Feindes – gesegnet sei der Gedanke an den Tod meines Feindes. Man soll sich seinem Tod langsam entgegensehnen, wie die Braut dem Bräutigam, so sagen die Menschen, die ein eigenartiges Behagen darin schöpfen, die Sache des Todes und die der Liebe miteinander zu verbinden. Langsam soll man sich an ihn gewöhnen, um sich seiner wert und würdig zu erweisen. Nur wer dies erlernt hat, darf Anspruch erheben, sein Leben voll gestaltet zu haben. Aber ich sah viele, die sich an ihren eigenen Tod langsam und mit Schmerzen gewöhnt hatten, jedoch der Tod ihres Freundes warf sie um.

Wenige Menschen sah ich, die dem Tod ihres Feindes gewachsen waren. Seit mich dieser Gedanke ergriffen hat, hat sich mein Leben zu einem Ziel emporgeschwungen. Nie habe ich nach diesem Ziel gesucht noch gedacht, daß es mir je bereitet sein könnte. Ach, wie schmählich habe ich gelebt, bis ich erfuhr, welches Ziel auf Erden einem Menschen überhaupt bereitet sein kann. Was bedeuten sie alle, die anderen Ziele, die sich die Menschen selbst stecken, während, Glückseligkeit, Liebe, Haß könnten sie hinwegtäuschen über den schalen Rest, der mit einem entseelten Körper zurückbleibt. Keine noch so hochherzige Lüge vermag den Brand zu löschen, den der Tod entfacht in den wahrhaft festlichen Gemütern zur Stunde des Erkennens. Ein Rauschen in den Lüften wie beim Fällen eines alten, starken Baumes, ein Pfeil, geschossen in das glitzernde Azur der Winterzeit – mein Gemüt ist festlich gestimmt, mein Feind betritt das weiße Land seines Todes.

Ich will, daß er, der zu seinen Lebzeiten wußte, daß er mein Feind war wie ich der seine, in seiner Sterbestunde eingedenk ist, daß mein Gedanke an seinen Tod unserer Feindschaft würdig ist. Ich trete auch jetzt keinen Zoll von ihr ab. Sie bleibt unser unvergängliches Eigentum noch in seiner letzten Erdenstunde. Ich bin es ihr, die unser Leben erfüllte, auch im Tode noch schuldig.

Ein langer Weg war es, bis mein Feind an sein Ende kam. Er führte von Sieg zu Sieg, zu Triumphen, die Bahn eines Unsterblichen. Er lief auch durch Niederungen, durch Sümpfe und Moraste, in denen es brütet und keimt von verborgenen Lüsten, mit Modergeruch voll Krankheit und Heimtücke – das Leben eines Sterblichen, so wie das meine. Heute hat er seinen größten Triumph erlitten: Er betritt das weiße Land seines Todes. Aber ein noch längerer Weg war es, bis ich, frei von allen kleinlichen Anlässen, deren sich Haß und Rache nur zu gerne bedienen, ihm auf seinem letzten Weg begegnete. Auch jetzt noch lebt ein Funke von Haß und Rache in meinen Gedanken, eine Spur von Gehässigkeit furcht sie. Ich wollte, ich könnte auch diese letzte Spur aus meinen Gedanken ausrotten, die wollüstigen Verzweigungen und Wurzeln von Schadenfreude und Wut: Ich bin es, der sitzt und wartet, und jener schreitet in seinen Tod, hört ihr es, jener schreitet in seinen Tod! Man kann sich nicht die Falten aus dem Gesicht herausschneiden, wie man die faulen Stellen aus einem Apfel herausschneidet, man muß sie tragen im Gesicht und wissen, daß man sie trägt, man sieht sie wie in einem Spiegel alle Tage, wenn man sich wäscht, man kann sie nicht herausschneiden, sie gehören in das Gesicht. Aber trotz allem, es ist ein festliches Warten, voll Freude und Trauer und Erinnerung und Abschied und Nimmerwiedersehn.

Ich wünschte ihm den Tod nicht, wie man jemandem etwas Schlechtes zudenkt oder mit Todeswünschen sich seine Widersacher vom Halse zu schaffen trachtet.

Was irren doch die Menschen, die glauben, der Tod sei eine Art Bestrafung. Auch ich, dies muß ich gestehen, war lange Zeit diesem Irrtum verfallen. So sehr haßte ich, so stark verlangte ich, mich zu rächen. Zu rächen nicht nur mich allein, mein eigenes Unglück, damals, als ich es noch groß und als ausschließliches Eigentum fühlte, das er über mich brachte, zu rächen auch die anderen von meinem Volke, die ebenso litten wie ich. Zum Glück erkannte ich noch beizeiten die Unsinnigkeit dieses Gedankens. Daß ich sie erkannte, auch dies verdanke ich meinem Feinde.

Mein Feind – ich werde ihn B. nennen – trat in mein Leben, ich erinnere mich, es sind seitdem rund zwanzig Jahre vergangen. Damals wußte ich nur undeutlich, was es bedeutet, Feind zu sein, und noch weniger, was es bedeutet, einen Feind zu haben. Man muß zu seinem Feind heranreifen wie zum besten Freund.

Oft hörte ich den Vater mit der Mutter darüber sprechen, zumeist im geheimnisvoll flüsternden Ton der Erwachsenen, damit von uns Kindern keines es höre. Es lag eine neue Art Vertraulichkeit in ihren Worten. Sie sprachen, um etwas zu verbergen. Aber die Kinder lernen, hellhörig durch sie, die Geheimnisse und Ängste der Älteren und wachsen an ihnen empor. Mein Vater sagte:

»Wenn B. je an die Macht kommt, dann gnade uns Gott! Dann werden wir noch etwas erleben.«

Meine Mutter erwiderte ruhiger: »Wer weiß, vielleicht kommt es auch anders. Ein so großer Herr ist er doch noch nicht.«

Ich trage das Bild noch in den Augen, wie sie damals zusammensaßen und miteinander sprachen.

Der Vater sitzt in der Küche auf einem niedrigen Stuhl, ein kleiner gedrungener Mann, etwas beleibt, und stützt seinen Ellenbogen auf den Rand des Schrankes, der die ganze Wand füllt. Seinen rundlichen Kopf hält er nach der Seite geneigt, die gespreizten Finger tragen die Last. Er hat gesprochen, aber sein seitlich gesenkter Kopf täuscht vor, als neigte er ein anderes Ohr vor, um eine Botschaft zu vernehmen. Er lauscht. Jedoch, es muß eine betrübliche Botschaft sein, die er vernommen hat. Sein Gesicht hat im Sprechen und Lauschen den Ausdruck von Betrübnis, Drangsal, wie wenn tief innen ein schwarzer Schleier in das Gesicht gefallen wäre, der es verhängt und zugleich als Hintergrund dient für alles, und darüberhin und davor ist das andere ausgespannt, das Äußere, Muskel, Haut, Haar, gleitet Bewegung, zuweilen noch ein Lächeln, aber immer, wenn man dieses Gesicht betrachtet, weiß man, dahinter liegt auf dem Grund, von dem aus es sich aufbaut, liegt, ganz von innen kommend, Drangsal, Betrübnis.

Seine Frau, die Mutter, ihm gegenüber an den Tisch gelehnt, neigt sich leicht vorwärts, hinein in den schmalen leeren Raum, den ein Gang zwischen ihnen läßt und den eine Fliege mit ihrem schweifenden Gesumme erfüllt, und sieht hinab auf ihn, der so klein dasitzt auf seinem Stuhl, kleiner als ein Kind, denn er ist ein Erwachsener. So hat sie sich unzählige Male hinabgebeugt zu allem, was kleiner und schwächer ist, und ohne daß sie es merkt, fällt ihr Körper von selbst hinein in dieses Sich-Zuneigen, obwohl er noch aufrecht und jung erscheint. Sie weiß, daß er nicht hört, was ihre Worte hinübertragen, daß nichts diesen Vorhang durchbricht, was von außen auf ihn prallt, aber daß das Sich-Neigen in den leeren Raum ihn erreicht. Er, der mit seiner Arbeit die Zeit in viele kleine Teile auseinanderbricht und die Bewegung gerinnen läßt in eine atemlose Pause zu Stillstand und Brache und dennoch in dieser Erstarrung noch etwas von dem, was sich bewegt, wiedereinzufangen sucht, Bewegung in Stillstand beleben will, fühlt die Bewegung auf sich zu und deutet aus ihr und entnimmt, was andere den Worten entnehmen.

Er war heraufgekommen aus seiner Dunkelkammer, in der die Platten in großen gläsernen Schalen gespült werden, bis das Bild auf ihnen entsteht, und war spornstreichs in die Küche gegangen, die er leer fand. Er setzte sich auf den niedrigsten Schemel, seine Frau hörte ihn heraufkommen und dort hineingehen. Sie ging zu ihm.

Die Küche ist der kahlste Fleck des ganzen Hauses, vollgestellt mit grüngestrichenen Möbeln, blank geschrubbt und glatt. Über dem Handtuchhalter hängt eine blaugestickte weiße Gardine, und um den Sims des Gestelles zieht sich ein Band weißer Spitzen. Alles ist kalt und wie abgeleckt. In der Mitte hängt ein weißer Lampendeckel an einer braunen Schnur tief herab. Hinter dem Rücken des Mannes verdeckt ein langer gelbverblichener Vorhang zwei hölzerne Bretter, vollgepackt mit Schuhen, und darunter liegen auf dem Fußboden in einer Ecke alte Zeitungen.

In diesem Augenblick betritt das Kind, das Stimmen durch die geschlossene Tür hörte, den Raum. Es sind Stimmen, die noch etwas ausdrücken, was hinter den Worten liegt, und das Kind, neugierig, wird davon in die Küche hineingezogen.

Die Küche ist für ein Kind ein Platz des Genusses und der süßen Geheimnisse, angenehmer Überraschungen, in die es am liebsten seine Finger hineinsteckt, um sie ablecken zu können, aber nicht der Platz für ernste Gespräche.

Vom Anfang ihres Gespräches weiß ich nichts, es sind nicht die Worte allein, an die ich mich erinnere, da in ihnen, für mein Bewußtsein zum erstenmal, der Name ausgesprochen wurde, den ich nicht mehr vergessen sollte. Aber Worte sind oft ganz unwichtig. Auch wenn man sie vergessen hat, man erinnert sich des ganzen Bildes, zweier Menschen, die sich in einer abgeleckten, kahlen Küche befinden, der eine sitzend und sein Haupt in die gespreizte Hand gestützt, der andere stehend, und zwischen ihnen ein schmaler, leerer Raum, in den sich ein Frauenkörper hineinhängt. Und auch des beiden Gemeinsamen erinnert man sich, das unaufhaltsam auf die beiden eindringt, der eine schon völlig erwartend und sich ihm entgegenlehnend, als flüchte er zu ihm hin, um in ihm Beschirmung zu finden, und der andere sich dagegen aufbäumend, noch aufständig, bereit, es mit ihm aufzunehmen: die unaufhaltsame Bedrängnis. Sie liegt in dem ganzen Bild, wie es sich geschlossen darbietet, aber auch in jedem Ausschnitt, in der Falte des verblichenen Vorhanges, vor dem der Vater sitzt, in der Fliege, die um die Lampe kreist und den leeren Raum zwischen den beiden mit ihrem summenden Fluge ausmißt. Sie liegt auch in dem blanken, geschrubbten Holzfußboden und in den geschlossenen Schranktüren und in dem Schalterknopf am Eingang der Tür. Die unaufhaltsame Bedrängnis liegt in allem, und wessen man sich auch einzeln erinnert, dieses oder jenes, eines zieht das andere mit herauf und verdichtet sich zu dem Ganzen, das tief innen geblieben ist in der Erinnerung und immer noch bleibt. Es ist nicht Angst, es ist etwas viel Stärkeres und Gefaßteres, als Angst ist, wenn sie in dir aufbricht. Du kannst nämlich fühlen, wie es langsam sich dir naht und auf die Schultern drückt. Du kannst dagegenstoßen, in es hineinbeißen und dich dagegenstemmen. Es ist so wirklich wie der Schalterknopf und die Fliege und die alten Zeitungen in der Ecke hinter dem Vorhang.

Alles das war der Eindruck weniger Sekunden, als ich eintrat. Das Gespräch zwischen ihnen lief noch einige Sätze weiter. Mein Vater sah mich dabei prüfend an, als dächte er über mich ernsthaft nach. Das Dunkle in seinen Augen verschwand. Die Mutter lehnte sich zurück und lachte mir zu.

»Soweit ist es noch lange nicht«, sagte sie. »Und wer weiß.«

Er holte einen Auslöser aus der Tasche und begann mit ihm zu spielen.

»Heute habe ich einen Hund und eine Katze fotografiert«, sagte er.

»Ja«, rief ich erfreut. »Haben sie sich vertragen?«

»Nein«, erwiderte er belustigt.

»Wie hast du sie dann aufgenommen?« fragte ich.

»Ich werde es dir erzählen. Eine Frau kommt in mein Atelier. An der Hand führt sie an der Leine eine schöne, große Dogge, am anderen Arm hängt ein Henkelkörbchen mit einer Chinchillakatze. ›Das sind Bützi und Hützi‹, sagt sie. ›Ich bringe sie Ihnen zu einer Aufnahme. Es sind die bravsten Tiere der Welt, schon ein Jahr leben sie zusammen. Es sind unsere Kinder, nur daß sie sich besser als Geschwister vertragen. Mein Mann wünscht zu seinem Geburtstag eine Fotografie von beiden, wie sie friedlich nebeneinanderliegen. Ich will sie ihm schenken, verstehen Sie, zur Erinnerung.‹«

»Zu welcher Erinnerung?« unterbrach ich ihn.

»Nun, daß Hunde und Katzen friedlich in diesem Hause leben.«

»Du mit deinen Geschichten«, sagte die Mutter lachend und erhob drohend ihren Finger.

»Es ist aber eine wahre Geschichte«, verteidigte er sich.

»Wahr oder nicht«, fuhr sie belustigt fort.

»Aber sie haben sich ja gar nicht vertragen«, warf ich auf einmal dazwischen, »zu Beginn hast du es wenigstens gesagt, also ...«

»Ihr habt mich nicht ausreden lassen.« Und dann fuhr er fort: »Die Frau holt das Kätzchen aus dem Körbchen und setzt es auf die

Erde. Der Hund setzt sich auf seine Hinterpfoten, steht wieder auf und trottet gutmütig durch das Atelier. Das Kätzchen schleicht sich unter den Tisch und beginnt sich zu lecken. Inzwischen unterhandle ich mit der Frau, wir besprechen die Größe und die Zahl der Abzüge. Sie bestellt sich eine solche Anzahl, als wollte sie ihrer ganzen Familie und allen ihren Freunden einen Abzug zur Erinnerung schenken. Wir einigen uns über den Preis. Im stillen überlege ich das Arrangement. Es soll ein einfaches Foto sein. ›Vielleicht einen kleinen Tisch mit Blumen dahinter?‹ frage ich. ›Ach ja‹, antwortet sie, und kurz darauf, ›ach nein, lieber nicht, es soll nur ein Foto von beiden sein, und Blumen würden nur stören.‹ Ich schiebe einen niedrigen Sessel herbei, werfe ein gelbliches Tuch darüber, die Frau lockt das Kätzchen unter dem Tisch hervor, hebt es auf den Sessel, es beginnt zu schnurren, der Hund kommt herbeigetrottet und läßt sich auf Zuspruch wieder auf seine Hinterpfoten nieder. Ich rücke meine Lampen zurecht, schalte die Deckenbeleuchtung ein, bringe zwei kleine Scheinwerfer in Stellung, um die Gruppe ins richtige Licht zu setzen. Die Frau steht bei den Tieren und spricht ihnen gut zu. Inzwischen ist das Kätzchen herabgesprungen, der Hund sitzt fest auf seinem Platz und sieht interessiert zu. ›Bützi, komm‹, ruft die Frau. Bützi schleicht heran und wird wieder auf den Sessel gehoben, bleibt einen Augenblick ruhig sitzen, reckt sein Hälschen, schaut nach oben, so daß es den Anschein hat, als ob es seine Schnurrhaare unter der Nase und auf der Oberlippe balanciere, es blinzelt, schaut unruhig nach rechts und links und springt wieder hinab. Im gleichen Augenblick ruft die Frau: ›Ach, ich habe vergessen, ihr das Halsbändchen umzutun‹, und kramt in ihrer Tasche. ›Wenn ich es nur nicht vergessen habe‹, murmelt sie. ›Nein, da ist es, komm, Bützi, komm, ich muß dir dein Halsbändchen umtun, du mußt doch schön sein, wenn du fotografiert wirst.‹ Das Kätzchen sitzt wieder unter dem Tisch und kommt mit seinem gespannt-zögernden Gang gravitätisch hervorgeschlichen. Die Frau beugt sich hinunter und macht das Halsband fest. Dann hebt sie das Kätzchen wieder auf den Sessel, und im gleichen Augenblick, als ihre Hände den Tierleib entlassen, trifft das Kätzchen Anstalten, wieder hinabzuspringen. ›Aber Bützi‹, ruft die Frau ein wenig verärgert, und während sie mit ihren Händen das Tier leicht auf den Sessel drückt, dreht sie sich um und fragt mich, ob es noch lange dauert, sichtlich nervös und unsicher geworden über den Erfolg der in Aussicht genommenen Vorstellung. ›Ich bin soweit‹, sage ich. ›Nur dieses Kabel noch, so.‹ – ›Das viele Licht macht sie nervös‹, ruft die Frau.«

Er unterbrach seine Erzählung und sah mich spöttisch an. »Auch Mütter müssen immer das Betragen ihrer Kinder, die sie zuvor als einen Ausbund von Tugenden dargestellt haben, beschönigen, wenn diese sich vor allem Volke vergaloppieren – ist es nicht so?«

Sein rundliches Haupt hielt er zur Seite geneigt, seine etwas zugekniffenen Augen blinzelten im Kreise herum. Er schwieg, als erwarte er Beifall. Er liebte es, sich von Zeit zu Zeit in solchen allgemeinen Betrachtungen zu gefallen, unter der Maske einer objektiv gültigen Feststellung, während jedem von uns seine Anspielung deutlich war. Aber die Mutter hatte im Laufe der Jahre gelernt, dergleichen über sich ergehen zu lassen. Sie schwieg ebenfalls, als stehe sie ganz im Bann seiner Geschichte und warte auf die Fortsetzung.

»Also«, fuhr er fort und nahm seine alte Haltung wieder ein, »während die Frau ihr Kätzchen in Schutz nimmt, sehe ich ihr rot angelaufenes Gesicht und sehe weiter, daß auch sie selbst sich ausstaffiert hat, als käme sie mit auf das Bild. ›Wollen Sie nicht das Kätzchen auf den Schoß nehmen?‹ frage ich. Sie zögert mit der Antwort und sagt nur: ›Meinen Sie, und was kostet das?‹ – ›Natürlich‹, sage ich, ›dann hat Ihr Mann alles, was er liebt, auf einem Bild, und es kostet Sie keinen Pfennig mehr.‹ Sie zögert noch einmal, tritt langsam von dem Sessel zurück, denkt nach, sieht auf die Tiere, sieht zu mir herüber und schweigt. Inzwischen sitzt Bützi noch immer auf dem Sessel, ich prüfe die erste Einstellung. ›Ach nein‹, sagt sie, ›nur die Tiere, so wie es in Wirklichkeit ist.‹ Da beginnt die Dogge – die ganze Zeit hat sie ruhig und breit gesessen und zugeschaut, wie das Kätzchen sich schlecht aufgeführt hat –, jetzt reißt sie ihr Maul weit auf und gähnt, erhebt sich, dreht sich etlichemal im Kreise und setzt sich wieder hin, aber diesmal mit dem Rücken zum Apparat. Bützi schaut verwundert. ›Hützi‹, ruft die Frau von der Seite, wo sie ihren resignierten Posten bezogen hat, und läuft erbost zu den Tieren, packt den Hund am Halsband und dreht ihn mit einem Ruck dem Objektiv zu. Ihre Nervosität ist so groß, daß die Tiere von ihr ergriffen werden. Wieder ist Bützi unter den Tisch gesprungen, und Hützi hat sich in den Falten eines Vorhanges verwickelt. Ist Bützi auf einen abgedankten Scheinwerfer gesprungen, steht Hützi vor dem großen Fenster, schaut hinaus, während ihre Herrin vergebens lockend und drohend die Gunst der Tiere wiederzuerlangen sucht. Es ist ein Schleichen und Trotten, ein Springen und Laufen durch das Atelier, ein lautlos-feierlicher Protest der Tiere dagegen, ihren widernatürlichen häuslichen Frieden zur Schau zu stellen. Und dazwischen die aufgeregte ratlose Frau, schwitzend von Gekränktheit, Enttäuschung und den tausendkerzigen Lampen, stets mit Ausrufen die Stille durchbrechend, wie: ›Ach, Hützi‹, ›Komm, Bützi‹, ›Ach nein‹, ›Komm auf deinen Platz‹, ›Komm zu deinem Frauchen‹, und dann die Beteuerung, daß sie zu Hause so friedlich miteinander lebten. ›Sicher sind es die Lampen, die sie beunruhigen, sie sind es eben nicht gewöhnt, und nun muß ich für meinen Mann doch ein anderes Geschenk ausdenken!‹«

»Wenn du dem Kätzchen Milch gegeben hättest«, sagte ich, »dann hättest du sie doch fotografieren können, aber so … wie schade!«

»Ich habe sie aber dennoch fotografiert«, sagte der Vater vielsagend.

»Ja?« rief ich jubelnd, »erzähle, wie du das gemacht hast.«

»Komm mit«, sagte er. »Ich werde dir zeigen, was ich getan habe.«

»Du kannst es mir später auch zeigen«, sagte die Mutter und verschwand.

Wir gingen durch das Atelier, in dem noch der Sessel und die Geräte standen. Das Licht war ausgeschaltet.

Wie das künstliche Licht ein anderes Licht ist als das des Tages, so ist das Dunkel der Dunkelkammer ein anderes als das Dunkel der Nacht. Soeben bist du noch durch ein helles Zimmer gegangen, in das von allen Seiten Licht hereinflutet, und jetzt stehst du in einer Dunkelkammer, aber draußen ist es Tag. Wie ist es dunkel hier, sagst du zu dir selbst, vielleicht auch, um dir ein wenig Mut zu machen im Dunkeln. Wer weiß, welche Gedanken in einem solchen abgeschlossenen Raum, der dunkel ist, in dir heraufkommen, während dich das Bewußtsein nicht verläßt, daß draußen Helle, Licht, Tag ist. Aber wenn du am Abend von einem erleuchteten Zimmer in ein anderes hinüberwechselst, in dem Dunkelheit herrscht, dann ist es wiederum etwas ganz anderes, und du bist ein anderer am Abend. Aber jetzt kannst du jeden Augenblick zurückkehren aus dem Schwarzen in das andere, das Helle, wenn du nur willst. Aber nein, du hast es freiwillig auf dich genommen und bleibst. Draußen ist es Tag. Du bist eingetreten, und deine Augen sind geblendet von so viel Dunkelheit. Es spielt tief in den Pigmentkernen deiner Augen, es schmerzt, nur einen Augenblick, daß du die Lider zukneifst und wartest, bis zwischen den Zapfen und Stäbchen innen eine andere Verabredung getroffen ist. Beides ist in dir, das Dunkle und das Helle, tief in der Netzhaut sind sie dir zu eigen, und du kannst sie wählen aus demselben Brunnen, je nachdem wo du dich befindest, im Hellen oder im Dunkeln. Wenn du sie wieder in der Dunkelkammer aufschlägst, sehen deine Augen in einer Ecke des Raumes ein glühendes Pünktchen, es ist rot. Du hast es anfangs nicht gesehen in soviel Dunkelheit, aber jetzt siehst du es. Ausgespannt mitten in dem Schwarzen hängt es und gibt nur einen matten, kleinen Schein. Es ist kein Licht, das leuchtet, es macht die Dunkelheit nur tiefer, sichtbarer, und du greifst sie mit dem Dunkel in deinen Augen und trägst sie herum in deinem Körper und deinen Händen, wie sie dich mit sich trägt und dich mahnt, daß das Schöpferwort jeden Augenblick ausgesprochen werden kann. Stille und Dunkelheit und der Schlag des Herzens.

»Komm her«, sagt der Vater, und ich sehe in der milden Finsternis, wie er aus einer großen Schale mit Flüssigkeit eine dunkle Platte herausfischt, von der die Tropfen in die Schale zurückfallen, und sie gegen das rote Lämpchen hält. Ich sehe auch seine Gestalt mit leichtem Schnitt aus der Dunkelheit herausgelöst, so daß ich seine Bewegungen beim Spülen erkennen kann. Ich höre nach langem Schweigen seine Stimme, sie erscheint mir tiefer und voller. Erwartungsvolle Angst steigt in mir auf, jedesmal wenn ich hier allein mit ihm bin, auf eine andere Weise allein bin, als wenn ich in einem taghellen Zimmer mit ihm zusammensitze. Denn in der Dunkelheit wird die Tat gezeugt eines jeglichen, man kann sie ins Helle und wieder ins Dunkle tragen, im Dunkel wird sie gezeugt.

»Das ist ein Hund«, sage ich mit gedämpfter Stimme.

»Das ist Hützi«, sagt er.

»Und hier?« Er zeigt mir eine neue Platte.

»Bützi!« rufe ich. »Du hast sie also doch aufgenommen!«

»Aber jedes für sich allein.«

»Sie haben sich nicht vertragen«, sage ich. »Und jetzt?«

»Ich bringe beide auf eine Platte und mache davon einen Abzug. Und auf dem Bild sitzen Hützi und Bützi friedlich zusammen, wie sie zu Hause sitzen. Dies ist das Geburtstagsgeschenk.«

Die beiden Fotoplatten liegen wieder in der großen, gläsernen Schale. Ich sehe ihn an, mir scheint, als sei es heller im Dunkel geworden. Ich erkenne die Züge seines fleischigen Gesichtes, auf dem etwas Triumphierendes liegt. Es ist kein Schatten mehr, es ist wieder eine Gestalt geworden.

Und ich sage: »Eigentlich ist es gar nicht wahr, denn sie haben hier doch nicht zusammengesessen.« Zugleich fühle ich eine Bewunderung für ihn in mir aufsteigen, obwohl meine Worte anscheinend nur Kritik enthalten.

»Was macht das?« sagt er erstaunt. »Das nennt man eine Trickaufnahme.«

»Aber es ist nicht wahr«, wiederhole ich hartnäckig. »Du machst es und findest es sehr spaßig, aber eigentlich ist es gemogelt!«

»Ach was!« Er ist ungehalten. »Das ist eben der Trick. Das verstehst du noch nicht.« Es ist wieder dunkler geworden in der Kammer. Er hat das rote Lämpchen ausgeschaltet.

»Komm!«

Ich fühle mich an den Schultern gepackt, und tappend werde ich durch das Dunkel geschoben, schwarz verhangene Wände entlang, durch gewundene Gänge, in die von außen Lichtstäubchen fallen. Dann wird ein schwarzer Vorhang zur Seite geschoben, die Ringe gleiten hell auf der eisernen Stange, und wir stehen preisgegeben dem vollen, hellen Licht des Tages.

Ich fühle, daß ich etwas gutzumachen habe, und frage dumpf: »Darf ich dabeisein, wenn du es machst?«

Er schaut mich nicht an, sieht durch das große Fenster des Ateliers hinaus auf den Vorgarten und sagt verbissen: »Nein!«

›Dann gnade uns Gott.‹ Die Worte meines Vaters liefen mir noch lange nach. ›Dann gnade uns Gott …‹ Wer war dieser Mann, daß er die Gnade Gottes für uns nötig machte, von der mein Vater nur bebend sprach?

Eines Tages stellte ich den Vater und fragte ihn ohne Umschweife. Gelassen nahm er dieses Mal meine Frage hin.

»B. ist unser Feind«, sagte er und sah mich nachdenklich an.

»Unser Feind«, sagte ich ungläubig.

»Was erzählst du wieder für Geschichten!« rief meine Mutter aus dem Nebenzimmer. Ihre Stimme zitterte.

»Er hat mich gefragt, und ich gebe ihm eine Antwort«, rief er zurück.

»Vergiß nicht, er ist noch ein Kind!«

»Er wird es aber begreifen«, sagte er. »Ist es etwa nicht wahr?«

Sie schwieg.

»Unser Feind?« wiederholte ich ungläubig.

»Ja, der deine und der meine und vieler anderer Feind auch!« Er lachte laut, ich dachte, daß er über mich lachte. Seine Mundwinkel hingen herab. Geringschätzig sah er mich an.

»Jetzt ist es genug!« ertönte wieder die Stimme aus dem Nebenzimmer.

»Warum?«

»Du brauchst ihm nicht auf jede Frage zu antworten! Gehe hinunter auf die Straße spielen, Kind«, fügte sie hinzu.

Ich sah ihn unentwegt an.

»Auch der meine?« fragte ich. »Ich kenne ihn ja nicht, kennt er mich denn?«

»Gewiß, der deine auch. Wir werden ihn kennenlernen, fürchte ich.«

»Warum aber?« fragte ich weiter. »Was haben wir denn getan?«

»Wir sind …«, erwiderte mein Vater.

Stille.

Meine Mutter trat ins Zimmer.

Was diese Antwort mit meiner Frage zu schaffen hatte, ist mir im Grunde damals nie klargeworden, so tiefsinnige und wohlerwogene Erklärungen ich auch später noch zu hören bekam. Alles schien mir eher ein Wahn zu sein.

Wie es dann mit der Gnade Gottes bestellt sei, fragte ich meinen Vater nie. Denn aus seinen Worten verspürte ich seinen Ingrimm und die ganze Bitterkeit, mit der er eine große Gefahr zu verkleinern trachtete. Vergebens. Soweit hatte ich ihn schon damals begriffen, daß B. als Feind mächtig war und noch mächtiger werden konnte, so daß einzig Gott mit seiner Gnade ihm widerstehen konnte. Doch eines begriff ich nicht. Genausowenig wie ich wußte, wer er war, von dem mein Vater als unserem Feind sprach, ebensowenig wußte ich, wer Gott war, von dessen Gnade mein Vater sprach. Ich kannte sie beide nicht. Aber sie beide waren da.

»Aber noch ist es nicht soweit«, fügte mein Vater milder lächelnd hinzu, um mich zu beschwichtigen, da er meine Stummheit richtig deutete. Mir schien es jedoch, als wenn er mit seinen Worten mehr sich selbst besänftigen wollte.

Dies geschah, als ich zehn Jahre alt war, und von diesem Zeitpunkt an stand hinter meiner Jugend ein doppelter Schatten, den die Worte meines Vaters heraufbeschworen hatten. Bis zu welchen Maßen er aufsteigen sollte, konnte ich damals noch nicht ahnen. Ich empfand nur das Fremde, das, ohne daß ich es mit Worten genauer hätte umschreiben können, auf einmal in mein Leben getreten war. Meine kindliche Unbefangenheit war angetastet. Ein leichter Riß, der mit den Jahren zu einer Wunde klaffte, die tief ins Fleisch drang, ohne sich zu schließen.

II

Ich habe meine Aufzeichnungen noch einmal durchgelesen und bin erschrocken. Ich möchte nicht in den Verdacht geraten, hier zu sitzen und mich zu bemühen, einen Roman zu schreiben. Ich habe viele Berufe gehabt und viel Lehrgeld zahlen müssen, aber nie den eines Schreibers.

Ich bin auch Sportlehrer. Meine Hände sind mehr geeignet, einen Ball oder eine Kugel zu halten als einen Federhalter. Abgesehen von meiner Unerfahrenheit, meine Gedanken und Gefühle in allgemein faßlichen Sätzen zum Ausdruck zu bringen, verbindet sich meine Beobachtung mit zuwenig Geduld, warten zu können, bis das Bild gerundet entsteht. Das Detail, das schnell zu bewältigen ist, reizt mich, die kurze Strecke der Sprinter ist meine Bahn.

Wenn ich mich jedoch einmal überwand und mich in Geduld faßte, merkte ich bald, daß mich meine Beine auch über längere Strecken trugen. Nie ließ mich mein Atem im Stich, vom Regelmaß des Herzschlags zu schweigen. Aber ich gab auf aus Langeweile. Meiner Ausdauer mangelt es an Phantasie. Zudem hasse ich die Prozedur. Mein Vater war Fotograf. Ein Roman oder eine Erzählung besteht ebenso wie der Film aus einzelnen aus der Zeiteinheit gebrochenen fotografischen Aufnahmen, die zusammengefügt den Eindruck einer sich unablässig durch die Zeit bewegenden Handlung erwecken sollen und in der Tat auch erwecken. Man wird begreifen, wenn ich erkläre, daß ich genug habe von Tricks aller Art. Gewichtige Fachleute, die sich Psychologen nennen, behaupten, wie ich gelesen habe, daß unser menschlicher Geist diese Taschenspielerkünste benötige und ohne sie weder die Wirklichkeit erfassen noch sich mit ihr in ein richtiges Verhältnis setzen könne. Sei dem, wie ihm wolle. Die einzige Bewegung, die auf Erden ungebrochen verläuft und mich interessiert, ist die Bewegung eines beseelten Körpers. Alles andere ist denaturierte Wirklichkeit. Begriffe sind ihr Prunksarg. Ich tue nichts anderes, als daß ich niederschreibe, was mir einfällt und was mich bewegt.

In einigen Wochen werde ich einen Entschluß fassen müssen, dessen Tragweite mir vorläufig noch ungewiß ist, da ich alles von ihm zu erwarten habe. Falls er in eine bestimmte Richtung fällt, werde ich diese Aufzeichnungen irgendeinem aus meinem weiten Bekanntenkreis übergeben und sie mir nach diesem Ereignis wieder zurückholen. Ich werde sie ergänzen mit meinen Erfahrungen in der dazwischenliegenden Zeit oder sie vernichten. Ich weiß sicher, daß ich alles überstehen werde, daß ich, vielleicht mit einigen Schrammen, wieder auftauche. Und falls ich nicht zurückkomme – auch mit dieser Möglichkeit muß ich rechnen –, kann der jeweilige Besitzer sie in den Ofen werfen, wenn er es nicht zuvor getan haben sollte. Auf jeden Fall werde ich der Hilfsbereitschaft und Gutmütigkeit des künftigen Bewahrers Rechnung tragen, daß ich Namen und direkte Anspielungen vermeiden werde und alles so allgemein wie möglich halte. Falls man diese Blätter bei ihm findet, darf ihm keine Gefahr erwachsen. Zum Glück gibt es Feinde genug auf dieser Welt unter jedem Himmelsstrich. Ein jeder kann jeden damit meinen, wenn er nur tüchtig schimpfen kann, und ich bin mir bewußt, eine abgeschmackte Wahrheit zu verkünden, wenn ich niederschreibe, daß es niemals auf Erden aufhören wird, Feinde zu geben. Sie rekrutieren sich aus den einstigen Freunden.

Mir schmeichelt die Einflüsterung, daß der künftige Besitzer meine Niederschrift nicht vernichten wird. Er wird sie selbst erst lesen, sie diesem und jenem zeigen, schließlich wird sich ein anderer mit meinen Federn schmücken und die Ohrfeigen empfangen, die mir zugedacht sind. Mein Eingeständnis zu Beginn, keinen Roman schreiben zu wollen, wird man einfach als einen üblen, gar nicht so originellen Trick disqualifizieren. Mir kann es gleich sein. Ich schreibe, weil die Bewegung, mit der die Feder über das Papier läuft, eine Spannung in mir löst und zugleich eine andere erweckt, die mir Vergnügen bereitet. Nicht die Langeweile treibt mich. Die Umstände machen es ratsam, im Zimmer zu bleiben und sich nicht oft auf der Straße blicken zu lassen. Ich schreibe, weil mir das Betreten der Sportplätze und der Zugang zu der Badeanstalt verboten ist. Das Schreiben ist eine Art Zimmergymnastik en minature.

Zudem bin ich besessen von einem Gedanken, den öffentlich zu bekennen ich mich weislich hüten werde. Meine eigenen Leute würden mich umbringen. Mir selbst erscheint er nicht so außergewöhnlich. Das Besessensein liegt in der Luft, hie Freund – hie Feind. Es wird mich zu gegebener Stunde nicht hindern können, meine Pflicht zu tun. Kein Mensch ist sattelfest. Ich bilde mir nicht ein, schlechter zu reiten als die anderen. Ob ich so gut schießen kann wie sie, ist eine andere Frage.

Der Vorwurf, ein Überläufer, eine Art Spitzel zu sein, hätte mich zu einem früheren Zeitpunkt mehr treffen können als jetzt, da ich die Gründe meines Wankelmutes freimütig bekenne. Eine gewisse Unbeholfenheit in Gefühlsdingen ließ mich schwach erscheinen, so wie ich im Wettstreit verlor, wenn ich mein Training vernachlässigt hatte. Aber ich stellte mich zum Streit. Es gibt stärkere Charaktere mit verborgenen Schwächen, die den Vorwurf der Feigheit eher verdienen. Die Unebenheiten meiner Gedanken und Stimmungen trachte ich nicht zu bemänteln, noch will ich auf meine Irrtümer besonders pochen. Es ist ermüdend, vor sich selbst ohne Unterlaß auf der Hut zu sein. Vielleicht, daß mich auch ein Wahn beherrscht, der, einem inneren Bedürfnis entspringend, Genesung bringt der Verwirrung, für die ich keinen Namen weiß. Mag sie sich auch immun erweisen gegen die Bombardements der Logik, gleichviel, ich wage den Versuch, die Verstrickungen, die mich fesseln, zu enträtseln, selbst auf die Gefahr hin, daß ich dabei den Fehler begehe, andere ernster und wichtiger zu nehmen, als der Verachtung geziemt, mit der sie mir begegnen. Irgend etwas ist los, ich fühle es, ein Fieber, dessen Erreger noch unbekannt sind. Wenn ich erst einmal die Bedeutung erfaßt habe, werde ich wissen, was mich hält oder zuletzt fallen läßt.

Ich habe schon gesagt, daß mein Vater Fotograf war. Er kam zu diesem Beruf, als er in allen anderen Schiffbruch erlitten hatte. Es war mein Unglück, daß er in ihm nicht scheiterte. Vielleicht wäre vieles anders gelaufen. Seine Trickaufnahmen haben mein Kinderleben mit beträchtlicher Unruhe erfüllt, wie mir erst später deutlich wurde. Anfangs glaubte ich, daß er ein ausgezeichneter Fachmann sei, später fand ich nicht Worte genug, meiner Geringschätzung seines Könnens Ausdruck zu verleihen, nachdem er schließlich, zu spät für mich, auch in diesem Beruf Schiffbruch erlitten hatte. Obwohl die Gründe hierfür mehr in den allgemeinen Umständen der Zeit als in rein persönlichen zu suchen sind, bin ich der Meinung, daß er nicht besser oder schlechter war als jeder andere in seinem Fach. Sein Fach ist eine Frage des Retuschierens und Beleuchtens. Man hebt Partien und Flächen hervor, um andere desto leichter verschwinden lassen zu können. Vielleicht hätte er es weiter gebracht, wenn er mit einem schlechteren Gewissen gemogelt hätte. So sagte er den Leuten mit seinen Fotografien auf eine ungehobelte Art die Wahrheit, die sie für Kunst hinnahmen.

»Er hat es nicht leicht gehabt in seinem Leben«, sagte die Mutter, als sie, Jahre später, einige vertrauliche Mitteilungen machte, ohne jedoch das Gefühl zu erwecken, daß sie ihn verriet. »Ach ja, er hat es nicht leicht gehabt!« Sie seufzte und starrte vor sich hin, als wäre er schon lange tot und nur in ihren trüben Erinnerungen noch am Leben. »Zuerst die vielen Kinder zu Hause, der frühe Tod der Mutter, der Vater, sein Vater, ein rechtschaffener Mann, so rechtschaffen, daß er es nicht übers Herz brachte, sich noch einmal zu verheiraten. Der jüngste Bruder ist auf Abwege geraten, du kennst die Geschichte.«

Ich nickte. Ich kannte sie.

»Und was für Berufe hat er ausgeübt, zuerst in der Lehre beim Uhrmacher, danach Reisender, Empfangschef, maître de réception im Hotel. Als das schiefging, Tanzstundenlehrer, später Inhaber eines Putzsalons. Und danach Fotograf. Das ist er jetzt noch. Wie lange?«

»Ich erinnere mich an das kleine Zimmer hinter dem Laden, wo du saßest und Hüte machtest«, sagte ich.

»Mit zwei Lehrmädchen«, sagte sie. »Ich habe immer, so gut es ging, mitgearbeitet.«

»Tanzstundenlehrer war er auch?« Die Vorstellung, daß mein Vater, der etwas beleibte, kahle Mann, die neuesten Schritte und Tempi vorführte, erschien mir absurd. Ich mußte lachen.

»Er konnte ausgezeichnet tanzen«, sagte sie. »Dicke Leute sind oft sehr beweglich und elegant. Er schwitzte nur sehr dabei. Ein Abend kostete ihn zwei Hemden.«

Sie hielt einen Augenblick inne. Betrübnis überzog ihr Gesicht. Sie schwieg.

Was denkt sie jetzt, überlegte ich im stillen. Sie sagt, daß er gut tanzen kann, und ist selbst betrübt. Was hat diese Betrübnis zu bedeuten? Das ist keine Trauer über Dinge, die einst, als sie geschahen, schön waren und deren Erinnerung mit Wehmut sich paart. Und ich sagte: »Ich habe euch aber nie tanzen sehen!«

»Ich konnte nie gut tanzen!« erwiderte sie und errötete.

»Dann hätte er es dich lehren können!« sagte ich.

Sie schüttelte den Kopf.

Ich glaubte, daß ich es begriff, und darum flüchtete ich schnell zu einer anderen Frage, deren Beantwortung mir weniger Verlegenheit und Beschämung mit sich zu bringen schien, und sagte: »Und im Hotelfach – warum ist er nicht maître de réception geblieben?« Für diesen Beruf erschien er mir im Augenblick außergewöhnlich geeignet. Ich sah ihn, in der Vorhalle des Hotels, auf Plüschteppichen, wie er mächtig dasteht, sich die Hände reibt und mit tiefen Verbeugungen die Gäste empfängt und seine Anordnungen trifft. Er trägt eine gestreifte Hose und einen passenden schwarzen Rock, der über dem Bauch ein wenig straff sitzt. Sie sah mich an. »Du weißt es nicht?«

»Nein«, sagte ich und erschrak. »Du brauchst es mir nicht …«

»Nein, nein«, sagte sie schnell, »du bist groß genug, es zu wissen.« Sie zögerte. »Ich dachte, du wüßtest es doch, die Sache mit … Ach, dein Vater ist auch nur ein gewöhnlicher Mensch – er hat eine kleine Dummheit …, ich dachte immer, du wüßtest es, die Sache mit dem …« Sie stockte, als wollte sie es sich noch einmal überlegen.

»Mit wem?«

»Der Geschäftsführer war es«, sagte sie. »Angeblich ein guter Freund von ihm. Ich habe ihn immer gewarnt.« Ich fühlte, wie eine Welle sie ergreift, eine Welle, die irgendwoher angeritten kommt, aus einem Meer voller Klippen, Strudel und Sandbänke; wo es gefährlich ist, sich ins Wasser zu begeben, und sie steht am Ufer, schaut hinein in das verräterische Spiel und beginnt zu rufen, aber ihre Stimme wird übertönt durch die Gewalt der Brandung. Der Anblick überfällt sie, als stünde sie selbst mittendrin. Und dann begann sie zu erzählen.

»Der andere hatte Geld unterschlagen, und der Vater kam dahinter. Der andere nannte sich seinen Freund und begann zu bitten und zu schmeicheln, bis sich Vater erweichen ließ und versuchte, ihm aus der Patsche zu helfen. Er war ein Lump, einfach ein Lump. Sogleich als er wieder festen Boden unter den Füßen verspürte, begann er die Sache so zu drehen, daß Vater mit hineinschlidderte. Irgendeine Geschichte mit Wechseln und so – ich verstehe nichts davon.« Sie saß da, ineinandergefallen, gealtert, einen harten, verbissenen Zug um den Mund, als erzählte er ihr, was geschehen war, was sie in ihrer Angst schon lange zuvor in sich hineingenommen hatte. ›Du hast wieder einmal recht gehabt‹, stöhnt er hervor, ›wieder einmal recht gehabt.‹

Aber sie will es nicht mehr hören, hinterher, daß sie recht gehabt hat, nein, sie wehrt sich, sie will es nicht mehr hören. Es stößt sie ab, dieses Eingeständnis des bleichen, aschfahlen Mannes, der sich nicht zu helfen weiß und nur Trost findet in dem Gedanken, daß sie recht gehabt hat. ›Ich hätte auf dich hören sollen.‹

Sie möchte ihn schlagen, so wie er sie schlägt mit seinem Eingeständnis und seiner Wollust des Bekenntnisses. Er steht vor ihr, schwer und behäbig, der Schweiß rinnt in dünnen, geschlängelten Bahnen über sein Gesicht, sein Kopf dampft, er zieht ein Taschentuch aus seiner Hose und wischt mit großem, hastigem Armschwingen über Gesicht und Hals.

Und dann trägt er zum soundsovielten Male die Geschichte vor, wie er sie sich zurechtgelegt hat, daß sie sich zugetragen habe. Sie hört ihn wieder an, ohne ihm in die Rede zu fallen, ohne ihn zu unterbrechen, obwohl sie weiß, daß er auch jetzt noch etwas vor ihr verschweigt, ja, daß er es sogar vor sich selbst verschweigt. Er beteuert es vor ihr und vor sich selbst, wie es sich zugetragen hat, als müßte er erst mit einem leichten Hauch den Spiegel verhängen, bevor er in ihn zu blicken wagt. Denn was kann ein Mann sonst noch tun, wenn der Widersacher in ihm hervorbricht und ihn – auch ist es sein Freund, der ihn verleitet – treibt und hetzt zu einer Jagd, wo er Jäger und Wild zugleich ist. Was kann er sonst noch tun, als einen Spiegel zu behauchen und in der Trübung sich mild zu spiegeln?

Er hat also eine kleine Dummheit gemacht, dachte ich bei mir, vielleicht, daß er nicht merkte, daß der andere ein Lump war?

»Er ist zu gut und zu vertrauensvoll«, sagte die Mutter und atmete auf. Diese Erklärung befreite sie von einer Last, die sie seit Jahren mit sich herumtrug.

»Erzähle«, sagte ich ruhig. »Ich möchte gerne alles wissen.«

Sie sah mich an mit ihrem Blick voll Dankbarkeit, daß es ihr endlich möglich war, von einer kleinen Dummheit zu berichten, die mein Vater begangen hatte, weil er zu gut und vertrauensvoll gewesen war.

»Ich verstehe nichts davon«, sagte sie. »Es war eine Wechselgeschichte. Es war ein schönes Hotel, und der Geschäftsführer war ein Lump. Was er tat, war schlecht, aber was der Vater tat, war dumm. Es war schon eine Dummheit von ihm, einen Lumpen seinen Freund zu nennen. Er tat Dinge, die nicht erlaubt sind, und wenn sie schief ausgehen, sind sie erst recht nicht erlaubt. Es ging aber schief aus, und darum saß er in der Patsche. Frag ihn selbst, wenn du es genau wissen willst, denn ich verstehe nichts davon.«

Sie schwieg.

»Wie ist es denn abgelaufen?« erkundigte ich mich. Aber im selben Moment tat es mir leid, ich hätte die Frage gerne zurückgenommen. Ich dachte, da hast du eine taktlose Frage gestellt, da hast du selbst eine Dummheit gemacht. Aber zugleich bangte ich vor der Wahrheit, die ich vernehmen sollte.

»Es hat uns unsere Ersparnisse gekostet«, sagte sie, »um die Sache in Ordnung zu bringen. Es war die einzige Möglichkeit.«

Ich fühlte mich erleichtert, und ich sagte: »Ohne Gerichte also, Gott sei Dank.«

Sie erschrak und sah wild um sich. »Natürlich!« erwiderte sie. »Dein Vater ist doch kein Verbrecher.«

Da kam mir ein Gedanke. »Jetzt begreife ich«, fuhr ich fort, »warum er mich damals bei der Geschichte mit den Briefmarken nicht geschlagen hat.« Ich erinnerte mich plötzlich dieser ganzen Geschichte, die sich nach der Geschichte mit Hützi und Bützi zugetragen haben muß.

»Welche Geschichte?« fragte meine Mutter. Ihre Gedanken hingen noch dem Vorhergehenden nach, und sie fragte versunken: »Welche Geschichte?«

»Mit den Briefmarken«, wiederholte ich. Ich war froh, das Gespräch auf ein anderes Thema bringen zu können, wenn mir auch erst später einfiel, daß sich in der Geschichte nicht so sehr das Thema als die Hauptpersonen veränderten.

»Richtig«, sagte sie nach einer Weile, »die Geschichte mit den Briefmarken, das war damals, nicht wahr?«

»Ja.«

»Und er hat dich nicht geschlagen?« wiederholte sie, als hielte sie dies für das Wichtigste der ganzen Geschichte.

»Nein«, bekräftigte ich, »damals hat er mich nicht geschlagen.«

»Was hat er denn dann mit dir getan?«

»Das weiß ich nicht mehr so genau, aber auf jeden Fall hat er mich nicht geschlagen.«

»Tat er das so oft?« fragte sie.

»Ja, ich glaube, daß er mich oft geschlagen hat.«

»Aber damals nicht?« sagte sie, als täte es ihr gut, noch einmal festzustellen, daß er mich damals nicht geschlagen hat.

»Er hat mich damals nicht angerührt«, wiederholte ich.

»Aber du mußt noch fortwährend daran denken«, sagte sie, »und anscheinend bist du sehr böse auf ihn, denn jetzt sprichst du von nichts anderem als von den Schlägen, die du gekriegt hast. Vielleicht fand er es nicht der Mühe wert, dich deswegen zu schlagen.«

»Ich glaube, daß ich es damals nicht begriffen habe, aber hinterher hat es einen großen Eindruck auf mich gemacht. Eigentlich hatte ich es erwartet, und wenn er es getan hätte, hätte ich mich sicherlich leichter gefühlt.«

»Er vielleicht auch«, sagte sie. »Ich erinnere mich. Er war fassungslos, als er es hörte. Er kam zu mir, gleich nachdem der Vater von Fabian bei ihm gewesen war, bleich, seine Lippen bebten. Er stöhnte mehr, als daß er sprach: ›Es ist etwas Entsetzliches geschehen, der Junge …‹«

»Und was hast du gesagt?« fragte ich. Erst jetzt fiel mir auf, daß sie niemals mit mir darüber gesprochen und daß auch ich niemals das Bedürfnis empfunden hatte, mit ihr hierüber zu sprechen. Ich dachte, daß es damals vielleicht ihr Einfluß gewesen war, daß der Vater mich nicht angerührt hatte.

»Ich fand es nicht so entsetzlich, für mich war es ein Spiel. Dergleichen tun doch viele Kinder.«

Ich war ihr dankbar für ihr Verständnis und hätte es ihr gerne gezeigt. Aber eine sonderbare Beschämung hielt mich zurück, fast ein Schuldgefühl, als ob ich eben erst wieder in ein ähnliches Spiel verfallen wäre, und ich suchte in meiner Erinnerung nach einer Tat, die ich hätte gestehen können.

»Aber er konnte sich nicht beruhigen«, fuhr sie fort. »Zwei Nächte lang lag er wach neben mir, ich hörte, wie er sich im Bett herumwarf. Nach einer Weile machte er Licht, weckte mich und fragte: ›Der Junge wird doch nicht … Was meinst du?‹« Sie schwieg.

»Ich begreife es nicht«, sagte ich.

»Er war bang«, sagte sie, »daß du und er …«

»Ach so«, sagte ich. »Natürlich, jetzt verstehe ich, warum er Angst hatte. Das hätte ich eigentlich sofort verstehen können, warum er sich so ängstigte.«

»Ja, er hatte halt Angst«, wiederholte sie und machte mit ihren Händen eine entschuldigende Gebärde, als wäre Angst das einzige Gefühl gewesen, worauf er sich mit Recht hätte berufen können.

»Da brauchte er doch keine Angst zu haben«, sagte ich etwas gereizt, »das gibt es doch gar nicht.«

»Was gibt es denn nicht?«

»Nun dies – Vererbung, oder wie man das nennt.«

»Unsinn«, sagte sie, »natürlich gibt es das nicht. Aber man hat immer wieder Angst, daß es sie doch gibt.«

Es war um die Zeit gewesen, als alle Jungen und auch ich anfingen, Briefmarken zu sammeln. Wenn man ein bestimmtes Alter erreicht hat, fängt man an, etwas zu sammeln, das gehört sich so und steht auch in allen Büchern, Briefmarken oder Reklamemarken, Bändchen von Zigarren oder Nägel, die man auf der Straße findet, Steine oder Blätter von den Bäumen, Blumen und bunte Schmetterlinge. Oft fängt man schon früher damit an, mit sieben, acht Jahren, aber dann ist es nur ein kurzwährender Trieb. Einige Zeit ist man völlig in seinem Bann, es ist eine ernsthafte Sache, man tut und denkt nichts anderes mehr, aber dann löst sich sein Griff, und plötzlich ist er entschwunden, genauso schnell, wie er kam, was bleibt, ist die Erinnerung an eine Spielerei. Einige Jahre später wird es ernster. Man fängt an zu sammeln und zu ordnen, man hat Freude, etwas zu besitzen und es beharrlich zu vermehren, man vergleicht, man tauscht, plötzlich ist man in einen Wettkampf hineingeraten mit sich selbst und mit anderen, der auf eine besonders hartnäckige und stumme Weise, aber in Freundschaft ausgefochten wird. Ein echter Sammler verspürt doppelte Freude, erstens, wenn er seinen Besitz ausbreiten kann und fühlt, daß er sich mehrt, und zweitens, wenn er seine Sammlung geordnet vor sich hinlegt und Blatt für Blatt umschlägt in seinem Buch, das seinen Eifer und seine Hartnäckigkeit birgt. Es gibt Sammlungen, die der Stolz von Familien sind, einstmals begonnen aus der Spielerei eines Kindes. Sie gehen vom Vater auf den Sohn, und wenn man sie herausholt und betrachtet, ist es ein Festtag, während der Sinn sich alle Tage hindurch damit beschäftigt, ohne daß man etwas gemerkt oder auch nur das Geringste vermutet hätte, daß dieser und jener stattliche und durchaus ernsthafte Herr, mit dem man gerne in ein Gespräch verwickelt ist, in ein durchaus vernünftiges Gespräch verwickelt ist, in seiner Brieftasche einige seltsame Exemplare mit sich herumträgt, die er gerade erstanden hat und an die er unablässig denkt. Und plötzlich, mitten in dem Gespräch, zieht er sein Portefeuille heraus, bringt ein kleines, glänzend-durchsichtiges Kuvert zum Vorschein und fragt mit veränderter Stimme: »Haben Sie diese schon gesehen? Wir können tauschen, wenn Sie etwas anzubieten haben!« Und dann präsentiert er vorsichtig ein paar Briefmarken, während er zugleich aus seiner Aktentasche einen kleinen, dickbäuchigen Katalog, den neuesten Jahrgang, herauszieht, um den Wert, der darin vermeldet steht, sogleich nachzuschlagen und um zu beweisen, daß es ihm um ein ehrliches Geschäft zu tun ist. Mit der Briefmarke hat es eine besondere Bewandtnis. Es ist eigentlich Geld, gummiertes Geld, oder ein kleines Bild aus dem großen Weltpanorama, man kauft es und bezahlt dafür, man klebt es auf einen Brief oder auf ein Paket, um sie versenden zu können. Eine Briefmarke reist wie ein Gruß durch die ganze Welt. Du klebst sie auf einen Brief, und am anderen Ende des Globus löst ein Kind sie mit brennender Vorsicht wieder ab.

Ich bin nie ein großer Sammler gewesen, aber damals war ich, wenn auch nur kurze Zeit, ergriffen von diesen kleinen viereckigen, ovalen, länglichen, immer farbigen Stückchen Papier mit dem Gummi hintendrauf, der, wenn man ihn leckte, dumpf-süß schmeckte. Erst geht es nur um das Sammeln, das Mehren, das Besitzen. Langsam erwacht dann der Sinn für das, was man sammelt, für den Wert des Besitzes, man beginnt es zu lieben, zu berechnen, zu vergleichen. Man wittert nach allen Seiten hin, entleert Papierkörbe, stöbert Briefumschläge durch, ab und zu kauft man von seinem Taschengeld in einem Papiergeschäft die kleinen, durchsichtigen Säckchen oder läßt sie sich zum Geburtstag schenken. Ich tauschte mit diesem und jenem, auch mit älteren Leuten. Es ist ein besonderer Reiz, mit Erwachsenen Briefmarken zu tauschen, wenn sie, diese kleinen Heftchen in den großen Händen, sich zu dir hinunterbeugen und auf ernsthafte Weise mit dir sprechen, da sie dich als Partner und nicht als Kind ernst nehmen. Es besteht kein Unterschied mehr zwischen euch, die Briefmarke hat ihn aufgehoben. Zuweilen hatte ich etwas anzubieten, und dann bot mir wiederum ein anderer an, was ich suchte. Es war schön, zu tauschen und Wert gegen Wert herzugeben, auch wenn jeder auf seine Weise bemüht war, so vorteilhaft wie möglich aus dem Tausch herauszukommen.

Damals waren die Briefmarken mit den Aufdrucken die große Mode und äußerst begehrt von jung und alt. Es war einige Zeit nach dem Ersten Weltkrieg, und die allgemeine Unsicherheit jener Tage offenbarte sich in den Briefmarken dergestalt, daß man alle möglichen Sorten mit bestimmten Aufdrucken versah. Die Aufdrucke haben es allen Sammlern angetan. Die Postverwaltungen aller Länder scheinen dies zu wissen und fachen das Verlangen immer wieder aufs neue an. Eine neue Fluglinie wird zum erstenmal geflogen, eine Ausstellung wird eröffnet, irgendein Gedenktag wird eingesetzt, und eine Marke erhält einen Aufdruck. Damals waren es in der Mehrzahl geographische Namen, Memel, Danzig, Belgien, Afrika, Togo usw., die mit dicken, schwarzen Buchstaben auf die farbigen Bilder aufgedruckt wurden. Eine ganze Historie kann man von den Marken ablesen.

Um dieselbe Zeit hatte ich zu meinem Geburtstag eine kleine Kinderdruckerei erhalten, und eines Tages begann ich kurzerhand, auf Briefmarken zu drucken. Ich war ungemein stolz auf diese großartige Idee. Da habe ich also etwas herausgefunden, dachte ich bei mir, eine ganz einfache Sache, so einfach, daß anscheinend kein anderer darauf gekommen ist. Man braucht nur ein paar Buchstaben zusammenzusetzen, sie auf einem Stempelkissen schwarz oder blau zu färben und dann vorsichtig in der richtigen Lage auf die Briefmarken zu drucken. Und wenn man sie wieder abhebt, sieht man das Wort in feuchten Lettern daraufstehen, es leuchtet, es lacht an, und die Briefmarke hat ein anderes Gesicht. Vielleicht ist ein bißchen Mogelei dabei, ganz bestimmt ist ein bißchen Mogelei dabei, und es ist vielleicht auch nicht gut, daß ich es tue, aber es ist doch ein guter Einfall, beinahe sieht es aus, als ob es echt wäre. Ich werde es noch besser machen, so daß es ganz echt aussieht. Ich werde zu den Kindern gehen und sie fragen, ob sie mit mir tauschen wollen. »Hast du Briefmarken zum Tauschen?« werden sie fragen. »Zeig her!« Und selbst die Kinder, die bisher mit mir nicht tauschen wollten, warum, weiß ich eigentlich nicht, werden mir ihre Briefmarken zeigen, werden mit mir tauschen. Zuerst werde ich zu Fabian gehen, der ist ein bißchen dumm und wird es nicht so schnell merken, und dann zu den anderen, nicht zu allen, vielleicht gehe ich auch nur zu Fabian, denn eigentlich ist es etwas gemogelt. Aber ich werde Briefmarken tauschen, echte gegen gedruckte, vielleicht findet er sie auch schön und freut sich, daß er sie von mir kriegt, solange er es nicht weiß. Aber wenn es herauskommt, wird niemand mehr mit mir tauschen. Aber solange sie mit mir tauschen, werden sie mich lieben, denn sie werden denken, daß ich ihnen gute Briefmarken gebe. Es wird ihnen nicht einfallen, daß es anders sein könnte. Auch Fabian wird mich lieben und sein schwerhöriger Vater, dem die Sammlung eigentlich gehört.

Ich suchte mir einen Aufdruck heraus, der nicht zu schwer zu setzen war. Trotzdem war der Unterschied mit dem Original auffallend, selbst mir fiel er auf. Aber dies nahm ich nur als einen neuen Anreiz, meine technischen Kunstgriffe zu verbessern. Das technische Problem überwog das moralische und drückte es zeitweilig völlig in den Hintergrund. Trotzdem fühlte ich mich zuweilen äußerst unbehaglich.

»Hast du deine Briefmarken mitgebracht?« fragte Fabian und schlug sein Album auf. Es war ein mittelgroßes, schmales Buch, in das er seine Marken steckte, bevor er sie seinem Vater zeigte, der anwies, welche Briefmarken wert waren, in das große Familienalbum übernommen zu werden.

»Ich habe sie vergessen«, sagte ich kleinlaut.

»Du sammelst doch noch?« fragte er.

»Ja.«

»Warum hast du sie denn nicht mitgebracht?« fuhr er fort, »du hast mir doch erzählt, daß du neue Marken hast, die du mit mir tauschen willst.«

»Ich werde sie schnell holen«, sagte ich und stand neben ihm, bereit, nach Hause zu laufen.

»Was sind es denn für Briefmarken?« erkundigte er sich.

»Von überall her.«

»Viele?«

»Nein«, sagte ich, »ich sammle noch nicht lange.«

»Sammelt dein Vater nicht?«

Ich verneinte.

»Och«, sagte er, »dein Vater sammelt also nicht mit? Mein Vater sammelt mit mir.«

»Soll ich sie holen?« fragte ich.

»Hast du auch Aufdruckbriefmarken?« fragte er.

Ich zögerte. »Ja, nicht viele.«

»Hole sie ruhig«, sagte er.

Ich holte sie.

Unter den Briefmarken befanden sich drei von verschiedenen Werten, die ich selbst hergestellt hatte. Ich hatte mir die größte Mühe gegeben, sie dem Originale getreu nachzumachen. Die ersten waren mißlungen, man sah ihnen deutlich die Fälschung an, und auch die folgenden waren nicht viel besser. Ein geübtes, weniger begehrliches Auge hätte sofort ihre Unechtheit erkannt. Mit der Zeit waren mein Mut und meine Gleichgültigkeit gewachsen. Aus den vielen, die ich hergestellt hatte, suchte ich drei aus, die mir am besten gelungen erschienen, und mischte sie unter die übrigen.

»Du hast aber viele Briefmarken!« sagte Fabian. »Darf ich hieraus mit dir etwas tauschen?«

»Wenn du etwas hast, was ich brauchen kann«, erwiderte ich großspurig. Ich war erregt, Angst und Neugier beherrschten meine Gefühle, ich wagte nicht aufzublicken und vertiefte mich in die Marken.

»Und hier«, sagte er und schüttete aus einem großen, braunen Umschlag einen Klumpen auf den Tisch. »Das sind meine, und das sind deine«, sagte er, teilte die Haufen mit seinen Händen gut voneinander ab und begann eifrig, in den meinen nachzustöbern. Um zu zeigen, daß es ihm ernst war, um die Sache noch gewichtiger zu machen, holte er eine Pinzette und eine Lupe herbei, sein Vater hatte ihn das gelehrt.

Ich erschrak. Mit der Lupe kriegt er es sofort heraus, sagte ich zu mir. Aber dann kann ich es immer noch so hinstellen, als ob es eine unschuldige Spielerei wäre. Ich nehme die Marken zwischen meine Finger und werde sie zerreißen, aber vielleicht merkt er es doch nicht.

»Hast du einmal das Album von Arthur gesehen?« fragte er, während er mit seiner Pinzette Marke für Marke aus dem Haufen zog und sie unter der Lupe angestrengt betrachtete. Er hatte einen Haarwirbel unmittelbar an der Haargrenze oberhalb der Stirn, der ihn zu hindern schien. Von Zeit zu Zeit zog er seine Stirn in Falten und bewegte die Haare des Wirbels, so daß sie noch aufrechter standen als sonst. »Och«, fuhr er fort, »der hat eine Sammlung, die ganze Welt sammelt er. Sein Vater sammelt mit ihm. Was sammelst du?«

»Alles«, sagte ich kleinlaut.

»Wir sammeln nur Europa«, sagte er. »Es ist unmöglich, alles zu sammeln, sagt mein Vater. Aber Arthur – er hat die Mauritius, glaube ich.«

»Was hat er?« fragte ich.

»Die Mauritius«, wiederholte er, zaghafter, und sein Wirbel stand aufrecht.

»Die Mauritius?«

»Ja, ich glaube.«

»Donnerwetter, hat er die Mauritius?« sagte ich. »Hat er sie oder sein Vater?«

»Sie beide«, sagte Fabian. Er schob Marke nach Marke zur Seite, nachdem er sie einen Augenblick betrachtet hatte. »Wenn sein Vater stirbt, hat er sie allein.«

»Warum stirbt sein Vater?« fragte ich.

»Ich meine, später, wenn sein Vater stirbt, gehört sie ihm allein.«

»Ach so«, sagte ich. »Hat er sie dir gezeigt?«

»Er hat es mir versprochen. Er muß noch seinen Vater fragen, ob erlaubt, daß er sie mir zeigt.«

»Ich möchte sie auch gerne sehen.«

»Ich weiß nicht, ob Arthurs Vater will, daß er sie dir auch zeigt. Soll ich ihn fragen?«

»Ach ja, wenn du ihn fragen willst, vielleicht erlaubt es sein Vater.«

»Was ist denn das?« sagte er und fischte mit der Pinzette eine Briefmarke heraus. Ich beugte mich tiefer über den Tisch, um genau zu sehen, welche Briefmarke er aus dem Haufen herausangelte, aber ich hatte es sofort gesehen und brachte kein Wort heraus. Er nahm die Lupe.

»Welche meinst du?« sagte ich, um Zeit zu gewinnen, »ach, diese.«

»Die habe ich noch nie gesehen«, sagte Fabian und betrachtete sie genau. Bisher hatte er Marke nach Marke zur Seite geschoben, nachdem er kurz geprüft hatte, ob er sie für seine Sammlung brauchen könnte. Er besaß sie alle. Nur bei dieser verweilte er länger. Stolz beschlich mich, daß eine Briefmarke von mir seine Aufmerksamkeit erregt hatte und er sie genau betrachtete. Wenn er nur nichts merkt, dachte ich.

»Was für ein komisches Ding«, sagte er, »es ist ein Aufdruck, ich habe gar nicht gewußt, daß es solche gibt. Die ich kenne, sehen anders aus.«

»Alle sehen anders aus«, sagte ich. »Laß einmal sehen.«

»S-a-r-r-e«, buchstabierte er, »Sarre? Ich weiß, daß es Exemplare mit dieser Aufschrift gibt«, fuhr er fort, »aber diese sieht so komisch aus, findest du nicht auch?«

»Ich kenne keine andere«, erwiderte ich und wartete voller Spannung.

»Es ist eine richtige Briefmarke«, sagte er, nahm sie mit der Pinzette auf und hob sie gegen das Licht. »Sie ist gestempelt.«

Ich wagte nicht zu schauen und wühlte in dem großen Haufen, der auf dem Tisch lag.

»Hat sie ein Wasserzeichen?« fragte ich. »Sieh einmal nach, ob sie ein Wasserzeichen hat.«

»Ja, sie hat auch ein Wasserzeichen.«

Sie hat ein Wasserzeichen und ist gestempelt, dachte ich bei mir, es ist eine echte Briefmarke, aber ich habe etwas aufgedruckt, und wenn ich es ihm jetzt sage, dann ist alles in bester Ordnung, es ist ein Witz, ein Spiel, und alles ist in Ordnung. Aber er wird nicht mit mir tauschen, und er wird mich nicht lieben, wenn er nicht mit mir tauscht, denn es sind die einzigen Exemplare, die er nicht besitzt.

Aber ich sagte: »Sie hat ein Wasserzeichen und ist gestempelt. Ich habe sie von einem Brief abgemacht.«

»Kriegst du Briefe aus Sarre?« erkundigte er sich.

»Mein Vater.«

»Aber dein Vater sammelt doch gar keine Briefmarken«, sagte er, als verwundere er sich, daß Menschen, die keine Marken sammeln, Briefe mit Aufdruckmarken empfangen, die er nicht besaß.

»Mein Vater bekommt von überall her Briefe«, sagte ich.

»Och«, erwiderte er, »ja?« fragte er und zog seine Augenbrauen und seine Stirn in die Höhe – lange Zeit. Er überlegte. Dann legte er die Marke links zur Seite neben sich.

»Hier ist noch eine«, sagte er und zog aus dem Haufen noch ein Produkt von mir heraus. »Sie sieht anders aus.«

»Es ist eine 15-Pfennig-Marke, Sarre«, sagte ich.

»Sie ist gestempelt, ich sehe«, erwiderte er.

»Willst du noch sehen, ob sie ein Wasserzeichen hat?« fragte ich.

»Warum?«

»Ich hatte drei Exemplare«, fuhr ich fort. »Noch eine von 20 Pfennig. Hier ist sie.« Ich holte meine letzte Schöpfung hervor.

Er wollte sie nehmen und zu den zwei anderen legen, aber ich sagte: »Die kannst du nicht kriegen, die habe ich nicht doppelt.«

»Schade«, meinte er.

»Vielleicht habe ich sie doch doppelt«, sagte ich.

»Jetzt darfst du bei mir suchen«, sagte er.

»Nimmst du sie alle drei?« fragte ich.

»Hast du sie doppelt?«

»Ja«, erwiderte ich.

»Ich nehme nur die zwei«, erklärte er und legte die letzte plötzlich wieder zurück.

»Also diese zwei«, wiederholte ich und atmete auf. »Jetzt bin ich an der Reihe.«

»Ich weiß nicht, ob Arthur wirklich die Mauritius hat«, sagte er.

»Du hast es doch gesagt!«

»Aber ich weiß es nicht genau, er hat es mir erzählt.«

»Warum erzählt er dann diese Geschichte?«

»Er fand sie vielleicht selbst so schön.«

»Auch wenn er es schön findet, brauchen wir es noch nicht zu glauben.«

»Och«, sagte Fabian nur.

Inzwischen hatte ich zwei Briefmarken von den Azoren herausgesucht, zwei große, längliche Briefmarken, die gar nicht so schön waren, aber mir gefiel der Name Azoren so gut, und ich dachte, daß es dort sehr schön sein müßte auf den Azoren, und ich beschloß, einmal dahin zu fahren, um mich davon zu überzeugen. Außerdem wußte ich sicher, daß sie echt waren.

»Willst du sie haben?« fragte Fabian.

»Sie gefallen mir, aber sie sind nicht so viel wert wie die, die du von mir hast«, sagte ich. Er zögerte, sah starr vor sich hin und sagte: »Du darfst dir noch eine aussuchen.«

»Danke«, sagte ich gerührt. »Das finde ich nett von dir, Fabian.« Ich freute mich, daß er meine Marken so hoch schätzte. Ich hatte viele Ängste um sie ausgestanden. Dann lief ich schnell nach Hause.

Ungefähr eine Woche später erschien Fabians Vater im Atelier bei meinem Vater. Er war ein großer, schlanker Mann mit dichtem, schwarzem Haar und einem Kneifer auf der Nase seines Mondgesichtes. Er hielt beim Gehen seine Hände auf dem Rücken verschränkt, so daß er stocksteif mit hohem Kreuz einherstolzierte. In dieser Haltung unternahm er des öfteren weite Spaziergänge durch die Stadt, wobei er niemanden sah und, da er schwerhörig war, auch niemanden hörte, wenn man ihn grüßte.

»Ich bringe Ihnen Briefmarken«, sagte er mit der schrillen, gequetschten Stimme eines Schwerhörigen und legte zwei Marken auf den Tisch.

»So?« erwiderte mein Vater erstaunt.

»Sammeln Sie auch?« fragte er inquisitorisch.

»Nein«, erwiderte mein Vater.

»Die Marken sind falsch«, sagte er, »das sieht ein Kind. Ich möchte die drei anderen, die Ihr Sohn mit Fabian getauscht hat, zurückhaben. Sagen Sie ihm das.«

Mein Vater verstand nichts von Briefmarken, aber auch er sah, daß diese hier gefälscht waren.

»Ein nettes Früchtchen, Ihr Sohn«, sagte Fabians Vater. »Kindereien«, murmelte mein Vater bestürzt.

Der andere hatte es nicht gehört. »Guten Tag«, sagte er und verließ stocksteif das Atelier.

Unmittelbar nach ihm kam seine Frau, Fabians Mutter. Sie war klein und zierlich, dunkelhaarig, und immer von einer freundlichen Besorgtheit, als wenn die ganze Welt schwerhörte.

»Ich finde es auch schlimm«, sagte sie, »aber ich fürchte, daß mein Mann es ein wenig übertrieben hat. Es sind schließlich Kinder. Mein Mann ist ein alter Sammler, verstehen Sie, und da hat es ihn besonders getroffen. Lassen Sie die Briefmarken zurückbringen.«

»Ich finde es auch nicht angenehm«, erwiderte mein Vater. »Ich danke Ihnen.«

Am Nachmittag, nach der Schule, erschien er bei mir.

»Du hast mit Fabian Marken getauscht?« sagte er.

»Ja.«

»Und du hast eine kleine Kinderdruckerei«, fuhr er fort.

»Ja, Vater.«

Ich sah zu Boden, und erst jetzt, als ich ihn nicht mehr anzublicken wagte, sah ich, gleichsam ein Nachbild auf dem Fußboden, daß seine fleischigen Wangen kraftlos und schlapp in seinem Gesicht hingen, wie bei alten, zahnlosen Leuten. Sie waren bleich und grau, es war gar kein Fleisch mehr, sondern eine Masse, aus der Leben und Kraft gewichen waren, eine Art Teig, und seine Augen sahen wie irr und hatten keinen festen Punkt mehr, aus dem sie schauten. Ihr Blick lief nicht mehr hinaus aus dem toten teigigen Fleisch, sondern hinein in den Körper, ich hatte nicht mehr das Gefühl, daß er mich ansah und zu mir sprach, sondern wie aus der Ferne zu einem anderen, den er auch anschaute. Er atmete schwer. Der Schweiß lag wie ein dünnes, graues, perlendes Papier über der teigigen Haut, er hielt einen Schlüsselbund in seiner Hand und drückte ihn, als wäre er ein Gummiball, aus dem er die Luft unablässig herausdrückte, und ich hatte große Angst, daß er mich schlagen würde.

»Du bringst Fabian die Briefmarken zurück«, sagte er langsam mit heiserer Stimme, beinahe freundlich, als lüde er mich dazu ein.

»Ja, Vater.«

»Hast du mich verstanden?«

»Ja.«

›Hast du mich verstanden?‹ Das war immer die Einleitung, wenn er mich schlug, und ich wartete, daß er es auch dieses Mal tun würde, obwohl er so heiser-freundlich zu mir gesprochen hatte. Ich wartete, ja, ich wollte, daß er mich schlug. Als ich aufsah, stand er noch immer in der gleichen Haltung, den Oberkörper zu mir heruntergeneigt. Er atmete schwer. Ich hörte, wie er seinen Atem in kurzen Stößen aus dem Mund gewaltsam hinauspreßte. Dann ging er, den Schlüsselbund mit seiner Rechten umspannend und drückend, als wäre er ein Ball.

»Ich bringe dir die Marken zurück«, sagte ich zu Fabian.

Er saß vor dem geöffneten Album und schlug gemächlich Blatt für Blatt um. »Och«, sagte er nur, und sein Wirbel auf der Stirn ging auf und nieder.

»Ich habe sie selbst bedruckt«, preßte ich hervor.

»Och«, sagte Fabian, »selbst bedruckt, och?«

Ich gab sie ihm, und er steckte sie in das gleiche Kuvert, aus dem er sie damals hervorgeholt hatte. Schweigen.

»Ich dachte mir ...«, begann ich zu stottern.

»Och, ich finde es aber arg«, sagte er, »och.«

Aber ich hatte gar nicht das Gefühl, daß er es so arg fand. Er war eigentlich recht freundlich und sprach auf freundschaftliche Weise mit mir. Er fand es vielleicht arg, weil sein Vater es arg fand und weil er sich hatte täuschen lassen und nicht gemerkt hatte, was, wie sein Vater sagte, ein jedes Kind merken konnte. Brennend gerne hätte ich gewußt, ob er selbst nicht auch schon einmal einen gleichen Einfall gehabt und ihn nur nicht ausgeführt hatte, weil er keine Kinderdruckerei hatte, die ihn hätte verleiten können. Aber alle hohen Träume waren nun verflogen, und das stimmte mich traurig. Fabian würde es erzählen, er würde es Arthur mit seiner Mauritius erzählen und allen anderen Kindern. Niemand wird mehr mit mir tauschen wollen, ich werde die Mauritius von Arthur niemals sehen, wenn er sie besaß. Mir war die Lust am Tauschen vergangen und an den Briefmarken und auch ein wenig an der Kinderdruckerei, mit der ich immer so gerne gespielt hatte.

Dann sah Fabian mich stehen und sagte: »Mein Vater wollte die anderen zerreißen.«

Es tat ihm anscheinend leid.

Ich nickte stumm.

III

Ich sitze in meiner Kammer, blicke hinaus auf die Häuser und Gärten jenseits der Straße und denke an dies und das. Dort, an der Ecke, in einem verwilderten Garten steht ein großer, kräftiger Baum. Sein Stamm ist hohl, langsam stirbt er von unten, von der Wurzel her, ab. Jedes Jahr steigt der Tod höher in seine Äste und Zweige. Bald wird er die Krone erreicht haben.

Vor einigen Jahren, als ich ihn zum erstenmal sah, stand er noch in vollem Laub. Von meinem Platz hinter dem Fenster konnte ich sehen, wie er sich von Monat zu Monat verwandelte. Ich denke zurück und sehe ihn vor mir, so wie er früher dastand. Er zeigte mir die Jahreszeiten an. Im Spätherbst verlor er seine Blätter. Dieser Winter wird vielleicht sein letzter sein. Jetzt steht er wieder kahl und dürr. Durch die Straßen weht ein scharfer, eisiger Wind. Es ist Mitte Januar, und die kalte Luft dringt durch die Spalten der Türen und Fenster unseres Holzhauses in einem anderen Land.

Mein Vater kommt herein, er ist alt, seine Augen sagen ihm schon den Dienst auf. Er trägt einen Kohleneimer in seiner Hand, um den Ofen wieder aufzufüllen, der zu schnell niederbrennt. Mit zitternden Griffen macht er sich an ihm zu schaffen, schüttelt den Rost, wirft Holz und Torf hinein.

»Es wird nicht warm«, sagt er, »dir muß kalt sein.«

»Nein, danke«, erwidere ich. »Mir ist es nicht kalt.«

Er wartet. Ich fühle, daß er etwas sagen will, obwohl er nur hereingekommen ist, um den Ofen aufzuschütten.

»Das möchte ich gerne noch erleben«, sagt er plötzlich nach längerem Schweigen.

»Was?« frage ich zurück, obwohl ich ganz genau weiß, worauf sein Wunsch zielt.

»Das Ende, wie alles abläuft, das möchte ich gerne noch erleben.«

In seiner Stimme klingt noch eine schwache Hoffnung auf. Jeder Wunsch nimmt im Augenblick, da er ausgesprochen, einen kleinen Teil seiner Erfüllung schon vorweg.

»Ich bin alt«, fügt er hinzu. Es klingt wie eine Verabredung.

»Warum nicht«, frage ich zurück. »Das hat nichts mit dem Alter zu tun. Die Jüngeren sind oft die ersten Opfer.«

»Man hat es unterschätzt«, sagt er vor sich hin, wie in einem Selbstgespräch. Wieder versinkt er in dumpfes Brüten. Jetzt, wie er so dasteht, kenne ich alle seine Gedanken. Tausend Möglichkeiten wälzt er in seinem Kopf herum: hätte ich damals dies getan und dann das. Alle Möglichkeiten werden noch einmal durchgenommen und untersucht, er fühlt eine Schuld, eine sehr persönliche Schuld, daß alles so gekommen ist. Natürlich ist er nicht untätig gewesen. Aber seine Taten sind nicht mehr der Spiegel, in dem er sich ungebrochen erkennt. Sie erscheinen ihm nicht mehr im Einklang mit dem, was er heute weiß und sieht.

Dann beschäftigt er sich wieder mit dem Ofen. »Es wird nicht warm«, sagt er und verläßt zögernd die Kammer.

Ich fühle die Kälte nicht. Es ist ein Feuer in mir, das sich selbst nicht verzehrt. Der Tod, an den ich denke, hat es lodernd in mir entfacht.

Schlürfende, tappende Schritte auf dem Gang. Eine Tür fällt ins Schloß. Dann ist alles wieder still.

Ich werde alles erzählen und nichts verschweigen, soweit es meinen Feind und mich betrifft. Wenn ich an seinen Tod denke, gedenke ich meines Lebens. Tiefer begreife ich sein Schicksal, seit er das meine wurde, größer, als ich je gedacht.

Ich werde nichts erzählen von dem Leid, das durch ihn über uns kam. Die Stunde des Todes ist nicht die der Abrechnung.

Mein Feind war in mein Leben getreten, mein Vater hatte ihn eingeführt. ›Dann gnade uns Gott‹ – und – ›wir werden ihn noch kennenlernen, fürchte ich.‹ Nie wieder werde ich diese Drohung vergessen, noch den Blick, als er sie ausstieß.

Aber mir bedeutete es vorerst noch nichts. Ein fremdes Element war in mich hineingelassen und lag dort unbeweglich, stumm, eingekapselt, ohne Berührung und ohne Nervenstränge zu den übrigen Organen.

Auch meine Phantasie schien mich im Stich zu lassen. Sie suchte sich ganz andere Objekte, um die sie ihre kindlichen Ängste und Hoffnungen kreisen ließ. Meine Gedanken hatten ihn in eine merkwürdige Stille gebannt, eine Stille, aus der die ersten Keime der Einsamkeit schlugen.

Die Gespräche der Eltern wurden zahlreicher, offener und unverblümter. Ich entnahm ihnen viel. Mein Vater schien sich besonders in dem Gedanken zu gefallen, die Zukunft schwarz auszumalen. Die Mutter verwies es ihm dann.

»Hör auf«, sagte sie, »du rufst den Teufel herbei, und anscheinend macht es dir auch noch Vergnügen.«

Er erwiderte: »Ich sage nur, was ich denke und was ich befürchte, daß es eines Tages Wirklichkeit werden könnte.«

»Du glaubst eben nicht«, sagte sie vorwurfsvoll.

»Was soll ich denn glauben?«

»Daß es nicht geschieht, wovor du dich fürchtest!«

»Wer sollte es verhindern, daß es geschieht?« fragte er argwöhnisch und legte seinen runden Kopf auf die Seite.

»Nein«, sagte sie stolz, »diesmal bringst du mich nicht so weit, daß ich den Namen ausspreche, so weit bringst du mich diesmal nicht, daß ich ihn ausspreche und du dich lustig machst.« Ihre Stimme klang entschlossen und hart, als wollte sie mit einem Befehl erzwingen, was sich nicht zwingen läßt.

»Du kannst ihn ruhig aussprechen«, entgegnete er gelassen. »Ich werde nicht spotten.«

»Auch wenn du nicht spottest, so hast du darum noch keinen Glauben«, sagte sie.

Wir standen unten im Atelier. Sie ging zu den Schaltern und drehte das Licht aus. »Wir müssen sparen«, sagte sie. »Du brennst unnütz Licht, ich habe es dir schon öfter gesagt.«

Es war eine schlappe Zeit. Anscheinend hatten die Menschen genug bekommen von ihren eigenen Gesichtern und denen ihrer Frauen und Freunde, sie ließen sich nicht mehr so oft fotografieren.

»Nein, diesen Weiberglauben habe ich nicht«, sagte er kurz und begann im Atelier hin und her zu wandern.

»Gib acht, was du sprichst«, mahnte sie ihn, »das Kind ist hier.«

Ich stand neben einer der großen, fahrbaren Lampen und hielt mich an der eisernen Stange fest. Während ich sie auf ihren kleinen Rädern hin und her bewegte, war mir doch keines der Worte entgangen. Beim letzten Satz horchte ich auf und beendete mein Spiel.

»Es ist aber doch ein Weiberglaube«, sagte er und streifte mich mit einem Blick, »und ich will nicht«, fuhr er fort, »daß ein Junge einen Weiberglauben bekommt. Er soll nicht glauben, daß Gott oder wer sonst dort oben hinter den Wolken in seiner Dunkelkammer sitzt, eine Art besserer Verkehrspolizist ist und aufpaßt, daß es keine Straßenunfälle gibt. Die Menschen müssen selbst aufpassen, daß sie nicht überfahren werden. Aber denkst du wirklich, daß der Mann da oben in seiner Dunkelkammer ...«

»Jetzt spottest du«, sagte die Mutter erregt. »Hör auf, ich bitte dich, es wird dir noch einmal leid tun.« Sie war bleich geworden, ihre Hände, die sie wie beschwörend ausstreckte, zitterten.

»Es ist mein Ernst«, erwiderte er, »und wenn er mir mein Gerede übelnimmt, so ist er es nicht wert, da oben in der schönen Dunkelkammer zu sitzen und die schönste Einstellung zu haben mit allen Beleuchtungseffekten« – und Tricks, hätte er sagen können –, »die man sich nur wünschen kann. Ich beneide ihn darum. Ein Mensch ist ein Mensch, das ist immer so gewesen, auch als es hier auf Erden noch keine fotografischen Apparate gab. Er hat Hände, Füße, ein Gesicht, zwei Augen, einen Mund mit Lippen, er hat eine Zunge, zu sprechen, zu fluchen oder meinetwegen zu beten, die Wahrheit zu sagen oder zu lügen, wozu hätte er sonst eine Sprache erhalten, alles zu sagen, was ihm einfällt. Aber niemand weiß, ob der alte Fotograf da oben Lieblingsporträts hat, Aufnahmen, die er besonders gelungen findet und die er dann und wann hervorholt und mit Behagen betrachtet. Und vielleicht ergeht es ihm ebenso wie uns allen, daß er erst hinterher entdeckt, welche Fehler er gemacht hat oder wo er im geheimen ein wenig hätte nachhelfen müssen, und vielleicht würde er auch gerne die Aufnahme wiederholen, wenn er nur die Möglichkeit hätte. Ich bin nur ein kleiner schmieriger Fotograf hier auf diesem Planeten, denn eigentlich habe ich dieses Fach nicht richtig gelernt, wie ich Uhrmacher gelernt habe, ich habe als Liebhaber angefangen, ich bin nur ein Amateur, und

wenn ich auch jetzt ein Fachmann bin, so bleibe ich doch ein Lieb-
haber-Fachmann – ja, was wollte ich sagen, ach so –, aber ich habe
noch keinen Kunden hier herein- und wieder hinausgehen sehen, der
nicht, und sei es nur in dem Augenblick, da ich abdrückte, geglaubt
hätte, daß sein Gesicht das schönste sei, das sich ein Fotograf nur wünschen kann, und ich habe sie in ihrem Glauben gelassen und mir Mühe
gegeben, sie in ihrem Glauben noch zu bestärken. Sie alle waren dankbar, wenn ich ihre Gesichter später in der Dunkelkammer ein wenig
retuschiert hatte oder meine Lampe oder Linse so einstellte, daß sie so
vorteilhaft wie nur möglich herauskamen. Es ist mir nicht immer gelungen, ich weiß es. Sieh sie dir alle an, alle Porträts, die ich gemacht
habe. Da ist eine Nase schief und dort ein Mund zu dick; dem einen
stehen die Ohren ab, bei dem anderen stehen die Augen zu tief, da sind
die Flächen und die Abstände der einzelnen Partien zueinander zu un-
harmonisch und taugen überhaupt alle Maße nicht. Wenn einer
dumm ist, so mag er schön sein, aber ich kann es nicht ändern. Und
wer häßlich ist und klug, der bleibt es, auch wenn ich seine Klugheit
noch so vorteilhaft heraushole.«

»Und wenn einer gut ist?« fragte sie.

»Dann hat er eine Warze oder ein Muttermal.«

»Und wenn einer gut und schön und klug ist«, mischte ich mich auf
einmal ins Gespräch.

Er sah mich strafend an: »Du auch?« sagte er langsam, dann fuhr er
fort: »Der kommt nicht hierher, der hat mich nicht nötig, es sei denn
für ein Paßfoto, das ist etwas ganz anderes. Aber vielleicht gibt es doch
eine Lieblingsaufnahme für einen jeden von uns, selbst für den alten
Fotografenmeister da oben, nämlich die, die ihm am meisten mißlungen ist und die er sich in stillen Stunden hervorholt und betrachtet und
dabei zu sich selbst sagt, damit die Bäume nicht aus dem Himmel in
die Erde wachsen: ›Du alter Pfuscher!‹«

»Du mit deinen Geschichten«, sagte die Mutter und winkte mir:
»Komm, willst du für uns Brot holen?«

Ich ging mit ihr.

»Was meinte der Vater?« fragte ich.

»Er hat so seine Gedanken«, sagte sie, »jetzt ist es halt ein Fotograf.«

»Was heißt das, warum sprach er so?«

»Früher, als er noch Tanzlehrer war«, sagte sie, »war es der Obertanz-meister da oben, oder noch früher der Chef der Rezeption da oben. Er denkt, daß Gott ebenso viele Berufe hat wie er selbst.«

Aber es gab auch Perioden, in denen er ausgelassen war, voll guten Mutes, und sagte, daß vorläufig noch nichts geschähe, überhaupt alles noch anders verlaufen könne. So ging es lange Zeit. Aber die Eltern waren doch verändert. Eine Sorge drückte sie, aber mir schien es, daß, je größer sie wurde, ihre Auswirkung das Gegenteil hervorrief.

Der Vater, der immer wenig Vertrauen gezeigt hatte, wurde optimistisch, und sie, die ihrem Weiberglauben nachlebte, erschien mir unfroher und leerer an Hoffnung. Mich trieb die Neugier, mehr zu wissen, und ich besah mir eifrig die Zeitungen und Journale, in denen zuweilen sein Bild stand.

Ich erinnere mich an ein bestimmtes Bild. Ich war enttäuscht. Ich kann nicht mehr sagen wie sehr. Es war die erste Enttäuschung, die er mir bereitete. Das nichtssagende, gewöhnliche Foto eines Mannes in den mittleren Lebensjahren! So erschien es wenigstens dem Kind, das eine Eigenheit der Gesichter ungedeutet läßt. Ich hatte mehr erwartet, in dem unbestimmten Gefühl, daß ein Feind eine besondere, andere Art Mensch sei, kein gewöhnlicher Sterblicher, einer, den ein außerge-wöhnlicher Vorgang, eine hervorragende Verbindung über das Tägliche hinaushob. Aber jemand wie alle anderen, ohne Zweifel wie mein Vater und ich – warum mußte man dann gegen ihn die Gnade Gottes anrufen? Konnte er so mächtige Dinge geschehen lassen, daß sich selbst ein Vater fürchten mußte? Wer gab ihm die Macht dazu?

Diese und ähnliche Gedanken haben mich damals besonders heftig erschüttert. Sie bildeten das erste schwache Vorgefühl dessen, was ich später als Gewißheit erfuhr: daß der Feind eine Fahne ist, die der Tod aus einer anderen Welt in unser Dasein herüberwehen läßt.

Manchmal beugte ich mich, wenn die Worte meines Vaters eine grö-ßere Gewalt über mich ausübten, über das Bild und ließ seinen wüten-den Grimm vollends in mich einfließen. Mein Feind, dachte ich, mein Feind, und besah trotzigen Blickes die Fotografie, die unbeweglich und kühl wie allezeit blieb.

Auch der Haß bedarf der Erwiderung, soll er währen.

Langsam stürzte die Brücke ein, die mein eingebildeter Sinn zu dem leblosen Bild zu schlagen versuchte, und der Feind meines Vaters war mir fremder als je. Ich jedoch fühlte mich dann bedrückt wie bei einem Ungehorsam. Doch von einer Seite, von der ich es nicht erwartete, sollte ich mit seiner Macht näher in Berührung kommen. Denn das Sonderbare war, daß ich mit ihm zu schaffen hatte, auch wenn er selbst nicht direkt in Erscheinung trat. Er wirkte im Unsichtbaren und schickte, ohne daß dies einem Kinde deutlich werden konnte, seine Boten und Abgesandten durch das Land.

Schon als Kind hatte ich oft Schmähungen und Gehässigkeiten bald von diesem, bald von jenem zu erdulden. Man weiß, daß das Leben der Kinder von allen Seiten umgeben ist von Kränkungen und Gefahren. Ihre Ursache trachtete ich vergebens zu ergründen. Dabei wurde mir manche Erkenntnis über die Beziehungen der Menschen zueinander zuteil.

Ich litt sehr unter diesen Erfahrungen. Aber vorläufig wurden sie immer noch durch andere Freundschaften aufgewogen. Mein besonders reizbares Gemüt – das gleiche, das mich später zum Ertragen noch weitaus größerer Lästerungen so ausnehmend befähigte und bis an den Rand des Möglichen meinen Spürsinn schärfte – trug jede Erschütterung geduldig für sich nach innen aus. Doch im Laufe der Zeit wurde es ärger.

Es begann damit, daß Kinder meines Alters oder ältere, denen ich nie etwas zuleide getan, anfingen, mich zu peinigen und zu verfolgen. Bald stand ich allein. Daß es sich nicht mehr um die alten kindlichen Plagereien und Fehden handelte, merkte ich bald. Ihrem Verhalten lag ein bestimmter Gedanke zugrunde, ihr Handeln verriet Überlegung. Sie schlossen mich von ihren Spielen aus.

Ich ging weinend zu meiner Mutter und klagte ihr meine Not. »Sie lassen mich nicht mehr mitspielen«, sagte ich und ballte meine Fäuste, um durch die Spannung zu verhindern, daß sie sah, daß ich weinte. Aber ich weinte doch.

Sie nahm es nicht so schwer und sagte: »Geh nur wieder zurück, sie werden dich schon wieder mitspielen lassen.«

»Nein«, erwiderte ich.

»Gehe nur«, sagte sie liebevoll, »und versuch es noch einmal, vielleicht hast du sie geärgert.«

»Ich habe ihnen nichts getan«, sagte ich voller Wut, »und sie lassen mich nicht mitspielen, bestimmt nicht, ich weiß es sicher, sie tun es nicht.«

»Es geht schon wieder vorüber«, sagte sie beschwichtigend, aber an ihrer Stimme merkte ich, daß sie es auch nicht mehr glaubte.

Es half nichts. Wie ich auch meine Fäuste ballte, die Tränen liefen über mein Gesicht, ohne daß ich das Gefühl hatte, bei ihr zu stehen und zu weinen. Ich schämte mich, und es waren nur meine Augen, die weinten, meine Stimme und mein Körper blieben unerschüttert. Gefühle von Härte und Entschlossenheit hatten sich meiner bemächtigt. Sie waren größer als das Gefühl des Schmerzes und das Gefühl des Ausgeschlossenseins.

»Ist es so?« fragte sie noch einmal, und ich sah ihr ernstes und betrübtes Gesicht.

»Es ist schon seit Wochen so«, sagte ich, »ich habe es euch nur nicht erzählt.«

»Und warum nicht?«

»Ich weiß es nicht.«

Aber doch, ich wußte es sehr wohl, ich wußte, daß es sie treffen, daß es sie schmerzen würde, daß es irgendwie zusammenhing mit den ursprünglich heimlichen und immer lauter werdenden Gesprächen, deren ich Zeuge war, daß sie es in ihr Gespräch einbeziehen würden und alles, alles sich für uns unabsehbar anließe.

»Ist Fabian dabei?« fragte sie. Sie suchte nach einem Ausweg, um Ursache und Wirkung zu ergründen und durch eine triftige Erklärung die Sache aus der Welt zu schaffen.

Ich verneinte. »Er ist der einzige, der mich mitspielen lassen will.«

»Das ist es also nicht«, hörte ich sie sagen.

»Nein, das ist es nicht«, wiederholte ich kleinlaut.

Sie sagte nichts mehr, fragte auch nicht, ob die Kinder noch mehr sagten, ob sie untereinander flüsterten, sie begriff anscheinend alles, alles. Dann nahm sie meine Hand und führte mich zurück zu den Kindern. Wir gingen schweigend über den Marktplatz zu dem Torhäuschen, wo die anderen spielten. Sie unterbrachen ihr Spiel, als sie uns beide kommen sahen.

»Hier«, sagte meine Mutter und versuchte ihr streng-ernstes Gesicht durch ein Lächeln zu lösen. »Er ist ein Kind wie ihr. Ihr seid alle Kinder, spielt miteinander!«

Die meisten Kinder hatten in ängstlicher Spannung zugehört.

Die wenigen, ruhigen Worte meiner Mutter überraschten sie, da sie gleichsam etwas anderes erwartet hatten, eine Strafpredigt oder eine Drohung. Einige kamen an meine Seite und nickten mir liebevoll zu. Nur zwei ältere Jungen verzogen hämisch ihr Gesicht, flüsterten miteinander und blieben weiter unbewegt stehen. Die Worte hatten nicht den mindesten Eindruck auf sie gemacht.

Man vergißt Erniedrigungen nicht. Das Eingreifen meiner Mutter hatte, wenn ihm auch ein zeitlicher Erfolg beschieden war, die Schwäche meiner Stellung nicht verheimlichen können. Im Gegenteil, es bekräftigte sie nur. Die anderen würden es nicht vergessen. Und auch ich vergaß es nicht. Die ursprüngliche Freude am Spiel wurde gedämpft durch eine Scheu, daß man mich vielleicht ausschloß.

Einige Zeit blieb dies so. Später dachten sie sich etwas Neues aus. Man gab einfach viel schlechteren Spielern bei der Wahl den Vorzug, so daß ich als letzter übriggeblieben, verlegen und beschämt zwischen den vollzähligen Parteien stand.

»Na, dann komm mal her«, sagte schließlich der Anführer der einen Partei großzügig, während sich alle Umstehenden an meiner Verlegenheit weideten. Ihr höhnisches Grinsen ließ mich die Augen niederschlagen, und so begab ich mich unter mühsam zurückgehaltenen Tränen auf den Platz, den man mir anwies.

»Du spielst rechter Verteidiger«, sagt der Anführer.

»Gut«, sage ich und stelle mich rechts auf.

»Was willst du hier?« sagt der Junge, der am Tor steht und erstaunt ist, daß ich auf einmal hier auftauche.

»Ich bin rechter Verteidiger«, sage ich.

»Was?« fragt er. »Scher dich zum Teufel, hallo«, und er biegt seine Hand als Sprachrohr um den Mund, und er ruft: »Wen schickst du mir da, einen Piefke? Ich kann ihn nicht gebrauchen.«

»Warum nicht«, ruft der andere zurück.

»Ein Verteidiger muß wie eine Mauer sein«, ruft er, »wie ein Brocken Stein, er muß das Gewicht haben von einer kleinen Tonne, um das Tor zu verteidigen. Er darf kein Floh sein, sonst wird er ja überrannt, wenn er nicht fest auf seinen Füßen steht.«

»Na, und?«

»Er ist ein Floh, er hat kein Gewicht!«

»Aber er kann gut laufen und ist ballsicher«, tönt es zurück.

»Ich will eine Tonne haben und keinen Floh, der vor meinem Tor herumspringt. Wenn er gut laufen kann, stell ihn in den Angriff.«

Die anderen Jungen hören das Gespräch, ein jeder hat inzwischen seinen Platz eingenommen, der Schiedsrichter wartet mit der Flöte zwischen den Lippen, nur ich laufe unsicher hin und her.

»Wir bleiben so, wie wir sind«, ruft der Stürmer, der den Angriff leitet. »Ich kann ihn erst recht nicht gebrauchen, und wir haben übermorgen unseren Wettkampf, und der Sturm bleibt unverändert. Laß ihn rechten Läufer spielen, wechsel du mit ihm, Tom.« (Seltsam, daß ich den Namen behalten habe.)

»Ich denke gar nicht daran«, sagt Tom, »ich habe nichts damit zu schaffen, ich bin rechter Läufer und ich bleibe rechter Läufer. Sonst spielt er ja auch nicht mit.«

»Fertig«, ruft der Schiedsrichter und pfeift. Das Spiel beginnt. Mir war die Lust am Spiel vergangen, obwohl ich immer so gerne gespielt hatte. Sie schlossen mich aus. Man kann kein Kind härter treffen. Sie wollen dich nicht haben, dachte ich mir, sie lieben dich nicht, deshalb haben sie dich ausgeschlossen. Jetzt lassen sie dich mitspielen, aber du gehörst nicht zu ihnen, und deshalb ist es bei weitem schlimmer als früher, als sie dich nicht mitspielen ließen. Sie wissen, daß ich gut laufen kann, daß ich ballsicher bin, an meinem leichten Gewicht bin ich nicht schuld, sie wissen es, sie sagen es selbst, daß ich ein brauchbarer Spieler bin – aber trotzdem, sie schieben mich hin und her. Keiner will mich haben. Ich kann besser laufen als sie, ich kann sicherer schießen, es hilft alles nicht, und außerdem werden sie neidisch. Aber wenn ich nicht besser bin, wenn ich mir keine Mühe gebe und alles aus mir heraushole, haben sie erst recht einen Grund, mich auszuschließen.

Da kam der Ball und dicht hinter ihm der feindliche Stürmer.

»Angreifen«, brüllte der Torwart, der gleiche, der mich nicht haben wollte, als er mich mit einem Floh verglich.

Ich setzte an und sprintete vorwärts. Ich war als erster am Ball. Kurz bevor ich mitten im Lauf den Ball mit einem leichten Schwung meines rechten Beines zurück und mitten ins Spiel schlug, tauchte der feindliche Stürmer vor mir auf. Er kam mit voller Fahrt angelaufen, und als er sah, daß er den Sprint gegen mich verlor, lief er aus allen Kräften auf mich zu, er gab sich keine Mühe, seinen Lauf abzubremsen, und wir prallten aufeinander. Ich fiel als der Schwächere auf den Boden, der andere taumelte, hielt sich aber auf den Füßen. Mitten im Fall verspürte ich einen stechenden Schmerz in meinem Fußknochen. Der andere hatte mir, während ich fiel, einen Tritt versetzt. Ich war überzeugt, daß es die Revanche für den verlorenen Sprint war.

»Aufstehen«, brüllte der Torwart.

Ich stand auf, mein rechter Fuß schmerzte. Ich versuchte zu laufen, aber ich konnte nur humpeln, jeder Schritt bereitete mir Schmerzen. Durchhalten, dachte ich bei mir, es ist deine eigene Ungeschicklichkeit, durchhalten, wenn du durchläufst, geht es vorüber, das kann einem jeden passieren, das braucht noch keine Absicht gewesen zu sein, obwohl ich überzeugt bin, daß es doch eine war. Ich humpelte noch eine Weile herum, das Spiel wogte auf der Mitte hin und her. Die Schmerzen ließen nach, und ich spielte weiter. Ich verteidigte mein Tor.

»Gut, Floh«, rief der Torwart, »angreifen, als Verteidiger mußt du angreifen, nicht zögern, ran an den Feind!« Was wollte er mit seinem Gerede?

Ich griff an, ich schoß drauflos, warf mich in jedes Getümmel, es war mir gleichgültig, ob ich hinfiel, ob man nach mir trat. Die Art der meisten Ballspiele leistet dem Übelgesinnten hierzu reichlich Vorschub. Ich zog mir beim Laufen eine Unzahl kleiner Verletzungen, Prellungen, Verrenkungen zu, mein Körper war voller blauer Flecken, an meinen Beinen blutete es aus kleinen Wunden. Ich achtete nicht darauf. Es ist ein Spiel, dachte ich.

Da wurde der Ball auf der rechten feindlichen Seite gespielt, auf unserer Hälfte, und ich stand rechts, auf meiner Seite, und sah, wie der linke feindliche Flügel auf gleicher Höhe mit dem rechts gespielten Ball im Laufschritt aufrückte.

»Abdecken!« rief der Torwart.

Ich stellte mich so auf, daß der ganze Flügel gedeckt war. Aber unser linker Verteidiger wurde umspielt, eine hohe Vorlage zur Mitte, wo der Mittelstürmer stand, der, ohne zu zögern, mit einem Kopfball zum linken Flügel durchspielte. Ich griff an, ein hoher Schuß hinüber zum anderen Flügel.

»Dranbleiben!« brüllte der Torwart. Es galt dem linken Verteidiger. Er wurde wieder umspielt, der Ball kam zurück zur Mitte, wo ich jetzt stand und mit einer plötzlichen Bewegung meines linken Fußes die Richtung des Balles veränderte und ihn ins Feld zurücksandte. Sie kamen zurück, und es war ein schöner Kampf. Ein jeder sah zu, wie der feindliche Angriff Katze und Maus mit uns spielte. Wir hatten den vollzähligen Sturm gegen uns, fünf Mann gegen zwei, unser Mittelläufer blieb vorn, er war außer Atem.

»Komm zurück!« rief ich ihm zu.

»Maul halten, Floh«, brüllte der Torwart. Nervös lief er zwischen seinen zwei Pfosten hin und her. »Da kommen sie!«

Wieder wurde der Ball links gespielt, ein kleines Täuschungsmanöver des rechten Außenstürmers, und unser Verteidiger lief nach außen zur Grenzlinie, während der Ball zur Mitte rollte, ich kam zu spät. Aber der Junge, der am Ball war, zögerte und kombinierte.

»Schießen!« rief seine eigene Partei. Er hatte eine ausgezeichnete Chance, uns den Ball ins Tor zu knallen. Der Weg war völlig frei. Aber er kombinierte hin- und herlaufend in unserem Strafraum, Staub wirbelte auf, und auf unseren Gesichtern und Händen bildete sich eine leichte Sandkruste. Unser Tor war in großer Gefahr, wir waren unterlegen. Der Torwart hielt seine gebogenen Arme ausgestreckt vor sich hin und tänzelte geduckt mit leichten Sprüngen hin und her, jeder Bewegung des Balles nachgehend. Da kam er mit Fahrt hoch nach halblinks vom Feind aus gesehen, von uns halbrechts. Ob wir verlieren oder gewinnen, sagte ich zu mir, ist gleichgültig. Es ist ein schönes Spiel, und ich bin dankbar, daß man es mich mitspielen läßt. Zwei Stürmer und ich sprangen nacheinander in die Luft, ich berührte den Ball im Fluge mit meiner Stirn und schlug ihn mit einer seitlichen Bewegung weit weg. Aber während ich noch in der Luft schwebte, fühlte ich einen bohrenden Schmerz in meinem Rücken, ich hatte das Gefühl, als ob ich in der Mitte durchbräche. Man hatte mich von hinten angegriffen, auf eine heimtückische und verbotene Weise angefallen. Der Junge, der es auf mich abgesehen hatte, war von hinten gegen mich angesprungen und hatte mir mit seinem Ellbogen oder seinem Knie einen Schlag versetzt, um mich vom Ball zu stoßen, daß mir die Luft wegblieb. Auf dich hat er gespielt, schoß es mir durch den Kopf, und nicht auf den Ball. Dich wollte er haben, und nicht den Ball. Natürlich kann er immer sagen, daß er wohl den Ball spielen wollte, und wenn man zu zweit oder zu dritt nach einem Ball springt, kann viel geschehen, auch Dinge mitunter, die gar nicht beabsichtigt sind. Aber dies war ein heimtückischer Stoß, der soundsovielte in diesem Kampfspiel, ohne daß der Schiedsrichter je gepfiffen hätte. Es ging alles so schnell, der Ball war weggeschlagen, mir war die Luft abgeschnitten, meine Geduld riß.

Noch eben war es ein so schönes Spiel gewesen, und bevor ich wieder mit meinen Füßen den Boden berührte, hatte ich mitten im Sprung mein rechtes Bein nach hinten geschleudert. Ich fühlte, daß meine Ferse gegen etwas Weiches, Fleischiges trat, es war mir völlig gleichgültig, ich trat einfach, und mein Tritt war gut. Ich fiel, aber noch im Fallen hatte ich dem anderen einen Tritt versetzt, so daß auch er hinfiel und sich vor Schmerzen auf dem Boden krümmend den Leib hielt. Ich hatte ihn unter den Gürtel getroffen. Ich sah ihn liegen und war befriedigt, und sogleich war ich selbst der Getroffene, der sich dort wand, und war entsetzt über die Gewalt, mit der ich ihm den Tritt versetzt hatte. Er sprang sofort wieder hoch und stellte sich mir gegenüber auf.

Unbeschreiblicher Haß sprach aus seinen Zügen, grenzenlose Verachtung. Ich wünschte, daß er mich schlug, daß er meine Herausforderung annahm. Es war mir gleichgültig, wie das Ende des Kampfes aussah. Auch wenn ich der Schwächere, der Unterlegene war, ich würde mich mit ihm schlagen. Er maß mich nur kurz mit seinem Blick, drehte sich um, hielt seinen Leib und lief langsam weiter. Das beredte Schweigen aller Spieler, selbst der meiner Partei, belehrte mich, wie auch sie darüber dachten. Ich schlich mich vom Spielfeld, bevor mich der Schiedsrichter verwies.

Dieses kleine Erlebnis hat seine Spuren in mir hinterlassen. Es bestimmte mich schon frühzeitig, eine andere Haltung zu wählen und mich nicht auf die gleiche Manier zu verteidigen, wie ich angegriffen wurde. Jeder Versuch eines Angriffs, den ich in Zukunft unternahm, mußte mißglücken, wie er den anderen gelang.

Bald sollte ich den Schlüssel zu ihrem Verhalten finden.

Als ein Junge eines Tages in der Klasse ein loses Blatt aus seinem Buch in meiner Nähe zu Boden fallen ließ, bückte ich mich, zu diensteifrig, um es aufzuheben. Dabei drehte ich es in meiner Hand. Es war das Bildnis von B., wie es mir aus den Zeitschriften bekannt war. Ich wurde verlegen und zögerte. »Gib her«, sagte der Junge barsch und zog es mir aus der Hand.

Die wenigen, die diesen Vorgang beobachtet hatten, verzogen spöttisch den Mund. Sie alle trugen auf einmal den gleichen Ausdruck von Vertraulichkeit auf ihren Gesichtern. Er erinnerte mich an die andere Vertraulichkeit der Eltern. Ihr verbissenes Schweigen ließ mich nicht zu Worte kommen. Der Bann, den sie um mich schlugen, verlieh mir das Zeichen des Verfemten, des Besonderen. Ich wußte, daß ich ausgestoßen war, nur für mich selbst stand. Ich bildete mir ein, daß ich allen sichtbar dieses Mal auf der Stirn trüge. Dieses Gefühl hat so tief Wurzel in mir geschlagen, daß ich es noch Jahre später nicht aus mir herausreißen konnte.

So wurde er mir vertrauter aus den Schmähungen und Bitterkeiten jener, die sich seine Freunde nannten und hinter denen er stand, ein Unsichtbarer, Unbekannter. Er veränderte allmählich alles, die Haltung der Kinder, ihre Sprache, ihren Blick, ihre Gebärden, ebenso wie er die Eltern verändert hatte. Er lehrte mich die Einsamkeit, das Qualvolle, Trostlose in ihr, erst später ihre Stärke. Doch er selbst blieb in der Ferne, in die er von Beginn an gerückt war, unbeweglich. Und ich hätte einen Schatten hassen müssen, wenn ich ihn treffen wollte. Schon dämmerten seine Umrisse stärker. Aber das Geheimnis einer Feindschaft, die ein Leben erfüllt, blieb dem Kinde vorerst noch verborgen. Es war der Beginn eines Leidensweges, und schon hier fühlte ich die ganze

Last seines zukünftigen Verlaufes im voraus. Die Erinnerung an die nun kommenden Jahre hat mein Gedächtnis mit dem gleichen trüben Licht beschattet.

Und heute, wo ich hier festlich sitze und schreibe, steigt das verzweifelte Gefühl des Verfemtseins jener Zeit wieder in mir auf, jene unwägbare Leere und Verlassenheit, die immer stärker alles in sich hineinzog. Kein Trost für die schmerzliche Erkenntnis, daß ich selbst zum Feind ausersehen war. Wieviel mehr fühlte ich die Abneigung, den Haß, der in den anderen gegen mich brannte, als daß mir der Gedanke gekommen wäre, daß auch ich ein Recht hatte, Abneigung zu empfinden, zu hassen. Ich den anderen feind! Wie sollte ich das ertragen? Gewaltig brach diese Entdeckung in mich ein. Es war beinahe eine Verpflichtung, ich hatte etwas gutzumachen. Aber was?

Sein Bild jedoch, über das ich mich zuweilen mit brennenden Augen beugte, gab leblos sein Geheimnis nicht preis. Auf eine seltsame Weise, ohne daß ich es merkte, hatte es sich mit Krallen und Haken in mein Fleisch hineingelassen. Je mehr ich auch daran rüttelte, um so stärker fühlte ich nur die Schmerzen seiner Verankerung.

Unverwandt sah ich so lange in den Spiegel, bis ich mich selbst in ihm zu erkennen glaubte.

IV

Jetzt will ich niederschreiben, wie es war, als ich meinen Freund zum letzten Male sprach. Etwa anderthalb Jahrzehnte sind vorbeigegangen, seit sich ereignete, was ich erzählen will. Aber mir ist, als hätte es sich eben zugetragen. Danach habe ich ihn nie wieder gesehen. Nur einmal, vor wenigen Jahren, fragte man mich noch in D., ob ich den und den kenne. Man nannte seinen Namen. Ja, den kenne ich, erwiderte ich. Weiter nichts.

»Ich weiß, daß Sie ihn kennen«, sagte der andere.

»So?«

»Wollen Sie wissen, von wem?«

Ich wartete.

»Von ihm selbst«, erhielt ich als Antwort. »Er selbst hat es mir erzählt. Ich traf ihn zufällig. Er läßt Sie grüßen. Vielleicht kann er Ihnen behilflich sein. Er hat Karriere gemacht, er ist ein hohes Tier geworden.«

»Hat er Ihnen aufgetragen, mich zu fragen, ob er mir behilflich sein könnte?« fragte ich scharf.

»Gewiß«, bestätigte der andere, »gewiß. Er ließ es unverblümt durchschimmern, daß er sehr gern seinen Einfluß ...«

»Danke«, gab ich zurück. Nichts weiter. Keinen Gruß, keine Antwort auf diese deutliche Frage. Keine Botschaft. Die Angelegenheit ließ mich völlig kalt.

Doch damals war er noch mein guter Freund. Wenn ich eine Wand in meine Gedanken schiebe, die den ganzen Ablauf teilt in ein Davor und ein Danach, gelingt es mir vielleicht auch, das Gefühl wieder aufzuwecken, das sich mir mit der Niederschrift der Worte verbindet: Mein guter Freund. Er wohnte in H. und kam jede Ferien in unser Städtchen, wo er bei einer alten Tante in einer Mansarde oben auf dem Boden hauste. Zwei große Fenster waren in das Dach eingelassen, vermutlich war die Kammer ursprünglich als Atelier gedacht.

Wenn wir uns auf den Tisch stellten und die Fenster an einer Eisenstange aufwärts hoben, konnten wir unsere Köpfe über die Dachziegel hinausstrecken. Wir sahen über die ganze Stadt. Dicht vor uns das Zifferblatt der Kirchturmuhr. Hinter der Stadt begann das weite Flachland, in der Ferne begrenzt durch den Fluß. Dann und wann fegte ein Windstoß über die Dächer und über unsere Gesichter. Wir konnten uns dann gut vorstellen, zusammen auf See zu sein oder als Piloten aufzusteigen.

Hier oben waren wir den Flugzeugen näher, die ihren Weg am Himmel über unserem Städtchen suchten. Man flog damals noch nicht über Länder und Meere non-stop, wie es heute selbstverständlich ist. Auch fände ich es nicht mehr der Mühe wert, es überhaupt zu erwähnen, wenn ich nicht damit zum Ausdruck bringen wollte, daß der kleineren Leistungsmöglichkeit damals eine größere Begeisterungsfähigkeit entsprach.

Mein Freund überschlug keine Ferien, er kam, wenn auch oft nur für wenige Tage. Warum kam er überhaupt hierher? Er machte einmal eine

Anspielung in dieser Richtung, daß es für ihn vorläufig noch die einzige Möglichkeit sei, dem Bereich seiner Eltern zu entschlüpfen. Die Einladung der Tante diente als Vorwand.

Dann vergingen Monate, bis wir uns wiedersahen. In der Zwischenzeit schrieb er ab und zu einen Brief. Ich antwortete spärlich. Er war drei Jahre älter als ich und einen Kopf größer. Er ging noch in die Schule und saß jetzt in der obersten Klasse.

»Guten Tag«, sagte er in seiner gelassenen Art, »da bin ich wieder, wie steht es? Danke übrigens für deinen Brief, du bist ein großer Schreiber.« Ich hatte ihm dann meist nicht geantwortet und suchte nun verlegen nach einer Entschuldigung.

»Laß das«, begütigte er, »ich schreibe, weil ich mir selber Vergnügen machen will.« Er sprach so ruhig und freundlich, daß ich mich sogleich wieder vertraut fühlte.

Er hatte übrigens einen kleinen Sprachfehler, durch eine Hasenscharte. Ich war daran gewöhnt, so daß ich es fast nicht merkte. Wohl beobachtete ich, daß er unruhiger war, wenn er mit einem Fremden zusammentraf. Dann sprach er bedeutend schlechter. Gerade weil er sein Gebrechen verbergen wollte, merkte man es stärker. Aber da er von Natur sanft war und nicht zum Widerspruch neigte, fand er alsbald seine alte, unauffällige Sprechweise zurück.

Wo ich ihn kennengelernt hatte? Irgendwo beim Schwimmen in der Badeanstalt oder bei einem Schulsportfest, wie das so geht, wenn Jugend auf irgendeinem Platz zusammenkommt. Das erste Mal sprachen wir über Schule, Lehrer, Ausflüge, über alles, was so ein Schülerdasein erfüllt. Wir gingen zusammen nach Hause und verabredeten uns für den folgenden Tag. Ich war ungemein stolz, daß mir ein größerer Junge die Ehre erwies, sich mit mir zu unterhalten. Ich hatte eine Eroberung gemacht.

Insgeheim bangte ich, daß er vielleicht auf eine hinterhältige Weise erführe, wer ich war. Das heißt, wer ich in den Augen der anderen war. Aber noch mehr bangte ich, daß er erführe, wie ich mich selbst fühlte. Ich würde ihn wieder verlieren, kein Zweifel, war er erst einmal dahintergekommen, war das Los unserer beginnenden Freundschaft besiegelt. Ich tat alles, dies zu verhüten.

Schon in diesen frühen Leidenschaften liegt die erste Selbsttäuschung. Die hochherzigen Gefühle, deren wir uns rühmen, verdecken nur die uneingestandene Schwäche, einem Verlust nicht gewachsen zu sein. Unsicherheit an allen Ufern. Es ist, als vertraue man nur seinem eigenen Unvermögen und handle trotz aller Mimikry in dem Wissen, in Liebesdingen die Note ungenügend zu erhalten.

Aber meinen Freund schien das nicht zu interessieren, was mich ängstigte. Er blieb, der er war. Langsam teilte sich mir seine Gelassenheit mit. Auch bei unserem letzten Zusammentreffen – ich wußte noch nicht, daß es das letzte war – fand ich ihn unverändert in seiner Zuneigung und Freundschaft. Auf den Spaziergängen, die wir oft stundenweit in die waldreiche Umgebung unternahmen, tauschten wir unsere Gedanken aus, berichteten von Erlebnissen. Da er der Ältere war, waren seine Erfahrungen in meinen Augen reicher. Ich hörte ihm gerne zu. Auch vergaß er nie, mich anzuspornen, von meinen Erlebnissen zu berichten.

Je unbeschwerter mir unsere Freundschaft erschien, desto weniger kam es mir in den Sinn, ihm von meiner Not zu erzählen. Warum auch? Zwischen uns beiden spielte sie nicht. Etwas sträubte sich in mir, sie völlig aufzudecken. Ich hielt sie nicht für gewichtig genug. Vielleicht schämte ich mich auch, durch ein Geständnis meinen eigenen Wert herabzusetzen.

Jedoch dieses letzte Mal verlief es anders. Ich schüttete ihm mein verwundetes Herz aus, in der geheimen Erwartung, Trost und Beistand bei ihm zu finden. Die Zeit, daß meine Mutter mich an der Hand zurück zu dem Spiel der Kinder brachte, war vorüber. Ich fand, daß ich ihm alles ruhig erzählen konnte, ohne jämmerlich zu erscheinen. Und er?

Es hieße nachträglich meine Erinnerung umfärben, wenn ich behaupten wollte, daß ich schon zu Beginn in seinem Verhalten eine Spur des Kommenden erblickt hätte. War es dann Verstellung, Heuchelei? Nein, nein, so merkwürdig kann ein Mensch sein, daß er zu Beginn eines Gesprächs noch freund, an dessen Ende jedoch fremd und wie verhaßt erscheint.

Er hörte sich wie immer schweigend mit dem Ausdruck geduldiger

Bereitschaft meine Erzählung an. Ich war dies gewohnt von ihm. Er blickte in die Ferne oder vor sich auf den Weg, die Hände auf dem Rükken. Von Zeit zu Zeit gab er mir mit dem Kopf ein Zeichen, daß er mir folge. Verstohlen betrachtete ich ihn von der Seite. Ein warmes Gefühl überströmte mich. Ich freute mich, daß er neben mir ging. Auch erschien es mir gut, wenn er alles wüßte. Wenn er mein Freund ist, ging es in meinem Kopf herum, kann ich ihm auch von meinem Feinde erzählen, von den Nöten, die er mir allerorts bereitet.

»Du hast also einen Feind«, wiederholte er nach einer Weile und blieb ernst, »warum hast du mir noch nicht von ihm erzählt?«

»Es erschien mir noch nicht wichtig genug«, sagte ich ohne viel Überlegung.

»Du irrst«, sagte er bestimmt und sah mich auf einmal an, »du irrst ganz gewiß, dein Feind muß dir selbst wichtiger sein als dein Freund.«

Obwohl mir dieser Ton nicht direkt neu war, da er einer Ahnung in mir entsprach, war ich dennoch überrascht. Ich hatte diese Antwort nicht erwartet.

»Warum«, erwiderte ich, »wie ist das möglich? Übrigens bin ich mehr sein Feind als er der meine. Ich kenne ihn nicht einmal. Mein Vater sprach von ihm.« Ich begann nun zum erstenmal von B. zu erzählen, ohne noch seinen Namen zu nennen.

Auf einmal fragte er ziemlich unvermittelt: »Wer ist das eigentlich?«

Ich nannte seinen Namen.

Er schwieg.

Nach einer Weile sagte er, und es schien mir, daß er wegen seines Gebrechens ein wenig näselte: »Was sagt übrigens dein Vater von ihm?«

Ich wiederholte ihm die Worte meines Vaters.

Pause.

»Kennst du ihn?« fragte ich schließlich.

Er nickte. »Ich kenne ihn gut«, sagte er langsam und vorsichtig.

Ich erschrak. – »Ja? Was hast du mit ihm zu schaffen?«

»Sehr viel in letzter Zeit, sehr viel.«

Die Antwort überraschte mich.

»Ist er denn auch dein Feind?«

Er verzog seinen Mund zu einem leichten Lachen, ich sah seine Hasenscharte.

»Nein, nein, im Gegenteil!«

»Dein Freund also?«

Er schwieg. Meine direkte Frage kam ihm offenbar ungelegen. Ich kann nicht in Worte fassen, wie sehr mich dieses Schweigen bedrückte. Übrigens hatte mich sein Betragen die ganze Zeit über verwirrt, vor allem sein Sprachfehler.

Ich verlor meine Selbstbeherrschung und begann in höhnischem Tone, ohne genau zu wissen, was ich sprach:

»Wer ist dieser Herr eigentlich, der von sich selbst so viel Lärm macht, daß die andern noch mehr Lärm über ihn schlagen? Wer ist er, und was kann er? Welche Leistungen hat er aufzuweisen? Welche? Lächerlich! Ein unverfrorener Patron, frech und unverschämt! Er belästigt einen jeden, der nicht seiner Meinung ist. Jetzt führt er eine Partei an. Man schenkt ihm zuviel Beachtung. Ein paar handfeste Kerle, und der Spuk ist zum Teufel. Wir wollen aufhören, über ihn zu sprechen. Er ist nicht interessant genug dazu.«

Soweit ich mich erinnere, war dies das erste Mal, daß ich dergestalt gegen ihn zu Felde zog. Ich selbst erschrak ein wenig vor meiner Heftigkeit. Bisher hatte sich keine Gelegenheit geboten, sie auf diese unmittelbare Weise zu äußern, ausgenommen der Zwischenfall auf dem Sportfeld. Aber dessen Ausgang hatte mich nur noch verzagter gemacht. Man kann nicht immer milde und behutsam sein, wenn man dabei seine Nägel ins eigene Fleisch graben muß, um seiner Wut Luft zu verschaffen. Es schadet der Gesundheit, den Heiligen zu spielen.

Mein Freund hatte mich herausgefordert. Sollte er also ruhig wissen, was ich davon dachte. Ich fühlte mich entschlossen.

»Du irrst«, erwiderte er ruhig. »Ich sage dir, daß du dich schrecklich irrst.« Wieder dieser näselnde Ton. »Du mußt mit ihm rechnen. Ein paar handfeste Kerle vermögen nichts gegen seine Ideen, es sei denn, daß sie ebensolche handfesten Ideen als Waffen mitbrächten. Aber soweit ich sehe ...« Er sprach wieder wie zu Beginn. Seine Stimme verbreitete noch immer die alte Vertraulichkeit, die sonst so guttat. Die gute

Seele! Aber jetzt irritierte mich dieser Ton. Es war das Letzte, was ich noch ertragen konnte.

»Was hast du mit ihm zu schaffen?« fragte ich gereizt.

»Dies will ich dir noch sagen«, fuhr er unbeirrt in seinem leicht schulmeisterlichen Ton fort, »was dir ein Freund oft nicht sagt, was du dir oft selbst nicht wagst zu sagen, weil du es nicht wissen willst oder es auch in der Tat nicht weißt, dies erfährst du oft nur durch deinen Feind. Er übertreibt vielleicht, er tut dir sicher viel Unrecht dabei, aber vergiß es nicht, irgendein Kern ist wahr. Irgendwo muß er tief von dir getroffen sein, tiefer als mancher andere, der dir vielleicht nähersteht. So hingerissen ist er von dir. Vergiß es nicht! Nicht seine Worte mußt du wägen oder untersuchen. Dort, wo er getroffen ist, mußt du ihn aufsuchen. Du könntest entdecken, daß ihr vielleicht verwandt seid.«

Ich begriff ihn, ja, ich begriff ihn in großen Zügen, wenn mir die Bedeutung des einen oder anderen Wortes auch vielleicht entging. Er wollte sagen, daß ein Feind ein Positivum ist. Ein Positivum! Irgendwie hatten seine Worte einen Nachhall. Nein, er predigte nicht tauben Ohren. Aber, zum Teufel, was hatte er mit ihm zu schaffen? Er wich der Antwort aus.

»Du kennst ihn«, begann ich wiederum.

»Ja, ich kenne ihn, seit einiger Zeit bin ich ihm durch verschiedene Umstände nähergekommen.«

»Du hast mir nie von ihm erzählt.«

»Du hast selbst begonnen heute.«

»Und wenn ich nicht begonnen hätte?«

Er schwieg, aber zugleich sah ich, daß er beinahe unmerklich seine Schultern hob und wieder fallenließ.

Wenn ich nicht begonnen hätte, hätte er dir auch nichts erzählt, dachte ich bei mir. Der Gedanke, daß er eigentlich bisher genau das gleiche verschwiegen hatte wie ich, bestürzte mich. Welche Ironie einer Freundschaft. Es war ein doppelter Betrug mit der gleichen Person.

»Vielleicht hätte ich dir doch recht bald von ihm erzählt«, unterbrach er das Schweigen. »Du hast ein Recht, es zu wissen. Ich habe ihn gesehen, schon einige Zeit zuvor, und ich war bezaubert. Ich habe ihn sprechen hören, und ich war gewonnen. Ich glaube, er ist mein Freund geworden. Mein Leben gebe ich ihm.«

Das Leben einer Hasenscharte, dachte ich. Zugleich verspürte ich einen Schmerz. Er saß irgendwo in meinem Körper, ohne daß ich die Stelle genauer hätte angeben können. Ich schämte mich meiner Gehässigkeit. Plötzlich war er etwas verändert.

»Und warum willst du ihm dein Leben geben?« fragte ich weiter in dem gleichen höhnenden Ton, den ich zugleich so verabscheute. Du mußt ihn hassen, kam es mir plötzlich in den Sinn, du mußt ihn jetzt hassen. So gehört es sich. Es ist Verrat verübt, ein Verlust wird erlitten ...

Für einige Sekunden trachtete ich, das Gefühl des Hasses in mich willentlich einzubrennen. Vergebens.

Traurigkeit beschlich mich, vielleicht, weil niemand mich um mein Leben bat?

»Er hat große Ideen«, fuhr er fort, »begreifst du, was das bedeutet? Er gibt unserem Leben neue, große Ziele, wert, für sie zu leben oder zu sterben. Ich wünschte, du sähest oder hörtest ihn auch einmal.«

Eine absurde Idee!

»Er ist mein Feind«, sagte ich fest, »der meines Vaters und vieler anderer auch, die so sind wie wir. Er wird uns vertilgen, wenn nicht die Gnade ...«

»Ach, geh doch«, rief er dazwischen, »was du da plapperst, er hat jemanden nötig, einen Feind oder sonstwen, um zu seinem Ziele zu gelangen. Du nimmst alles viel zu wörtlich.«

»Was hat er nötig?« fragte ich mißtrauisch, »einen Feind, um zu seinem Ziele zu gelangen?« Ich begriff ihn nicht.

»Nun, hat dein Vater nie zu dir gesagt, wenn er dich vor etwas warnen wollte, paß auf, sonst wirst du wie der oder der, die Nichtsnutze, willst du ein solcher werden? Das gleiche tut er mit dir und den anderen. Nichts weiter. Auf diese Weise macht er seine Gedanken und Absichten deutlich. Vielleicht hat er auch recht.«

»Das ist wahr«, erwiderte ich kleinlaut, »mein Vater sagt dies zuweilen. Es ist eine Warnung und eine Drohung.«

»Nun, siehst du«, sagte er leichthin.

Aber ich war nicht zufrieden. In diesem Alter steht man allen Einflüsterungen offen. Denn die Möglichkeiten der äußeren Welt sind zugleich die Wirklichkeiten der inneren. Zuvor hatte er anders, ernsthafter gesprochen, und jetzt machte er einen kleinen Scherz aus allem. Und ich verlor ihn. Was kümmerten mich schließlich die Ziele und Umwege, die mein Feind angeblich nötig hatte, um wer weiß was zu verwirklichen. Ich dachte an den Freund, der mir verlorenging. Anscheinend fühlte er, was in mir sich abspielte.

Die Hasenscharte sagte: »Aber zwischen uns ändert das nichts, verstehst du mich?«

Ich lachte höhnisch. »Das ist nicht dein Ernst. Mich willst du zum Freund und ihn? Das ist ganz unmöglich!«

Er sah meine Erregung und versuchte wieder einzulenken. Ja, er gab sich die redliche Mühe, die Enttäuschung, die er mir wissentlich oder unwissentlich bereitet hatte, zu dämpfen. »Du übertreibst«, sagte er unablässig.

»Und wenn er seine gewaltigen Ideen, wie du es nennst, ausführt und dabei auch die mit uns verwirklicht, was dann?«

»Aber soweit ist es ja noch nicht«, begütigte er, »Ehrenwort.«

Die gleichen Worte, die mein Vater damals gebraucht hatte, um mich zu beruhigen.

Seine Antwort war für mich das Zeichen, daß er eigentlich schon am Ende stand. Er wußte sich selbst keinen Rat mehr. Um mich zu schonen, blieb er unehrlich. Vielleicht sah er selbst die Unmöglichkeit dessen ein, was er einige Sekunden zuvor noch als die selbstverständlichste Sache von der Welt verkündet hatte. Für mein Gefühl kam es jedoch zu spät. Ich konnte nicht mehr zurück.

Er war nicht mehr derselbe wie am Anfang unseres Spazierganges, alles war verändert. Was war geschehen? Nichts weiter, als daß zwei Freunde über einen Dritten sprachen und sich dabei herausstellte, daß dieser des einen Feind, des anderen Freund war. Ich beobachtete ihn unaufhörlich von der Seite. Er lief wieder gemächlich. Mir war die Welt in Stücke gebrochen, von denen zwei große Fragmente, Freund und Feind, sich nur unvollkommen zu dem Ebenmaß der verlorenen Einheit zusammensetzen ließen. Aber zugleich empfand ich auch, daß ich endlich nun meinen Feind aus Fleisch und Blut gefunden hatte, durch den Verlust des Freundes.

Einsilbig beendeten wir unseren Weg. Ein Gespräch kam zwischen uns nicht mehr zustande. Mir schien es, daß von Zeit zu Zeit ein leises Lachen um seinen Mund spielte. Gewiß dachte er an seinen neuen Freund, er hatte ihn ja gesehen und sprechen hören. Sicher wußte er noch viel mehr von ihm zu berichten. Mir kam es in den Sinn, ihn nach seiner Errungenschaft zu fragen. Meine Neugier wuchs, mein Stolz hielt sie zurück. Es wurde unerträglich. Da kam mir der wahnwitzige Einfall, daß er alles so arrangiert habe, daß er seine letzten Worte nur gesprochen habe, um diesen Spaziergang, der so geordnet und maßvoll begonnen hatte, in Frieden und um des Friedens willen zu beenden. Vielleicht hatte er noch andere Gedanken dabei über mich, die er sorgfältig vertuschte.

Wir waren auf dem Rückweg. Wie immer begleitete ich ihn nach dem Hause seiner Tante. Das letzte Stück ging ich dann allein. Im Grunde machte ich ihm diesmal die Sache sehr einfach. Wir konnten Abschied nehmen, als wäre nichts geschehen. Er brauchte die folgenden Ferien nur zu überschlagen, und er war mich los. Aber ich würde auf der Hut sein.

Auf einmal sagte er: »Ich möchte dir gerne noch eine kleine Geschichte erzählen.«

»Zum Abschied?« entfuhr es mir.

»Wie du willst«, antwortete er gelassen, »wie du willst, ich habe sie selbst erst vor kurzem gehört. Aber ich kann es auch lassen.«

»Welche Geschichte?« fragte ich vorsichtig.

Er lächelte über meine Neugierde und sagte: »Die Geschichte von den Elchen. Kennst du sie?«

»Nein.«

»Höre zu!« Er machte eine kleine Pause und überlegte. Ich fürchtete, daß ihm auf einmal die Lust vergangen sei, mir diese Geschichte zu erzählen. Nach einer Weile begann er.

»Vor vielen Jahren war der Kaiser einmal zu Gast bei seinem Vetter, dem Zaren. Es war ein langer Besuch mit vielen Besichtigungen, Festen und Jagden. Und zum Abschied schenkte der Zar seinem Vetter zum Zeichen ihrer unverbrüchlichen Vetternschaft ein Rudel Elche. Es waren prächtige, große Tiere mit breitschaufligen Geweihen, man findet sie nicht mehr in unseren Gegenden. Nur in Rußland leben sie noch in einzelnen Gebieten, scheu und stolz, in Steppen und Wäldern, die nur selten noch Menschen betreten. Der Kaiser nahm sie in sein Land mit, rief alle seine Förster zusammen und erzählte ihnen, welch kostbares Geschenk ihm und auch ihnen von seinem Vetter zuteil geworden war. Und zusammen suchten sie nun in ihrem eigenen Land nach einem Platz, von dem sie glaubten, daß sich die Tiere dort heimisch fühlen könnten. Es war ein ausgedehntes Gebiet mit Wäldern und Steppenplätzen, zwischen der Ostsee und dem Haff gelegen, weitab von menschlichen Siedlungen. Sie erklärten es zu einem Naturschutzgebiet, bauten kleine Holzschuppen und füllten sie für den Winter mit Heu und Blättern, und ein Förster wurde zum Aufseher über dieses Gebiet ernannt. So ging es einige Zeit, und die großen Hirsche lebten verstohlen in ihrem Reich zwischen den zwei Wassern auf der Nehrung, sie fanden sich zusammen an den Futterplätzen und paarten sich unter den alten Buchen. Des Morgens konnte man sie am Ende einer Lichtung langsam in das hohe Gebüsch hinüberwechseln sehen, am Tage, wenn man sie beschlich, standen sie allein und unbeweglich zwischen den verhangenen Zweigen und spähten mit ihren weiten, braunen Augen wie in die Unendlichkeit. Wenn man sie erschreckte, zuckten sie zusammen und sprangen mit hohen Sätzen in das Innere. Ihre Hufe stampften die Erde, und sie liefen weiter und pirschten in die hügeligen, grasbestandenen Flächen, eine Anhöhe hinauf, sie warfen ihren Kopf in den starken Nacken, so daß es schien, als ob das Geweih auf ihrem Rücken entspränge, und dann tauchten sie wieder ein in das Dunkel des Waldes. Ihr schwerer Leib riß sie noch eine kurze Weile in die einmal begonnene Flucht, und allmählich ging sie über in das stolze Schreiten des Hirsches. Ihr langer Hals neigte sich zur Erde, sie rupften Gras und Blätter, und jetzt war ihr Geweih gleich knorrigen Ästen, die von den Bäumen gefallen waren. Der Geruch der Losung der Tiere des Waldes vermischte sich mit dem Geruch ihrer Losung, ihr Gebrüll zur Brunftzeit wurde heimisch unter den Stimmen der Tiere und im Walde, und es schien, als ob ihre Anwesenheit von alters her das Leben zwischen den zwei Wassern erfüllt hätte.

Jedoch nach geraumer Zeit kamen die ersten Meldungen, daß die Tiere eingingen. Immer häufiger fand man verstreut im Walde, in den Ebenen, mal hier, mal dort, den Kadaver eines Elches. Der schöne, einst warme Körper lag starr und wie ein abgestorbener Baum auf der Erde, seine gebrochenen Augen starrten wie leblose Glasperlen aus ihren Höhlen, und kein äußeres Zeichen gab es, wie der Tod in dieses Tier gefahren war. Zugleich schien es, als ob eine Apathie die noch Überlebenden befallen hätte, ihre Sprünge hatten den kühnen Satz verloren und ihre Flucht die Anhöhen hinauf und hinunter in die Ebenen den federnden Schwung ihres Laufes.

Der Kaiser berief seine Förster, und zusammen gingen sie zu Rate, wie man dem schweigenden Sterben der Tiere Einhalt gebieten könnte. Man erwog alle Möglichkeiten, Futter, Klima und Behausung der Tiere, und holte Tierärzte herbei, die die Kadaver untersuchten nach Stoffen, die die innere Ursache des Todes erweisen könnten. Jedoch vergebens, sie fanden keine. Und ein jeder, der sich auf wissenschaftliche Weise mit dem Leben im Walde befaßte und dessen Einsicht und Urteil für maßgebend gehalten wurde, eine Klärung dieses rätselvollen Todes zu fördern, wurde befragt. Doch niemand wußte es. Schließlich schrieb der Kaiser an seinen Vetter, den Zaren, und gab seiner Betrübnis Ausdruck und bat ihn um einen Rat.

Der Zar schickte einen seiner Förster, der seit vielen Jahren im Gebiete der Elche gelebt hatte und alles wußte, was mit dem Wandel dieser Tiere zusammenhing. Dieser Mann kam und bezog ein kleines Holzhaus im Walde zwischen der See und dem Haff und blieb dort ein ganzes Jahr. Er untersuchte alles, was mit dem Leben der Elche in ihrer neuen Heimat zusammenhing, und als das Jahr herum war, ging er zum Kaiser und den anderen Förstern und Wissenschaftlern und sagte: ›Ich habe alles untersucht und habe gefunden, daß das Heu vorzüglich ist und die Blätter kräftig. Das Klima ist gut, und die Erde und der Wald und die Steppe sind gut. Alles ist getan, was ein Mensch tun kann, die Tiere am Leben zu erhalten, es fehlt ihnen an nichts.‹

›Warum sterben sie dann?‹ fragte ungeduldig der Kaiser. ›Wenn es ihnen an nichts fehlt, warum?‹

›Es fehlt ihnen an nichts‹, sagte der Alte beharrlich, ›und niemand hat einen Fehler gemacht, außer einem …‹

›Und was ist das eine?‹ unterbrach ihn der Kaiser wiederum.

›Eines fehlt ihnen‹, fuhr der Förster fort, ›und darum sterben sie.‹

›Nun?‹ sagte der Kaiser und trommelte mit seiner Hand auf dem Tisch.

›Die Wölfe.‹

›Die Wölfe?‹ wiederholte der Kaiser ungläubig.

›Ja‹, sagte der Alte, ›die Wölfe, die Wölfe fehlen ihnen.‹ Und dann fuhr er wieder nach Hause zu seinen Elchen und Wölfen.«

Mein Freund schwieg.

Eine Zeitlang liefen wir schweigend nebeneinanderher, und unablässig wiederholte ich in mir seine Worte: ›Die Wölfe fehlen ihnen, die Wölfe!‹ Ich war bestürzt.

Wer hätte je gedacht, daß es die Wölfe waren, die ihnen fehlten. Warum nicht der Himmel über der Steppe oder die einheimischen Singvögel oder …? Doch nein, die Wölfe fehlten ihnen. Ich fühlte, daß ich etwas sagen mußte, aber mir fiel weiter nichts ein als dieser eine Satz.

»Eine sonderbare Geschichte«, sagte ich nach einer Weile, ohne direkt das Wort an ihn zu richten.

Er antwortete nicht.

Warum hat er sie mir überhaupt erzählt? Er wird doch eine sehr bestimmte Absicht gehabt haben, diese und keine andere Geschichte aufzutischen, ging es durch meinen Kopf. Und jetzt wartet er vielleicht, daß ich etwas sage und seine Geschichte lobe.

Ich suchte krampfhaft nach Worten. Er hatte so lange gesprochen, und jetzt schwieg er, und durch beides, das Sprechen und das Schweigen darauf, hatte er eine große Macht über mich erreicht. Ich fühlte, wie sie auf meine Schultern drückte und meine Zunge lähmte. Seine Erzählung hatte mich getroffen. Sie hing mit unserem Gespräch zusammen, das war gewiß, mit dem Feind und allem, was ihn betraf. Ich ahnte einen Zusammenhang, und ich war erregt.

Aber zugleich widersetzte sich etwas in mir, und ich fand keine Worte, um mich auszudrücken. »Eine höchst eigenartige Geschichte«, wiederholte ich verstimmt und machte wiederum eine kleine Pause zum

Zeichen, daß ich über diese höchst eigenartige Geschichte noch einmal gründlich nachdenken müsse.

»Ich glaube, daß ich begreife, warum du sie erzählst«, fuhr ich fort. »Aber völlig begreife ich doch noch nicht. Diese Tiergeschichten liegen mir im Grunde nicht, ich habe sie nie geschätzt. Man will etwas von den Menschen erzählen und bedient sich der Tiere, warum? Mensch und Tier, das sind zwei völlig andere Planeten. Und was für den einen gilt, gilt nicht unbedingt für den anderen.«

Ich merkte, daß ich zu diskutieren begann, um meine alte Sicherheit zurückzufinden. Dabei sah ich ihn an und sah, wie er seine Oberlippe mit der Narbe gegen die Zähne spannte und wie abwesend in die Ferne starrte. Vielleicht hatte er meine letzten Worte gar nicht mehr aufgenommen. Mir wurde unbehaglich zumute, ich schwieg und lief stumm neben ihm her.

Bei der nächsten Wegkreuzung, einige Straßen vor dem Haus seiner Tante, blieb ich stehen. Ich gab ihm die Hand.

Entschlossen schlug er ein. Er schien diesen Abschluß erwartet zu haben. Dann sah er mich fest an. Ich wußte nicht recht, ob sein Blick traurig oder triumphierend gemeint war. Ich konnte ihn nicht deuten. Er hob leicht seinen Kopf und schaute die Straße entlang. Er schien sichtlich aufgeräumt. Dann räusperte er sich. Die Narbe auf seiner Lippe rötete sich leicht. Dies war das letzte Zeichen, das ich von ihm vernahm.

V

Von der Zeit, die darauf folgte, ist nur ein schwacher Abglanz der Traurigkeit, die mich damals befiel, in meiner Erinnerung geblieben. Ich hatte meinen Freund verloren, einen Menschen, den ich schätzte, der mir lieb war und dem auch ich, wie ich hoffte, etwas galt. Dieser Verlust entblößte mich und gab mich mehr denn je jeglicher Unbill preis.

Aber ich verbarg meine Verwundbarkeit hinter einem unmutigen Stolz, der die mir aufgezwungene Einsamkeit zu einer selbstgewählten umfälschte. So tröstete ich mich in dem Wahn, daß ich nicht das Opfer, sondern der Anstifter einer Verschwörung war. Man erträgt Gebirge von erkalteten Gefühlen, die man sich selbst auf die Schultern legt, leichter als den Funken der Gefahr, die zum Kampf aufruft.

Meine Mutter erkannte als erste die Verwandlung. Nach einiger Zeit erkundigte sie sich mit unauffälligen Worten nach dem Ergehen meines einstigen Freundes. »Man sieht euch gar nicht mehr«, sagte sie.

Mit einer ebenso unauffälligen Antwort versuchte ich, ihre Frage zu umgehen.

»Ist etwas vorgefallen?« fragte sie weiter.

Ich liebte es nicht, Herzensgeheimnisse mit den Eltern zu teilen.

»Er ist drei Jahre älter als ich«, gab ich zur Antwort.

»Kommt er nicht mehr in seinen Ferien hierher?«

»Ich weiß es nicht.«

»Ich dachte, daß ich ihn gestern gesehen hätte. Er lief auf der anderen Seite und blickte weg. Vielleicht war er es auch gar nicht«, fügte sie hinzu.

Er war also doch wiedergekommen? Ich war bestürzt. »Das ist möglich«, erwiderte ich.

Die letzten Worte unseres Gespräches hatte mein Vater aufgefangen. Anscheinend hatte er alles erraten. Sein Gesicht zeigte einen Anflug des Schmerzes, den er zu verbergen trachtete, wie wenn er einen Verlust erlitten hätte. Er dachte angestrengt nach und spielte dabei mit seinem Schlüsselbund.

»Du wirst dich daran gewöhnen müssen«, sagte er schließlich und sah mich fest an.

Auf einmal war der Haß da. So plötzlich kam er herauf und überfiel mich, daß ich gar keine Zeit hatte, mich seiner zu erwehren. Ich haßte meinen Vater, dessen Gesicht mir meinen Schmerz anzeigte. Mich daran gewöhnen müssen, dachte ich bei mir, das sagst du mir, als ob es das einzige wäre, das mir verbliebe. Weißt du denn nichts Besseres? Mich daran gewöhnen müssen, wie du dich daran gewöhnt hast, und dein Vater und wieder dessen Vater und die ganze Reihe davor, als ob es die gewöhnlichste Sache der Welt wäre, einen Freund zu verlieren. Ich haßte ihn, da ich fühlte, daß er mir die Kette des Unausbleiblichen umgeschirrt hatte, wie man einen Sträfling in Ketten schlägt. Ein törichtes

Unterfangen, sich ihrer entledigen zu wollen. Das Urteil war gesprochen, aber die Schuld lag bei ihm, bei meinem Vater. Auch er hatte sie einstens empfangen wie ein Geschenk, das er vererbt bekommen hatte, eine Last, die in Sorge gegeben und in Sorge empfangen wird. Ich sah ihn unverwandt an. Er hätte mich besser auf dieses Geschenk vorbereiten sollen, er hätte mir sagen müssen, daß es Qualen verschafft und Lasten bereitet, daß es Schmähungen, Verluste und Abtrünnigkeiten in seinem Gefolge mit sich schleppt, Unrecht und Ohnmacht, und daß dies die Welt bedeutet, das Leben, zu dem er mich erweckt hat, dies, und nicht das andere, von dem in beschaulichen Kinderbüchern die Rede ist.

»Man muß auch seinen Stolz bewahren«, fügte er hinzu, gleichsam um unser beider Gedachtes mit dem fehlenden kräftigen Ferment zu versehen. Er hätte keine besseren Worte finden können, um meinen Unmut noch mehr zu reizen. Er sprach von etwas, das er selbst nicht besaß. Stolz? Worauf? Daß man ist, der man ist, und nicht ein anderer? Vielleicht gar noch ein Stoßgebet, etwa: ›Mein Gott, ich danke Dir, daß ich bin, wie ich bin, und nicht wie der andere?‹ Dies ist der Anfang aller Barbarei.

Meine Mutter mischte sich wieder in das Gespräch. »Wie lange noch, und du gehst hier weg«, sagte sie, »du wirst andere Freundschaften schließen.« Sie sollte recht behalten.

Die Umstände drängten. Ich verließ die Schule und ging nach F. Es fügte sich, daß ich bald in einen Kreis gleichaltriger Schicksalsgenossen kam, die wie ich dieses Mal trugen.

Wolf war einer von ihnen und Leo, Harry und Max, und noch viele andere Namen fallen mir wieder ein, ein ganzes Notizbuch könnte ich mit ihnen füllen. Vielleicht, daß der oder jener, dem später meine Aufzeichnungen in die Hände geraten, noch ein paar Namen, die ich nicht nenne, hinzufinden wird, um sie alle zu einem romanhaften Gefüge zu verdichten. Es gibt Beispiele genug.

Sonderbarerweise scheine ich, mir selbst unbewußt, mehr oder weniger überzeugt zu sein, daß nicht ich es sein werde, der diese Blätter, zu welchem Zwecke es sei, dann auch zurückholt. Irgendwie hat diese innere Überzeugung mit dem Entschluß zu schaffen, den ich in kurzer Zeit zu fassen gedenke und den ich vielleicht schon gefaßt habe, da ich seine möglichen Folgen durchaus schon jetzt einberechne. Aber auch in anderer Hinsicht fällt mir dies auf. Anscheinend beabsichtige ich, ursprünglich gegen meinen Willen, künftigen Bearbeitern meiner Aufzeichnungen ins Handwerk zu pfuschen und selbst das zu tun, was sie später zu ihrem Geschäft machen. Sollte ich wieder mich selbst täuschen und doch mehr Hoffnung und Zukunft gleichsam als Konterbande mit im Gepäck führen, als ich mir selbst einzugestehen bereit war? Ich habe wohl gewußt, daß Worte gleich einem Koffer mit doppeltem Boden sind und daß man, selbst von den besten Vorsätzen beseelt, nicht verhindern kann, daß man von der vorgeschriebenen Linie, die Wahrheit und allgemeinmenschlicher Anstand vorzeichnen, abweicht. Daß aber der Umstand, auf weißem Papier mit der Feder etwas hinzukritzeln, allein schon genügt, allen Versuchungen zu erliegen, denen man zu entrinnen sich vorgenommen hat, übersteigt meine Fassungsgabe. Dabei bin ich nicht mehr so naiv, zu glauben, daß Schreiber, das heißt Menschen, die ihr Fach verstehen und es mit Anstand und Würde betreiben und aufgehört haben zu lügen, nur noch die Wahrheit sprechen. Wer auf Glatteis ausrutscht, merkt es sofort, wenn er hingefallen ist. Ich merke es erst hinterher, wenn es zu spät ist. Mögen andere Sand streuen, überarbeiten und Korrekturen anbringen, ich bin Manns genug, mich mit meinem Gebrechen zu versöhnen. Ich kenne keinen Rekord, der nicht nach einiger Zeit verbessert wäre, ich sah Unbekannte als Überraschungssieger durchs Ziel gehen, Cracks scheitern. Sie hatten ihr Training vernachlässigt. Mein Ideal war der Zehnkampf. Die Musiker, die ihre Symphonien und Sonaten komponieren, kommen meinem Geschmack am nächsten, wenn sie auf ein Adagio das Menuett in einer neuen Tonart folgen lassen. Ich habe den Faden verloren, was wollte ich aufschreiben?

Ich war also in einem Kreis gleichaltriger Schicksalsgenossen untergekommen. Es ist immer auffallend, wie sich überall auf Erden Kreise bilden von Menschen, die das Schicksal irgendwie zusammengefügt hat. Man sehe die Matrosen. In welcher Hafenstadt der Welt sie auch anlegen, sie finden ihre Quartiere, wo sie erwartet werden. Man sondert sich ab und bildet, den anderen weithin erkennbar, eine eigene Gemeinde. Man ist ein anderer, und das ist das Eigene. Bald vermag niemand mehr zu sagen, ob es das Mal oder die Gemeinde ist, die den Unterschied zuwege bringt.

Wolf war nicht der erste, den ich kennenlernte. Aber von allen, die ich traf, hatte er den stärksten Eindruck auf mich gemacht, obwohl ich ihn nicht meinen Freund nenne. Er war groß, überragte die meisten von uns um Haupteslänge und war etwas dick. Er trug zuviel Fett auf seinen Muskeln und bewegte seinen Körper schwerfällig. Ich hatte ihn oft angehalten, etwas Sport zu treiben. Vergebens! Auch war er nachlässig gekleidet. Meist trug er ein buntes Oberhemd, blau oder rot, mit wehendem Kragen, nie einen Schlips. Er hatte große Füße, aber die Schuhe, die er trug, waren immer noch eine Nummer größer, so daß sie wie kleine Kähne an seinen Füßen saßen. Aber mochten auch Flekken und Falten auf seinen Kleidern sitzen, von seinem Gesicht strahlte Gutmütigkeit.

Er war einige Jahre älter als wir, alt genug, bestimmte Erfahrungen seines Lebens so zu verarbeiten, daß er gereifter erschien. Aber er war es auch tatsächlich. Zusammen mit seiner Mutter, einem älteren Bruder und einer jüngeren Schwester hauste er in einem Vorort. Sein Vater war vor einigen Jahren an den Verwundungen eines Anschlages gestorben, er war eines der ersten Opfer gewesen. Man vermutete, daß er diesen Zwischenfall selbst herausgefordert hatte.

Obwohl ich Wolf schon einige Male hie und da getroffen hatte – da ich mich wenig blicken ließ, bot sich die Gelegenheit nicht früher –, sprach ich das erste Mal vertraulicher mit ihm an dem Tage nach dem kleinen, eigentlich unbedeutenden Zwischenfall im ersten Stock des Warenhauses, der für mich noch andere Folgen hatte, von denen ich später berichten werde.

Zu jener Zeit arbeitete ich als Aushilfe in dem Warenhaus, das mitten in der Stadt an der Hauptstraße stand, nur fünfhundert Meter vom Bahnhof entfernt. Wenn man von den Perrons kommend den Vorplatz überquerte und man stand wenige Schritte weiter auf der ersten Brücke neben dem blinden Straßenmusikanten mit seinem Bernhardiner, sah man es oben am Ende der Straße und direkt am Platze liegen, gegenüber dem Schloß, von der Börse nur durch einen Parkplatz für Autos getrennt. Viele hielten die Börse für ein schöneres Gebäude, und vielleicht war sie es auch. Sie war später erbaut als der Bahnhof. Aber mir gefiel das Warenhaus. Es war ein gar nicht so großes, aber fest und solide gebautes Haus, kein Palast oder Märchenschloß, sondern schlicht ein Haus, aus Sandstein erbaut, in das man am Tage ohne Furcht hineingehen konnte, einfach gegliedert in der Front und in den Seitenfassaden, nur sechs Etagen hoch, kein Wolkenkratzer, sondern ein Haus, in dem man zu Hause ist und – in welchem Stockwerk man sich auch befindet – fühlt, daß man Grund unter seinen Füßen hat und ein Dach über seinem Haupt. Gewiß gibt es auf der Welt noch viel größere und pompösere Warenhäuser, in New York, in Chicago, in Philadelphia und Rio. Aber darauf kommt es nicht an. Alles, was man von einem Warenhaus erwartet, traf man dort an, und noch viel mehr, was man sich nie erträumt hätte. Und dann die Menschen aus der ganzen Stadt, die man dort traf, mit einem großen und mit einem kleinen Geldbeutel, und dann die Menschen aus der Provinz. Es war das schönste, das ich bisher gesehen hatte, man hätte sich völlig in ihm verlieren können, und dennoch fand man sich überall wieder zurecht. Aber vielleicht schien es mir auch nur so schön, weil ich in ihm gearbeitet habe.

In der Stadt selbst gab es noch viel größere und höhere Häuser mit unzähligen Stockwerken, richtige Himmelsburgen wie das Haus der Krankenkassen im Südteil. Aber das war ein kaltes, weißes Haus mit zahllosen, auf einer Linie kunstfertig aneinandergereihten Fenstern. Wenn man draußen vorbeiging, spürte man, daß es drinnen nur um Zahlen und Papier ging, man sah die Menschen über Maschinen gebeugt und rechnen und schreiben, überall nur gebeugte Rücken und Schubfächer an den Wänden mit Akten. Es kam nur Staub, aber keine Freude aus diesem Gebäude.

Aber im Warenhaus gab es unten an der Straße, wo die Fußgänger liefen, die lange Reihe der großen Schaufenster. Ein jedes Fenster war eine kleine Geschichte voller bunter Einfälle und mit Liebe erzählt, ein jedes wieder anders als die vorigen, und an den Fronten entlang hingen in der Mitte, als wären sie aufgeklebt, die farbigen Reklamen bis auf das hohe Portal hinab, und ganz oben am Dachfirst lief am Abend die Leuchtschrift. Wenn man dort ging, war es, als würde man von Fenster zu Fenster gezogen, und man wurde wieder ein Kind, dem alles nur zum Anlaß dient für seine eigenen Wünsche und Träume. Aber dann geht man, schon leicht verzaubert, die vier, fünf Stufen hinauf zum Haupteingang, wo an der Drehtür der baumlange Portier in seiner grünen Livree und der großen Schildmütze auf dem Kopf steht und aufpaßt, daß die Tür gut in Schwung bleibt und die Straßenjungen nicht hineinschleichen. Hin und wieder gibt er mit seinem langen Arm der Tür einen Stoß, sie dreht sich, die Menschen in ihr drehen mit, drehen hinein und hinaus, ein kühler Luftzug erhebt sich, und der Portier steht breitbeinig und blickt auf die Straße und auf die Vorübergehenden und läßt gleichzeitig die Tür nicht aus dem Auge.

Und dann trittst du ein in das Innere und stehst in einem hohen Saal, in den von oben durch das Fenster das volle Licht fällt. Der Saal erstreckt sich tief nach rechts und nach links wie zwei ausgestreckte Arme, die dich empfangen. Aber du übersiehst ihn nicht, du ahnst nur seine Tiefe, irgend etwas raubt dir immer die Sicht, so daß du dich überraschen lassen mußt, wenn du von dem breiten Gang in der Mitte durch die unzähligen Seitengänge nach links und nach rechts an den beladenen Tischen in den Hintergrund schreitest. Es sind alles wieder kleine Säle, die sich aneinanderreihen, sich einander öffnen und von Tisch zu Tisch nur geschieden sind durch einen schmaleren Gang. Aber bevor du sie ermessen kannst, währt es seine Zeit. Denn vorn, am Ende des Mittelganges, in der Nähe der Haupttreppe und dort, wo es bei den Fahrstühlen um die Ecke geht, steht in einer Art Zelt ein Mann in Hemdsärmeln und verkauft, hingegeben an den Kreis der Neugierigen, der sich stets erneuert, einen kleinen Apparat, dessen Wunder er für fünfzig Pfennige gemein werden läßt. Es ist ein kleines Weltwunder, das er die Ehre hat heute vorzuführen, und man muß sich beeilen und es heute kaufen, denn morgen ist es kein Wunder mehr. Aber während du dort stehst und staunst, treibt zu dir her ein leichter Seewind, der Duft von Tannennadeln, Seifen, Parfüms und Puder, von Kämmen und Taschen und Schals. Die Frauen bringen ihn mit, die nie, wenn sie hierher kommen, versäumen, langsam und nachdenklich durch die Stände zu gehen und einen Blick einzufangen von dem, was nur ihnen gehört, die jungen Mädchen, die in Scharen aus den Kontoren um die Mittagszeit kommen und ihre hastigen Einkäufe machen. Am anderen

Flügel jedoch geht es ernster zu, bei den Wollsachen, dem Leinen und Satin, die in dicht bepackten Regalen und in großen Kästen dich erwarten.

Du steigst in den Lift und schwebst hinauf zum ersten Stockwerk, während es dir vom Kopf in den Rücken wie ein dumpfer Strom hinabrieselt aus dem metallenen Gestühl. Bevor du ganz entschwebst, siehst du noch durch einen immer kleiner werdenden Schlitz die gereckten Hälse derer, die dir nachstarren, und das wirre Durcheinander der übrigen, die, kleiner geworden, ihren Weg durch die Haufen und aneinander vorbei suchen. Dann bist du angelangt bei den Möbeln und den schweren Damaststoffen für Sessel und Diwan, die dort lässig aufgestellt sind und dich einladen zu einem wohligen Versinken. Aber du schreitest zaghaft weiter über Brücken und Teppiche, in die ferne Träume und Geschichten geknüpft sind, für die du jetzt nicht völlig aufgelegt bist, entlang an dickbäuchigen, kühlen Linoleumballen, die fest wie Ecksteine stehen, und trittst ein in den großen Lichthof, der das Haus nach allen Seiten und hinauf und auch das Dach auseinanderreißt mit Weite, Licht und Höhe, daß das Gestein in den Mauern bricht vor so viel Luft und du dich auf einem breiten Platz wähnst, in einer fremden Stadt in einem fremden Land, irgendwo im Süden, wo es sich leichter lebt. Zugleich ist es aber auch ein großer, funkelnder Theatersaal mit Rängen ringsum und bis hinauf unter das gläserne Dach, und überall Menschen, wie zu Beginn der Vorstellung. Sie stehen herum und unterhalten sich, laufen oder sitzen und schauen, über das Geländer geneigt, hinunter, wo du stehst und hinaufschaust. Überall sind Stimmen um dich, du hörst sie alle auf einmal, aber dir ertönt keine einzige, daß du sie verstündest. Es ist ein Chor von Stimmen, aber in deinem Ohr werden sie alle nur ein einziger, dumpf schwellender Ton mit vielen Tonranken um ihn herum, du hörst ihn besser, wenn du die Augen schließt. Und so, wie er in deinem Ohr summt, summt er durch das ganze Haus, die Ränge hinauf und durch alle Gänge, er birgt alle Töne in sich, so vielfältige, als es Farben gibt hier unten in dem Lichthof, wo die Stoffe schräg ausgerichtet in den Regalen liegen, die grünen, die roten, die blauen, die gelben und schwarzen. Das dunkelt und hellt auf in den unzähligen Zwischentönen, die deine Augen zu einem neuen Gesicht umschaffen, dort die dunkelblauen Samte und hier die türkischen Seiden, die Veloure und Crêpes de Chine, die weinroten Voiles und bedruckten Kattuns, die halbfarbigen Musselins und Brokate. Es schlägt dir entgegen aus den Draperien in der Mitte des Hofes, aus den Dekorationen und den kunstfertigen Attrappen, dies alles zusammen ist Farbe, Ton und Stoff. Und dazwischen laufen die schwarzgekleideten Verkäuferinnen, dir zu Diensten, wenn du sie rufst.

Dort, wo die Menschen auf dem zweiten Rang an niedrigen, runden Tischchen sitzen, beginnt der Speisesaal, erstreckt sich über die ganze Breite bis an die Vorderseite, jedoch auf dem Weg dorthin durchquerst du erst noch die Buchabteilung. Es ist wieder eine andere Stadt, die du betreten hast. An den Tischen und Regalen stehen versunken Menschen mit Büchern in den Händen und haben Zeit. Auch die Verkäuferinnen und der Chef sind still und haben Zeit. An ihrem Auftreten merkst du, daß sie mit Büchern umgehen wie mit einem schwierigen Liebhaber, und du hast dir vorgenommen, keines der Bücher in die Hände zu nehmen und nur zu schauen und dich auf diese Art gütlich zu tun. Aber ohne daß du es weißt, bist du schon an den Tisch getreten, greifst vorsichtig ein kleines Buch und blätterst und liest schon ein zweites und dann wieder ein neues, und schon bist du verloren. Langsam schleust du dich von Buch zu Buch, bis dich die Töne eines Flügels herauslocken aus dem Reich der Augen, denn in der Nähe ist die Musikabteilung. Du bist überrascht, ein Flügel ist das letzte, was du hier erwartet hast. Ein Tanz erklingt, irgendein Song mit starken, festen Rhythmen im Baß, und eine Melodie darüber von einfacher Eindringlichkeit. Eine Frau steht neben der Spielerin und lauscht, bevor sie die Noten kauft, um sie zu verschenken, während aus der Ecke weit dahinten, wo die Töne nur noch ein Schweben sind, ernste Musik ertönt von einer Grammophonplatte, eine Fuge und Invention. Du läufst näher hinzu und lauschst, bis du genau erkennst, was es ist, und gehst zufrieden weiter über die Mitteltreppe in die folgenden Stockwerke, in denen Anzüge und Kleider auf Bügeln an großen fahrbaren Gestellen hängen, Pelze und Jacken, einfache und teure Dinge, große und kleine Maße, und dort an der Ecke schreitet ein Hochzeitszug lebensgroßer Puppen, die Braut lacht in ihrem Schleier, der Bräutigam lacht steif und bietet ihr seinen Arm, steifbeinige Kinder streuen lachend Blumen, und dahinter altes und junges Volk, an ihren Kleidern kann man ihr Alter ablesen. Und noch etwas weiter, durch einen schmalen Gang getrennt, stehen ein Kinderwagen und eine Wiege. Wie du noch einmal zurückschaust, siehst du die Bilder wieder hängen, und du erschrickst, denn die Bilder sind nicht schön.

Da hast du dann endlich etwas gefunden, was häßlich ist, die Bilder. Du würdest nie eines von ihnen aufhängen, und doch werden sie gekauft. Nein, Bilder gehören nicht in ein Warenhaus, denkst du, obgleich in ihm alles zum Betrachten daliegt. Aber das Betrachten von Bildern ist ein anderes Schauen, nicht wie sonst im Warenhaus. Doch du darfst nicht verweilen, denn dich erwartet noch die Sportabteilung, sieh, welch ein Betrieb! Schnell dort ein kurzes Stoßen am Punchingball. Fuhr nicht einmal ein Segelboot durch deine Träume? Dort zeltet man an einem grünen Abhang. Das Motorrad daneben, während um die Ecke schon der Winter eingefallen ist, mit Rodel und Ski, Schlittschuh und Bobsleigh. Das Lachen, das du weiter oben hörst, kommt aus der Spielwarenabteilung. Dort ist es immer voll, und du kannst schauend noch einmal zurücksteigen in die Seligkeit deiner eigenen Kinderzeit und nachholen, was du versäumt hast, das Lachen, das unbefangene Glücklichsein und zugleich die ernsthafte Betriebsamkeit, die das Spiel ist, phantasievolle Tat, die sich nur im Spiele meint.

Aber noch bist du nicht am Ende. Du durcheilst die Haushaltsabteilung, denn du bist ein Mann, und was gehen dich die Töpfe und Pfannen an und Gläser und Eimer und Bürsten und Holzlöffel und Waschmittel und Messerbänke und Eieruhren. Einen Blick nur auf das bemalte Geschirr, die Tassen und Kannen und die verzierten Teller, später, später einmal, wenn du irgendwo zu Hause bist und denkst, daß du bleibst.

Du bist ermüdet und läufst und steigst weiter. Du siehst nicht mehr, was sich für deine Augen ausbreitet, es ist zuviel, du kannst es nicht mehr in dich hineinsehen, und immer wieder kommt dir das kleine Handtäschchen in den Sinn, aus rotbraunem Leder, das dir so sehr gefiel, und du weißt jemanden, der es gerne tragen würde. Du bist zu müde von allem, und noch warst du nicht oben in der Lebensmittelabteilung. Es ist viel, es ist zuviel zu sehen in einem Warenhaus, daß man schließlich vergißt, daß man alles kaufen kann, und wie durch ein Museum wandert und schaut und stehenbleibt. Alles ist so schön und bunt, so vielfältig in seinem friedlichen Nebeneinander, man muß sich freuen, man muß lieben, man muß glücklich sein, es ist die ganze Welt, die hier ausliegt. Du brauchst sie nicht zu kaufen, du kannst sie auch nicht kaufen, denn soviel Geld hast du nicht und wirst du nicht haben. Aber noch warst du nicht oben in der Lebensmittelabteilung, bei den kandierten Früchten und den Nüssen, den Mandeln und dem Gefrorenen, den Gewürzen, Muskat, Nelken und indischem Curry, Sambal, und den Käsen, Würsten und Schinken, den Säcken voll Mehl, Grieß und Erbsen, Schokoladen, Marzipan und Weinen, bei den Verkäuferinnen mit den weißen Schürzen und Häubchen. Es blitzt auf den weißen Fliesen, es wird geputzt und gescheuert, das Weiße ist sauber, und es schmeckt besser. Du begehrst auch nicht mehr, vor lauter Begehren begehrst du nicht mehr, denn in deinem Begehren hast du schon teilgehabt, es ist so viel zu begehren, daß du über die Unersättlichkeit deines Herzens lachst und über deine Ausschließlichkeit und eine Zufriedenheit ersehnst, die du nicht kennst, wenn du nicht im Warenhaus bist. Auch wenn du Geld hättest, mehr könntest du nicht begehren, und auch wenn du noch weniger hättest, als du besitzt. Mit Geld kannst du dein Begehren erfüllen, aber das Erfüllen ist nicht zu erfüllen und nicht zu erlernen. Doch du erfährst, daß es viele Begierden gibt auf dieser Erde, daß sie nebeneinanderliegen wie in einem Warenhaus, für einen jeden eine andere, und daß man durch sie alle hindurchgeht wie durch ein Warenhaus, den gleichen Weg, der Portier, die Haupttreppe, der Lift oder die Rolltreppe, der Lichthof und dann weiter hinauf und dann wieder zurück und hinaus durch die Drehtür an der anderen Seite.

Aber wenn du wieder draußen stehst und hast nur für fünfunddreißig Pfennig oder für siebzig Pfennig gekauft, einen Bleistift oder ein Feuerzeug, so ist es doch, als hättest du alles andere mitgekauft.

Eines Tages las ich in der Zeitung, daß das Warenhaus junges Personal suchte für alle Abteilungen, Anmeldungen dort und dort. Ich meldete mich und kam zu einem jungen Personalchef. Er las die Papiere, die ich ausgefüllt hatte.

»Student?« fragte er. »Wir suchen hauptsächlich Personal für den Verkauf, wir bilden es in Fachkursen aus. Warum kommen Sie?«

»Ich möchte gern im Warenhaus arbeiten«, sagte ich.

»Warum?« fragte er wiederum. Aber ich merkte, daß er voll Teilnahme fragte und im Grunde nicht erstaunt war, daß ich hier erschien.

»Ich bin schon oft durch das Haus gegangen«, sagte ich, »fast fühle ich mich heimisch. Außerdem muß ich Geld verdienen.«

»Als Verkäufer? Unmöglich!«

»Dann vielleicht etwas anderes«, erwiderte ich.

»Was können Sie?«

»Ich kann Kisten öffnen und Pakete einpacken«, sagte ich. Ich hatte oft genug zu Hause meinem Vater geholfen, wenn er Kisten mit Apparaten und Filmen erhielt. Auch das Paketpacken hatte ich gelernt.

»So?« sagte er, als wäre es die einfachste Sache der Welt.

»Morgen um zwölf Uhr im Speicher, hinterer Eingang, melden Sie sich beim Chef!« Er kritzelte ein paar Zeilen auf einen Zettel und übergab ihn mir.

Vom folgenden Tag an arbeitete ich täglich einige Stunden als Aushilfe, meistens in der Mittagszeit, auf dem Speicher. Zuweilen half ich beim Einpacken in den Abteilungen.

Es war in den letzten Tagen des Ausverkaufs. Die großen Schlachten waren bereits geschlagen, als zur Mittagsstunde ein unvorhergesehener Sturm auf die Abteilung für Stoffe, in einer Ecke des Lichthofes gelegen, einsetzte. Plötzlich waren die Tische, auf denen die farbigen Stücke, zum Teil nur noch Kupons von einigen Metern, ausgebreitet lagen, umlagert von einer Schar heftig aufgeregter Käuferinnen. Die Mädchen, die kleinere Besetzung, die über Mittag den Dienst versah, wehrten sich tüchtig. Ich stand am Einpacktisch neben der Kasse, zwischen dem Publikum und mir war ein metallenes Gitter. Da erhob sich ein großer Tumult in der gegenüberliegenden Ecke, zwei Stimmen, die sich erregt stritten, drangen zu mir herüber. Ich lief hinzu und sah, wie inmitten wartender und kaufender Frauen zwei sich um den Besitz eines Stückes roten Tuches balgten, indem beide es am Ende festhielten und es sich aus den Händen zu winden suchten. Heftige Ausrufe begleiteten ihre Versuche, wobei jede ihren Erstanspruch behauptete, kraft ihrer eigenen Person und unter Anrufen anderer Zeugen aus dem Kreis der Wartenden. Immer, wenn es um die Erfüllung eines Begehrens geht, das allgemein ist, bilden sich Parteien und Kreise, um die Sache gründlich auszufechten, und auch hier gab es deren zwei.

Hinter den Tischen, vor den Regalen mit den sich lichtenden Flächen, standen die Mädchen, nahmen die Bestellungen der Käuferinnen entgegen, schleppten neue Kupons herbei, maßen ab, schrieben eilig Rechnungen und brachten die verkauften Stücke zum Einpacktisch.

Eine der Verkäuferinnen war entmutigt zurückgetreten und lehnte gegen die leeren Fächer, die Streitenden betrachtend, nachdem ihre Versuche, schnell Frieden zu stiften, gescheitert waren. Sie stand da, bleich und sichtlich unter dem Eindruck ihrer Schlappe, und sah zu den Frauen, als betrachte sie eine Filmszene, gefesselt, etwas ergriffen, aber doch mit Abstand. Sie hatte ein leicht unregelmäßiges ovales Gesicht, das linke Auge war eine Spur kleiner, aber ihr Blick war lebhaft und warm. Ihr Haar hatte die Farbe eines Geigenholzes, rotbraun, und funkelte, wenn das Licht darauffiel. Ich sah sie stehen und sah zugleich das Eigenartige, wie sie dastand. Sie nickte mir lächelnd zu, als ich, aus meiner Ecke hervorkommend, unter die Gruppe der Frauen und zu den Streitenden trat.

Seit einer Woche arbeitete ich mittags in dieser Abteilung, ich hatte sie des öfteren gesehen. Anscheinend erkannte sie mich auch, sie nahm es als selbstverständlich hin, daß ich ihr zu Hilfe kam.

»Aber, meine Damen«, sagte ich, und meine Stimme allein bewirkte, daß sie alle plötzlich schwiegen.

»Ich war eher hier«, sagte die eine, eine etwas dicke Frau mit energischem Kinn und breitausladenden Wangenknochen. Sie hielt den Kupon fest und zog ihn zu sich hin.

»Sie irrt«, sagte die andere. Sie war ein wenig kleiner und sah in allem weniger robust aus. »Sie hat sich nicht umgesehen, sonst hätte sie mich stehen sehen können.« Sie zog den Kupon am anderen Ende zu sich hin.

Alle Frauen sahen auf uns, die Verkäuferinnen legten die Stoffe und die Scheren auf den Tisch zurück und blickten neugierig zu uns herüber.

Ich wandte mich zu der Frau, die zuletzt zu mir gesprochen hatte. »Wollen Sie den Stoff für sich selbst kaufen, gnädige Frau?« fragte ich.

Es war ein knallroter Wollstoff.

Sie nickte. »Ja, er reicht gerade für ein Kleid.«

»Aber die Farbe kleidet Sie ja gar nicht, gnädige Frau«, sagte ich etwas leise, um besser gehört zu werden. Sie erschrak so heftig, daß ihre Finger, die sich krampfhaft in den Stoff gebohrt hatten, sich lockerten und sie ihn beinahe losließ, so daß die andere die Gelegenheit benutzte und ihn ihr mit einem Ruck entwand. Die Unterlegene betrachtete mich unverwandt, sie war eine Frau in den mittleren Jahren und hatte sicherlich nicht erwartet, daß man sie hier so gütlich ansprach. Ihr Gesicht verlor seine Starre, ihre Lippen verloren ihre Gespanntheit, und der halbgeöffnete Mund verlieh ihrem Gesicht einen milderen, hilflosen Ausdruck.

»Aber dann kriegt die andere ihn doch«, sagte sie leise, so, daß nur ich es hören konnte.

Da sie kleiner war, beugte ich mich etwas zu ihr hinab – ich stand mit dem Rücken zu der anderen Frau –, daß nur sie meine Worte hören konnte: »Ich kann niemandem verbieten, zu kaufen, was er will, aber dies hier ist bestimmt nicht Ihre Farbe.«

Sie war über die plötzliche Wendung noch immer so überrascht, daß sie in ihrer Einfalt sagte: »Mein Mann findet das auch, er hat mich davor gewarnt. Danke!«

Sie überließ den Kupon der anderen, wandte sich an die Verkäuferin, die mit Erstaunen der Entwicklung der Dinge gefolgt war, und sagte: »Ich nehme lieber den anderen, den taubengrauen, Sie wissen schon, den ich zuerst ausgesucht hatte.«

»Wie haben Sie das gemacht?« fragte Wolf, als ich ihm später den Zwischenfall erzählte.

»Ich weiß es nicht«, sagte ich.

»Aber Sie müssen doch etwas dabei gedacht haben«, beharrte er.

»Ich wollte den Streit beilegen. Das andere kommt von selbst, sehr einfach«, erwiderte ich.

»Schade, daß Sie sonst so starrköpfig sind«, sagte er.

»Bin ich das?« fragte ich. Es war das erste Mal, daß er offen sagte, was er über mich dachte.

»Niemand weiß, was Sie eigentlich denken und wo Sie stehen«, fuhr er fort.

»Oho«, sagte ich, »das ist doch wohl deutlich, denke ich.«

Bin ich nicht so wie sie, dachte ich bei mir, und trotzdem zweifeln sie? Trage ich nicht genau wie sie das Mal, das uns verbindet? Denken sie, daß ich weniger an ihm leide als sie, weil ich es nicht zu einem stolzen und erhabenen Ehrenzeichen, zu etwas Einmaligem erhebe, als ob nichts weiter Erhabenes in der Welt bestünde als dieses? Weil ich nicht hassen kann, wo man nicht liebt – zweifeln sie deshalb? Wenn ich doch nur wüßte, ob der alte Fotograf da oben, von dem mein Vater so oft sprach, Lieblingsporträts hat, die er von Zeit zu Zeit hervorholt und in Liebe betrachtet. Vielleicht liebt er sie alle, seine Aufnahmen, oder besonders die eine, die ihm gründlich mißlungen ist und die er auch von Zeit zu Zeit einer kleinen Revision unterzieht? Aber niemand weiß, welche die mißlungene ist. Die Dunkelkammer birgt das Geheimnis. Es wäre vermessen und eitel, es genau wissen zu wollen.

»Man findet Sie im allgemeinen zu starrköpfig«, sagte Wolf. »Vielleicht sind Sie es im persönlichen Umgang weniger, wenn man Sie näher kennenlernt. Leider geben Sie niemandem die Gelegenheit dazu.«

»Warum findet man mich starrköpfig?« fragte ich.

»Sie haben starrköpfige Ansichten«, sagte er, »wenigstens in den sparsamen Äußerungen, die Sie über Ihre Lippen bringen. Bei den seltenen Gelegenheiten, da man Sie sieht, findet man Ihre Ansichten starrköpfig. Meine persönliche Ansicht ist, daß Sie unsicher sind. Vielleicht hassen Sie sich selbst?«

»Sie meinen, daß ich mich hasse, weil ich lieber ein anderer sein möchte als der, der ich bin?«

»Vielleicht«, antwortete er zaghaft.

»Dann irren Sie sich«, sagte ich entschieden.

»Es wäre mir ein Vergnügen«, sagte er mit einer gewissen Höflichkeit und zugleich Kälte in seiner Stimme. »Man sollte in der Tat annehmen, daß Sie wüßten, wo Sie hingehören. Man hat den Eindruck, daß Sie schwanken, daß Sie – sagen wir es einmal offen – ein schwacher Bruder sind.«

»Vielleicht ein Spitzel?« begann ich zu höhnen.

»Das nicht«, entgegnete er ernsthaft, den schwachen Bruder desto mehr unterstreichend, »das nicht. Für Geld sind Sie nicht käuflich.«

»Schade«, fuhr ich in dem gleichen ironischen Ton fort, »ich hoffte, daß ich hierzu Anlage besäße, nicht wahr?«

»Für Geld nicht«, wiederholte er noch einmal, eine andere Möglichkeit durchaus hervorhebend.

»Wofür dann?« fragte ich herausfordernd.

»Warum treiben Sie Spott mit sich selbst«, sagte Wolf und sah mich ruhig an, »warum? Es ist schon schwer genug, ertragen zu müssen, daß man nicht geliebt wird.«

Ich erschrak. »Woraus schließen Sie das«, sagte ich leichthin, um nicht den Eindruck zu erwecken, daß ich getroffen war.

»Sie verraten sich.«

»Inwiefern?«

Ich merkte, daß ich nicht mehr Herr meiner Erregung war, und räusperte mich einige Male energisch.

»Tun Sie mir bitte den Gefallen«, sagte er in seiner gleichen ruhigen und eindringlichen Art, »und nehmen Sie *ihn* nicht immer in Schutz.«

»Wen?« fragte ich.

Er lachte.

»Man weiß bei Ihnen nie, ob Sie sich verstellen oder ob Sie es wirklich so meinen.«

»Ach so«, sagte ich.

Schweigen.

Nach einer Weile begann ich: »Warum wirft man mir vor, daß meine Gedanken an bestimmten Punkten abweichen von den allgemeinen? Ich habe als Kind gewisse Erlebnisse gehabt, und ich ...«

Er unterbrach mich. »Sie werden nicht anders gewesen sein als die von uns allen«, sagte er. »Das entschuldigt nicht Ihren Mangel an Teilnahme, an Gefühl der Schicksalsverbundenheit, das uns zusammenschmiedet. Sie vergessen, daß, wer auf dieser Erde leidet, zu den Auserwählten gehört.«

Sie alle leiden, flog es durch meinen Kopf, sie alle, ich wußte es, an ihrem Mal. Aber sie erheben es zu einem stolzen und erhabenen Ehrenzeichen, zu etwas Einmaligem, als ob es nichts auf dieser Welt gäbe, das erhabener wäre. Aber sie leiden, und eigentlich ist es eine kleine Mogelei, was sie aus ihrem Leiden machen.

»Wenn ich nur Sicherheit hätte, daß es wirklich so ist, wie Sie sagen«, erwiderte ich, »wenn ich dies nur wüßte.«

»Ja, natürlich«, sagte er rasch, ohne nachzudenken. Aber ich sah an seiner Art, wie er den Kopf allmählich hob und den Blick von mir abwandte und ihn angestrengt in die Ferne richtete, daß er selbst mit seiner Antwort nicht zufrieden war.

»Nehme ich ihn denn in Schutz?« fragte ich.

»Nicht direkt, vielmehr könnte man Ihr Bemühen, sich in ihn hineinzudenken, seine Beweggründe zu erforschen und zu begreifen, deuten, daß eine gewisse Sympathie Ihnen nicht fremd ist, obwohl ...«

»... man verlangen könnte, daß ich ihn haßte«, vollendete ich seinen Satz.

»Nein«, sagte er, »nicht hassen, aber daß Ihr Stolz Ihnen verböte, sich dergestalt in ihn einzuleben, daß Sie darüber beinahe vergessen, was Sie sind und wer er ist. Dies ist das Wesen der Sympathie. Oder befürchten Sie, ärmer zu werden, wenn man sich beschränkt?«

Es ging also doch um den Stolz, den man bewahren mußte. Zugleich verband er sich mit einer gewissen Beschränktheit, von der man wiederum nicht wußte, ob sie selbstgewollt oder von der Außenwelt aufgedrungen war. In jedem Fall schien sie mir notwendig zu sein im Sinne eines Selbstschutzes und einer Selbstrechtfertigung.

»Sie wollen also lieber Gott danken, daß Sie sind, der Sie sind, und Sie ziehen gegen den anderen zu Felde, weil er eben ein anderer ist«, sagte ich. »Sie vergessen, daß der andere das gleiche mit Ihnen tut, da für ihn Sie der andere sind. Es ist alles ein großes Karussell mit den gleichen geschnitzten Holzpferdchen, nur verschiedenartig gefärbt, zur Abwechslung des verehrten Publikums.«

»Es gibt aber eine Grenze«, sagte er, »wo das Mitgefühl, das Sicheinfühlen von selbst aufhört.« Er schien mir traurig zu sein, daß er diese Grenze setzen mußte. Er brach ab und schwieg.

Ich hätte wer weiß was gegeben, wenn ich seine Gedanken gewußt hätte, die ihm jetzt, wo er schweigend vor sich hinstarrte, durch den Kopf schossen. Sein massiger Körper atmete schwer, es war, als ob er mit jedem Atemzug alles aus der Luft herausholte an Leben, was sie besaß, um es seinem Körper dienstbar zu machen. Er atmete, als wäre ein jeder Atemzug sein letzter.

Wolf war ein guter Mensch, wer mit ihm nur einmal zu schaffen hatte, wußte das. Vielleicht dachte er an seinen Vater, den man umgebracht hatte, und dachte zugleich auch an den Täter. Vielleicht dachte er in einem Atemzug an beide zusammen und noch an viele andere Dinge, die ich mir nicht vorstellen konnte, weil ich sie nicht erlebt hatte. Ich hatte ihn nie nach seinem Vater und nach allem, was mit dem Geschehen zusammenhing, gefragt. Ich dachte mir, daß es nicht gut sei, zu fragen. Auch hatte er, früher als ich, erfahren, was es heißt, einen Feind zu haben, aber er hatte es anders erfahren, tiefer, wahrhafter, trotzdem konnte ich mir immer noch nicht gut vorstellen, wie er es erfahren hatte. Er selbst blieb schweigsam. Es gab Augenblicke, in denen ich wünschte, ihm einen Gefallen zu tun, zu denken und zu fühlen, wie er dachte und fühlte. Aber dann hätte ich den Riß erkennen müssen, der schon durch meine Kinderwelt lief und sie in zwei Stücke – hie Freund, hie Feind – zerbrochen hatte.

Ich hatte für immer meinen Freund, den ich an meinen Feind verloren hatte, hergeben müssen, obwohl ich es war, der ihn damals gehen ließ. Ich hätte von der Hand meiner Mutter weglaufen müssen, als sie mich zu den Kindern zurückbrachte, ich hätte meine Hoffnung aufgeben müssen, sie alle noch einmal zurückzugewinnen, und ich hätte so heftig und grausam wie sie sein müssen, um mich auf der anderen Seite zu behaupten. Auf der anderen Seite, dachte ich im stillen. So weit ist es also schon gekommen, daß man auf einer Seite steht und in einen Kampf verwickelt ist, bevor man überhaupt Gelegenheit gehabt hat nachzudenken, warum man ficht, wer Gegner ist, warum er es ist und worum es eigentlich in diesem ganzen Kampf geht. Sieh dir die Menschen an, du brauchst nur ein paar grobe Lügen zu nehmen und sie jemandem anzuheften, schon hast du Anhänger, die dir glauben, es bilden sich Parteien, Gruppen, Rassen. Kontinente rüsten sich zum

Streit und zetteln ihn dann auch an. Man ist zu allem bereit, man gibt selbst sein Leben hin, man ist heftig und grausam wie der andere, und vielleicht ist es nötig, so zu sein oder es zu lernen. Vielleicht verschaffte man sich nur auf diese Art Respekt und wurde schließlich Freund mit jenen, denen man feind war. Aber es war so verwirrend, dies zu denken, man verrohte, und alle Dinge, die bisher noch schön waren auf der Erde und die man liebte, wurden roh und häßlich. Aber vielleicht war es dennoch nötig, es zu lernen und es gut zu lernen, später einmal. Und dann würde eine Zeit kommen, da man es wieder verlernen müßte, da man alles vergessen müßte, was man gelernt hat. Aber hatte Wolf es denn gelernt, konnte er nach allem, was ihm und seinem Vater widerfahren war, heftig und grausam sein? Es war mir unmöglich, es zu glauben, wenn ich ihn so neben mir in die Ferne starren und schweigen sah.

Dies alles wollte ich ihm sagen, und ich suchte nach Worten, um es ihm deutlich zu sagen. Aber was bedeuteten Worte ihm, der seinen Vater verloren hatte und viel ertrug. Ich brachte nicht viel Worte hervor und stammelte nur: »Wenn er uns auch schlechtmacht, braucht er selbst noch nicht schlecht zu sein. Eines Tages wird er seinen Irrtum schon einsehen, vielleicht mit unserer Hilfe.« Es tut gut, Gutes zu sagen von jemandem, der selbst nur schlechte Dinge tut, zu sagen von jemandem, der selbst über dich nur schlechte Dinge in der Welt verbreitet. Man fühlt sich dann immer besser als er.

Er hörte mich ruhig an, obwohl ich bemerkte, daß ich ihn mit meiner Behauptung stark irritierte.

»Wären Sie imstande«, fragte er, »sich nachts auf einen Kirchhof zu schleichen und ihn zu verwüsten, bedenken Sie, die Ruhestätte der Toten zu zerstören?«

Ich wußte, daß dergleichen geschah, aber ich fand es absurd, mich dies zu fragen, und ich grinste.

»Warum grinsen Sie?« sagte er.

»Mir fiel etwas Komisches ein«, erwiderte ich.

»So?«

»Ja, ich könnte mir nämlich vorstellen, daß ich es täte, vorausgesetzt, daß mir jemand deutlich machte, daß diese Tat, sagen wir, gottgewollt, vernünftig und im Zuge eines bestimmten Planes sogar notwendig sei. Man kann einen Menschen zu vielen Dingen überreden.«

»Sie könnten dies«, sagte er, »Sie schwätzen, alles ist blasse Theorie bei Ihnen, und dabei grinsen Sie noch. Wären Sie wirklich imstande, einen alten Mann in einen Hinterhalt zu locken und ihn dort kaltzumachen, aus irgendeinem Grunde, dessen Notwendigkeit Sie sich vorgaukelten?«

»Man läßt in Träumen noch ganz andere Dinge geschehen«, erwiderte ich.

Er schien diese Antwort erwartet zu haben, er zeigte sich nicht im mindesten überrascht. Er legte seine Hände mit gespreizten Fingern auf seine Knie, schaute zu Boden und sagte, als spräche er in die Erde hinein:

»Das einzige, was man hoffen kann, ist, daß nicht ein anderer kommt und alle die Dinge, die man selbst nicht zu tun sich bemüht, ausführt. Wehe dem, der unsere Träume verwirklicht.«

Mich überrieselte ein Schauer, und ich sagte verzweifelt:

»Was soll ich tun, bitte sagen Sie es mir, da kommt einer daher und behauptet, daß ihr Schurken seid und …«

»Ihr? Sie? Wir!« verbesserte er mich, »Sie gehören auch dazu, vergessen Sie es nicht!«

»Gut. Sie haben natürlich recht. Ich versprach mich. Also, daß wir Schurken sind, und schon haben wir nichts Besseres zu tun, als mit ihm mitzuspielen und ebenfalls zu behaupten, daß er auch ein Schurke ist, vielleicht ein noch viel größerer Schurke.«

»Haben Sie sich schon einmal überlegt, warum er es von uns behauptet?«

Mir fielen die Worte meines Freundes ein, als ich ihm damals ungefähr die gleiche Frage gestellt hatte, und ich wiederholte nur:

»Ich weiß gar nicht, ob es ihm so ernst ist, wie es von uns genommen wird. Er verfolgt ein bestimmtes Ziel, und dafür hat er einen Feind nötig, um seine Propaganda an ihm wie an einem Kleiderhaken aufzuhängen und der Welt seine Pläne deutlich zu machen. Im Grunde meint er sich selbst.«

»Eine fürchterliche Wahrheit, die Sie da aussprechen«, sagte Wolf, und sein schwerer, etwas verfetteter Körper richtete sich auf, »so fürchterlich, daß ich zugleich zweifle, ob Sie ihre Tragweite übersehen.«

»Was meinen Sie, daß er tun wird? Haben Sie Angst?« sagte ich kühn, wie nur der Unverstand kühn sein kann.

»Ich befürchte das Schlimmste«, sagte er leise und atmete schwer, daß sein blaues Hemd sich bei jedem Atemstoß in unzählige Falten brach. Seine Angst verfehlte nicht, Eindruck auf mich zu machen, um so mehr, als sie mir nicht aus einer Schwäche seines Charakters als vielmehr aus einem starken Wissen, vielleicht aus einem Vorgefühl zu stammen schien. Ich sah sein ruhiges Gesicht mit dem gutmütigen Ausdruck, in das Entschlossenheit getreten war.

»Was muß ich denn tun?« wiederholte ich.

»Nichts«, sagte er, »gar nichts. Die Leute, die fragen, was sie tun müssen, die sollten lieber gar nichts tun. Das ist nämlich das große Unglück, daß sie es nicht wissen und daß sie denken, daß sie dennoch etwas tun müssen. Wer weiß, was er zu tun hat, wo sein Platz ist, der handelt im rechten Augenblick, es kommt aus ihm selbst, ohne daß er vorher erst lange fragt, was er nun in aller Welt tun muß. Darum ist es besser, daß Sie nichts tun.«

»Sie sind ein wunderlicher Mensch«, sagte ich.

»Ich finde Sie viel wunderlicher«, erwiderte er. »Sie kommen aus einer kleinen Stadt, in der Sie sicherlich viel Unangenehmes erlebt haben. Als Kind hat man Sie schon ausgeschlossen, nicht wahr? Im Grunde wissen Sie so gut wie ich, wo Sie hingehören, ich glaube auch nicht, daß Sie sich dagegen sträuben. Das ist es nicht, was Sie beunruhigt. Aber Sie wollen etwas Unmögliches, Sie versuchen den Riß, der durch diese Welt läuft, zu kitten, so zu verkleben, daß er nicht mehr sichtbar ist, und dann denken Sie vielleicht, daß er nicht mehr besteht. Sie stehen mitten in einem Geschehen und versuchen, sich darüber Rechenschaft zu geben und es zu gleicher Zeit zu gestalten, indem Sie mit einem Satz rausspringen und es gleichsam vom Standpunkt einer Mondpflanze betrachten. Sie versuchen, etwas, das Sie angeht, zu beschauen, wie etwas, das Sie angeht und zugleich nicht angeht, habe ich recht?«

Ich hatte ihm voller Bewunderung zugehört, da er Gedanken aussprach, die ich niemals auf diese Weise hätte aussprechen können. Ich nickte nur schweigend und ermunterte ihn fortzufahren.

»Eines Tages werden Sie entdecken, daß es unmöglich ist und ...«

»Und was dann?« fragte ich hastig.

»Dann werden Sie nicht mehr zu fragen brauchen, was Ihnen zu tun verbleibt.«

»Wenn nicht ein ganz anderes Problem noch hinzukäme«, fuhr ich fort.

»Welches?« fragte er.

»Daß sich ein jeder beruft, daß er sozusagen die Legitimation in der Tasche mit sich herumträgt als die einzig echte und wahre Legitimation, sozusagen ein persönliches Empfehlungsschreiben von der höchsten Instanz.«

»Ich kann Ihre Schwierigkeiten begreifen«, erwiderte er, »es sind die unseren auch. Vergessen Sie nicht, daß der Riß, den Sie außen in der Welt zu sehen vermeinen, innen liegt, in der Schöpfung, wenn Sie wollen, wenn Ihnen das etwas sagt. Er greift bis in unsere Träume hinein.«

»Dann hat er also doch recht«, sagte ich nach kurzem Nachdenken.

»Gewiß«, sagte er, »aber wir auch.«

»Dann besteht keine Aussicht, daß dieses Spiel je endet.«

»Ich weiß es nicht«, sagte er. »Wer kann das wissen?«

»Es wird also immer so weitergehen?«

Er zuckte mit seinen Schultern und machte eine fragende Gebärde mit seinen Händen.

»Immer wieder neue Widersacher werden auferstehen und in die Arena treten, und von unserer schönen Welt wird täglich ein Stückchen mehr abbröckeln wie von einer alten Ruine aus früheren Zeiten, durch deren verfallene Gemäuer der Wind pfeift und der Regen peitscht, täglich wird ein Stückchen mehr abbröckeln, bis sie ganz in Trümmer fällt und nur kaltes Geröll noch den Platz angibt, wo sie einstens in herrlichen Zeiten stand. Und in diesem grausamen Spiel spielen wir mit, uns der Illusion hingebend, es glücklich beenden zu können. Ich werde traurig, wenn ich daran denke, welches das Ende sein wird.«

Wolf stützte seinen Kopf in seine Hand und strich langsam über seine stopplige Wange. Er ließ mich ausreden und wartete.

»Wollen Sie es ändern?« fragte er.

»Ich habe als Kind Briefmarken gefälscht, was tut man als Kind nicht alles, mein Vater ist ein Fotograf, ich bin in seiner Dunkelkammer zu Hause«, sagte ich.

Er lachte und atmete auf. »Und?« fragte er.

»Sie haben schon recht, der Riß verläuft innen. Ohne ein bißchen Mogelei geht es anscheinend nicht.«

»Dürfen wir Sie morgen abend erwarten?«

»Erwarten«, fragte ich bestürzt, »wozu?«

»Harry hält einen Vortrag, Sie werden viele Fragen erörtert und vielleicht beantwortet finden, die uns hier beschäftigt haben.«

»Meinen Sie nicht auch, daß unsere eigene Existenz das entsetzliche Beispiel einer fürchterlichen Wahrheit ist?« fragte ich.

»Vielleicht«, sagte er nachdenklich, »vielleicht …«

»Ich komme«, sagte ich zögernd. Er gab mir die Hand und ging.

Am nächsten Abend erschien ich, und auch in der Folgezeit ließ ich mich öfter in dem Kreise blicken. Das ›Wir sind‹ meines Vaters klang in meinen Ohren nach, und so wurde ich zaghaft einer der Ihren oder vielmehr der Unseren, zaghaft, denn das Vertrauen in die eigene Sache wog mir zu leicht und vermochte nicht die nagende Erwartung in ein Zukünftiges auszuschließen, an dem auch der Widersacher seinen gerechten Anteil hatte.

Man kennt die Umstände Ende der zwanziger, Beginn der dreißiger Jahre, die dem *Ereignis* vorangingen. Alles schien auf dieses Kommende hinzuweisen. Das heißt, in der Erinnerung ist es so. Vielleicht ist es trügerisch, die Zeit in die Jahre *davor* und *danach* einzuteilen, wie es die Geschichtsprofessoren tun, wenn sie die Historie, die sie zu beschreiben gedenken, erfinden. Das Geschehen ist ein anderes.

Die Sache ist, daß ich die selbstbewußten Verrichtungen meiner sogenannten Leidens- und Schicksalsgenossen beargwöhnte. Nicht, daß ich ihnen ihr Recht auf eine Entscheidung, auf eine bestimmte Stellungnahme bestritt. Aber sie vermochten nicht, mich zu überzeugen. Auch wenn ich unter ihnen lebte und Freundschaften schloß mit dem Argwohn des einmal Enttäuschten, die große Herausforderung, die an uns alle ergangen war, gedachte ich bis zum bitteren Ende anzunehmen. Ich wollte mir nicht vor der Zeit meine Grenzen abstecken lassen, bevor das ganze Land vermessen war. Ängstliche Genügsamkeit schafft Horizonte. Der Umkreis des Sichtbaren wächst mit dem Mute dessen, der seine Blindheit abzuwerfen trachtet. Stolz und Haß erschienen mir nur angetan, den Blick zu trüben.

Natürlich war dies alles zugleich eine Torheit. Man muß ein schwacher Bruder sein, wenn man dergestalt denkt. Die menschliche Natur lebt vom Beschränkten. Der menschliche Geist sammelt seine Erfahrungen im Umkreis, den seine Hände wirkend erfassen. Der Mensch hat ein Recht auf seine Rache, heißt es nicht so? Meine Zaghaftigkeit war eine Schwäche, meine Kumpane warfen sie mir vor. Inmitten der Gespräche und Diskussionen, die sich ungewollt immer um das Eine und den Einen drehten, auch wenn sein Name wie beschwörend nie genannt wurde, beschlich mich ein bisher unbekanntes Gefühl. Zwischendurch erinnerte ich mich des Verlustes, den ich geraume Zeit zuvor erlitten hatte. Hatte ich ihn immer noch nicht überwunden? Überwunden? Was heißt das? Man überwindet einen Verlust nicht. Man macht ihn sich zu eigen, nimmt ihn ganz in sich hinein und lebt mit ihm in vertrauter werdendem Umgang, oder der Verlust bleibt in einem stecken, wie ein Hühnerbeinchen, das in der Gurgel steckengeblieben ist.

Wenn meine derzeitigen Freunde ihre Witze und Späße trieben oder auf sonst irgendeine Art versuchten, ihn ins Lächerliche zu ziehen, verzog ich keine Miene und blieb stumm. Wartet nur, dachte ich mit der drohenden Allüre eines mißvergnügten Propheten, euch wird das Lachen vergehen. Aber auch, wenn sie, ins Gegenteil fallend, ihrem Haß die Zügel schießen ließen und das Menetekel seiner Erscheinung in eine sich verfinsternde Zukunft warfen, blieb ich, ungerührt von ihren Affektionen, ein Einsamer unter ihnen.

VI

Es regnete, als ich am Abend des Tages, da sich der Zwischenfall im Warenhaus ereignet hatte, nach Geschäftsschluß durch den hinteren Ausgang auf die Straße trat. Im Treppenhaus und draußen unter dem überdachten Vorplatz wartete eine Menge, während andere durch das Portal strömten, den Mantelkragen hochschlugen und durch den Regen ihren Weg nach Hause suchten. Aus dem Haufen der Wartenden löste sich eine Gestalt, trat auf mich zu und streckte mir die Hand entgegen. Unter der Regenkappe erkannte ich die Verkäuferin von heute mittag.

»Es regnet«, sagte sie lächelnd, als wollte sie ihr Warten damit entschuldigen, obwohl sie einen Regenmantel trug, und ich sah in ihrem leicht unregelmäßigen Gesicht den warmen, lebhaften Blick, den sie auf mich gerichtet hielt.

»Aber auch ohne Regen hätte ich mir Mühe gegeben, Sie hier zu treffen, um Ihnen für Ihre Hilfe zu danken.«

»Eine komische Geschichte«, sagte ich schnell, um meine Verlegenheit zu bemänteln. »Sie hatten es anscheinend schon aufgegeben?«

»Ja«, erwiderte sie offenherzig, »ich war am Ende, aber außerdem ritt mich auch der Teufel. Ich wollte sie es allein ausfechten lassen, es ist so schön, zuzusehen, wie andere sich in die Haare kriegen.«

Ich war noch immer befangen und machte einige spöttische Bemerkungen über beide Frauen. Sie lachte und erzählte ungezwungen von anderen Zwischenfällen, in denen sie erfolgreicher als Vermittlerin aufgetreten war.

Es hatte aufgehört zu regnen. »Gehen wir?« fragte ich. Wir liefen zusammen die Straße hinauf, die durch den Regen blitzblank gespült war. An der Ecke blieben wir stehen.

»Sind Sie in Eile?« fragte ich.

Sie verneinte. »Und Sie?«

»Ich auch nicht«, sagte ich. Ihre Unbefangenheit löste die meine. Sie gefiel mir.

»Ich koche heute nicht«, sagte sie. »Ich habe mich mit meinem Bruder in einer Konditorei verabredet. Und Sie?«

»Ich esse gewöhnlich dahinten in einem kleinen Restaurant, ich habe ein Abonnement. Aber ich bin nicht gebunden«, fügte ich hinzu.

Wir gingen weiter, sie plauderte von ihrem Leben mit ihrem Bruder, der zwei Jahre älter war. Sie hatten zusammen eine kleine Wohnung. Sie führte neben ihrer Arbeit noch den Haushalt, er arbeitete in einem

Büro und studierte abends. Sie erzählte es so im allgemeinen, und ich wollte nichts Näheres fragen, obwohl meine Zurückhaltung ein Fehler war. In der ersten halben Stunde der Bekanntschaft, wenn der andere noch dem Taumel des Neuen unterliegt und seine Zunge bereitwilliger sich lösen läßt, soll man in sein Leben hineinspähen und alles nehmen, was er einem Wissenswertes mitgibt. Erst später, und oft zu spät, erfährt man Umstände, die man mit einiger Geschicklichkeit zu Beginn hätte sehen und dann viel leichter hätte einordnen können. Sie sprach auf leichte, natürliche Weise und dennoch mit einer gewissen Scheu, die ihre Auswirkung auf mich nicht verfehlte.

»Sie sind hier geboren?« fragte ich.

»Nein, nein, wir kommen aus der Provinz. Und Sie?« fuhr sie fort.

»Ich auch«, erwiderte ich.

Sie lebte seit ungefähr einem Jahr hier. Durch irgendwelche Ereignisse, die sie nur flüchtig streifte, war sie gezwungen, zusammen mit ihrem Bruder hier ihr Glück zu versuchen, in zwei Kammern und einer Küche im Westen der Stadt. Sie machte nicht den Eindruck eines Menschen, der mit seinem Schicksal hadert. Entsprach ihr anscheinend zufriedenes Wesen einer inneren Harmonie, die von selbst alle Gegensätze in sich versöhnt, oder war noch etwas anderes mit im Spiel, irgendein blinder Flecken, ein Mangel an Tiefgang?

»Sie arbeiten als Aushilfe bei uns«, sagte sie.

»Woher wissen Sie das?« fragte ich.

»Man sieht Sie nur stundenweise«, sagte sie. Es war ihr also aufgefallen, daß ich kam und daß ich nur einige Stunden blieb.

»Ja«, sagte ich.

»Gefällt es Ihnen?«

»Ich arbeite sehr gerne im Warenhaus.«

Sie sah verwundert drein und lächelte über meinen Enthusiasmus. Anscheinend teilte sie ihn nicht, obwohl sie ›bei uns‹ gesagt hatte, als sie mich fragte.

»Sie kommen nur dann und wann«, sagte sie, »aber wenn man tagein, tagaus …« Sie vollendete den Satz nicht. »Alles, was man zu Beginn herrlich findet, wird dann gewöhnlich. So geht's.«

Ich erzählte ihr von meinen ersten Besuchen in dem Warenhaus, von meinen Wanderungen durch die verschiedensten Stockwerke und wie mir die Fülle dessen, was ich dort sah, ein Gefühl des Glückes vermittelt hatte, eine Unerschöpflichkeit und Reichhaltigkeit wie das Leben selbst.

»Ich arbeite vom ersten Tag meines Hierseins im Warenhaus«, sagte sie.

»Und gefällt es Ihnen?«

»Ich bin nie so überall hingewandert wie Sie, ich glaube, manche Abteilungen kenne ich überhaupt nicht.«

»Das finde ich aber merkwürdig«, sagte ich.

»Wenn man den ganzen lieben langen Tag drinnensteckt?« sagte sie. »Außerdem hat es seine Schattenseite, so ein Warenhaus.«

»Gewiß. Im Augenblick wüßte ich nicht welche.«

»Es sind hundert Geschäfte in einem«, sagte sie. »Denken Sie sich einen kleineren Ort, einen Papierwarenladen oder ein Modegeschäft, und dann wird eines Tages dort ein Warenhaus eröffnet.«

»Ich weiß«, sagte ich, »daß man das behauptet. Aber ist es wirklich so?«

»Ich dachte«, erwiderte sie kurz und schwieg. Sie hatte mit größerer Hartnäckigkeit und Schärfe gesprochen, als ich es ursprünglich an ihr vermutet hätte. Jetzt gab sie sich den Anschein, als spreche sie aus Erfahrung. Wer weiß?

Dahinter steckt die Familiengeschichte, dachte ich und konstruierte die Intrige. Der Vater ein kleiner Geschäftsmann vom alten Schlage, nicht untüchtig, aber nicht mit seiner Zeit mitgehend, voller Ressentiments, die er auf seine Kinder überträgt. Diese ziehen in die Stadt, und die Tochter beginnt bei dem zu arbeiten, den sie eigentlich als Mörder ihres Vaters verachten und hassen müßte. Anscheinend ist sie sich dieses Zwiespaltes nur halb bewußt. Ihr tapferer Sinn hilft ihr darüber hinweg. Es war eine wenig originelle und ziemlich hausbackene Geschichte.

»Langweilt es Sie nicht, nur Pakete zu packen?« erkundigte sie sich nach einiger Zeit. Sie hatte ihre Mißstimmung überwunden, und aus dem warmen Ton, der in ihrer Stimme klang, schloß ich, daß ihre Anteilnahme echt war.

»Im Gegenteil, es beschwingt meine Phantasie«, sagte ich spöttelnd.

»Phantasie und Pakete packen«, sagte sie, »vielleicht, daß Sie Ihre Phantasie in die falschen Pakete packen?«

Ich merkte an mir selbst, daß ich in Feuer geriet, als ich weitersprach. Aber diese Begeisterung diente nur dazu, meine Verlegenheit zu verbergen.

»Empfangen Sie nie ein Paket?« fragte ich zuerst.

»Zuweilen«, antwortete sie und schloß ihr linkes Auge, das etwas kleiner war.

»Und freuen Sie sich dann nicht?« fuhr ich fort.

»Gewiß«, antwortete sie, aber zugleich so zurückhaltend, daß ich zweifelte, ob sie wirklich je Pakete erhielt.

»Was gibt es Schöneres«, sagte ich, »es ist noch das einzige Wunder, die einzige Überraschung, die uns verblieben ist auf dieser Welt.«

»Ich glaube, es beginnt wieder zu regnen«, sagte sie und griff nach ihrer Kappe, die sie in die Seitentasche ihres Mantels gesteckt hatte.

»Ich werde überall hingeschickt«, fuhr ich fort, »in beinahe allen Abteilungen habe ich gearbeitet, wo Not am Mann ist, nur in der Glasabteilung noch nicht. Das wagt man anscheinend noch nicht …« Wir gingen weiter, sie strich mit der Hand durch die Luft und bog den Kopf in den Nacken, um den Regen zu fühlen. Sie lachte und sah mich zugleich von der Seite an, die veränderte Haltung ihres Kopfes offenbarte mir ein anderes Gesicht. Ich war überrascht. »… obwohl ich vorsichtig genug bin!« fügte ich, ein wenig aus der Fassung gebracht, hinzu. Zugleich dachte ich, daß ich auch mit diesem Gesicht einmal vorsichtig umgehen würde, falls ich es je in meinen Händen hielte.

»Sie sehen nur die Menschen im Eifer der Wahl und der Entscheidung, wenn sie kaufen. Das ist sicher auch sehr fesselnd, nicht wahr? Sie sehen sie sozusagen heiß in der Schlacht. Aber ich sehe sie danach, nach dem Sieg oder nach der Niederlage, wie Sie wollen, wenn sie ihre Trophäe mit nach Hause nehmen. Die einen, denen ein Kauf nichts mehr bedeutet, so abgestumpft sind sie schon, daß sie die Erfüllung eines Wunsches gar nicht mehr fühlen. Aber ich sehe auch die Glücklichen, die Zufriedenen und auch die Zweifler, die nie wissen, ob sie einen guten Kauf getätigt haben.«

Wir überquerten eine Straße. »Passen Sie auf«, sagte sie und ergriff meinen Arm. Ihr Griff war kräftig und zart.

»An der Art, wie sie von der Kasse zurückkommen und mir den Zettel hinhalten, sehe ich ihnen an, was sie für Käufer sind. Es ist eigentlich schon ihr Besitz, den ich in meinen Händen halte, um ihn einzupacken. Sie stehen da und warten, um ihr Päckchen in Empfang zu nehmen, und ich stelle mir vor, wie sie es zu Hause wieder auspacken oder wie sie es weitergeben, wenn sie es verschenken. Mitunter bedanken sie sich, wenn ich es ihnen reiche, und dabei gehört es doch schon ihnen.«

»Wenn man Geld hat, ist man gewöhnt zu kaufen, dann fällt es auch viel leichter, als wenn man lange rechnen muß«, sagte sie. »Können Sie auch in ihr Portemonnaie schauen?«

»Man sieht es ihnen an«, erwiderte ich, »es gehört zu ihrer Freude oder zu ihrem Zweifel. Der eine verfügt über wenig, und darum freut er sich über einen Kauf, der andere besitzt auch wenig, und darum zweifelt er und macht eine ernste Sache aus seinem Kauf. Und dann gibt es Menschen, denen man es ansieht, daß sie zufrieden sind, mit oder ohne Geld, das ist einerlei.«

»Das Schönste aber sind doch die Kinder«, sagte sie, »haben Sie nicht die Kinder gesehen?«

»Ja«, sagte ich, erfreut, daß sie mich an die Kinder erinnerte, »Sie haben recht, die Kinder im Warenhaus, das ist wirklich das Schönste. Man sollte die Warenhäuser nur für die Kinder lassen. Unten an der Treppe beginnt es schon, der Jubel, das lacht und prustet und hat Angst und weint. Die Seligkeit der Spielwarenabteilung, wenn ein Kind überhaupt eine Vorstellung vom Paradies fassen könnte, muß es die Spielwarenabteilung sein.«

»Oder das Schnellbuffet.«

»Ja, das Schnellbuffet in der obersten Etage«, sagte ich, »wenn mich nur nicht da oben so oft die Lust überfiele, die Schlagsahne über die Brüstung in den Lichthof zu schütten.«

»Hier ist die Konditorei«, sagte sie und blieb stehen. »Haben Sie Lust, meinen Bruder kennenzulernen?« Die Türe der Konditorei war unablässig in Bewegung von den kommenden und gehenden Gästen. Wir gingen hinein.

Ihr Bruder wartete schon an einem kleinen Tisch mit zwei freien Stühlen, hinten in der Ecke des Saales. Er saß mit dem Rücken zur Wand, so daß er uns kommen sah. Sie begrüßten sich unauffällig, ein kurzes Winken mit der Hand, ein Nicken des Kopfes, hallo. Wir gaben uns die Hand. Er war ein großer, hagerer Junge, älter als seine Schwester, auch der äußeren Erscheinung nach, dabei steif in den Bewegungen und undurchsichtig in seinem Gebaren. Er trug einen kleinen Schnurrbart auf der Oberlippe. Sein Gesicht drückte kein Gefühl aus, als wir uns begrüßten. Wir nahmen Platz und bestellten. Wir waren eine schweigsame und nicht besonders aufgeräumte Tischgesellschaft. Sie bestritt den größten Teil der Unterhaltung, wobei sie sich lange über den Zwischenfall in der Abteilung und über meinen Anteil an seiner Lösung ausbreitete. Er beschränkte sich auf einige blasse Ausrufe wie ›so, so‹ oder ›aha!‹. Ich hatte den Eindruck, daß ihn die Geschichte langweilte. Meine Gegenwart störte ihn ohne jeden Zweifel. Während des Essens beobachtete er mich prüfend einige Male und wandte seinen Blick nicht ab, als ich ihn dabei ertappte. Ich bereute, mitgegangen zu sein. Wir beendeten schnell unsere Mahlzeit. Auch seine Schwester beobachtete er auf dieselbe Weise. Jedoch sie schien daran gewöhnt zu sein.

Das Essen hätte für mich eine Warnung sein müssen. Man soll nicht mit Menschen umgehen, die bei Tisch keine gemütliche Stimmung aufkommen lassen und auf ihrem Stuhl sitzen, als wären sie beim Zahnarzt.

»Sie müssen mich entschuldigen«, erklärte er unmittelbar, nachdem wir draußen standen, und zu seiner Schwester gewandt: »Du weißt, ich habe eine wichtige Verabredung.«

In den kurzen Worten, die er an sie richtete, schien mir ein Gefühl von Besorgnis mitzuklingen. Dies versöhnte mich ein wenig mit ihm, wenn auch mein Argwohn nicht wich.

Er verabschiedete sich schnell. Aber auch nach seinem Verschwinden wollte sich lange Zeit nicht mehr die gleiche unbefangene Stimmung zwischen uns wieder einstellen, die zu Anfang geherrscht hatte. Auch sie schien unter dem Eindruck des mißglückten Essens zu stehen. Sie gab sich alle erdenkliche Mühe, mich und sich über das Peinliche hinwegzubringen. Man kann nicht sagen, daß sie Komödie spielte.

»Gehen wir noch ein Stückchen?« sagte sie. »Ich habe später noch eine Verabredung mit meiner Freundin aus dem Geschäft. Haben Sie so lange Zeit?«

Wir gingen zusammen durch die lebhaften Straßen, in die der Abend fiel. Sie erkundigte sich nach meinem Studium, fragte dies und das, ging auf meine Antworten ein, und allmählich kam der alte Ton wieder zurück wie zuvor auf dem Weg in die Cafeteria.

»Übrigens«, sagte sie, »haben Sie nicht vorhin gesagt, daß man im Warenhaus alles kaufen könne, was ein Menschenleben ausfüllt, von der Wiege bis zum Grabe?«

»Ja, das habe ich gesagt.«

»Mir fällt etwas ein, was es bei uns nicht zu kaufen gibt.«

Wieder das ›bei uns‹ – sie rechnete mich doch dazu. Sie wartete mit der Antwort, um mir die Möglichkeit zu lassen, sie zu erraten. »Ich weiß es nicht«, sagte ich.

»Särge«, sagte sie, »man kann keine Särge bei uns kaufen. Schließlich gehört zu einem Menschenleben von der Wiege bis zum Grabe der Sarg.«

»Ich werde es dem Direktor mitteilen«, erwiderte ich mit ernstem Gesicht. »Übrigens gibt es Warenhäuser, die wohl Särge führen, ich habe es irgendwann einmal gehört.«

»Wir nicht«, wiederholte sie, »vielleicht können Sie Chef der Sargabteilung werden, wie wäre es?«

Obgleich ich nicht umhinkonnte, über ihren höchst komischen Einfall zu lachen, beschlich mich im Augenblick ein unbehagliches Gefühl. Ich erstarrte. Vielleicht war es auch nur ein Vorgefühl?

»Hier ist der Autobus«, sagte sie. Wir waren an der Haltestelle, an der sich bereits mehrere Passagiere eingefunden hatten.

»Auf Wiedersehen, einen vergnügten Abend«, sagte ich.

»Auf Wiedersehen«, sagte sie, »ist das morgen?« Der Autobus kam. Ich nickte. Sie sah mich mit einem warmen Blick an, ich lachte ihr freundlich zu. Der Autobus fuhr schnell wieder ab. Sie stand am Eingang. Ich sah, wie sie durch die beschlagene Scheibe mir zuwinkte.

VII

Was die Worte meines Vaters nicht erreicht hatten, was meinen gegenwärtigen Kumpanen mit all ihrem leidenschaftlichen Haß und kühnen Stolz nicht gelungen war, bewirkte die Erinnerung an meinen verlorenen Freund. Durch das Eingeständnis seiner Freundschaft für ihn rückte mir mein Feind näher. Mit einem großen Schritt trat er aus seiner gestaltlosen Einsamkeit und sprach zu mir. Meine Vorstellung war angeregt. Er war ein Mächtiger, einer, der Veränderungen schaffte, wohin er kam, Gefahren brachte, Herzen bewegte und bezwang. Seine Umrisse waren in die Zukunft geworfen wie in einen großen Stein, aus dem Liebe und Haß seine Gestalt langsam in der Zeit herausmeißelten. Eines Tages würde mein Weg den seinen kreuzen. Ich bedauerte mein übereiltes Handeln von damals, das mich ohne weiteres vor dem Hause der Tante hatte Abschied nehmen und weglaufen lassen. Hätte ich nicht stärker kämpfen müssen? Hatte ich nicht zu früh Verzicht geleistet? Widerstrebende Gefühle: Bewunderung, Furcht, Neugier, Stolz beherrschten mich in der Folgezeit.

Im Grunde war ich gekränkt, vielleicht war ich auch eifersüchtig gewesen auf den neuen Bewerber, der so unzweifelhaft den Vorzug in der Gunst meines alten Freundes genoß. In allem kam er mir zuvor. Ich hatte das Nachsehen, das traurig stimmt. Keiner von ihnen beiden sollte sehen, daß sie mich leiden machten. Langsam gewöhnte ich mich an diesen Zustand. Die Rolle dessen, der unterlag, bot mir die süße Entschädigung, in der Phantasie mich als der unangreifbar Überlegene zu gebärden, so daß mich schließlich der Gedanke bestach, daß der Weg zu ihm und durch ihn hindurch zugleich der Weg zu mir selbst sei.

Hätte ich früher mehr Mut gezeigt, vielleicht wäre ich der Wahrheit schneller nähergekommen.

Heute, da ich die Zeit miterlebt habe, in der er zur Macht emporstieg, wenn ich sie auch geringachtete, da ich erlitt, welche Gefahren er heraufbeschwor, wenn ich sie auch durchstand; heute, da ich weiß, daß alle Erwägungen, ob das Schicksal, oder wie man dergleichen nennt, ihm, sei es auch vergebens, eine Aufgabe, mag man sie klein oder groß einschätzen, zuerteilt hat, die er hätte erfüllen können, wenn, ja wenn – daß alle solche Erwägungen inhaltlose Beschwörungen sind angesichts einer Partnerschaft auf Leben und Tod, die unbarmherzig war ..., heute, da ich mich vorbereitete, seinen Tod zu erwarten und ihm zu begegnen, wie ich ihm bei Lebzeiten nie habe begegnen können, bin ich gewiß, daß in den widerstrebenden Gefühlen damals eines war, dessen ich mich eigentlich zu schämen hätte. Welches Raffinement auf kosmischem Plan: sich dem zuzuneigen, der einem als Widersacher bestellt ist! Der Weg zu ihm und durch ihn hindurch zugleich der Weg zu mir! Nie hat der Haß – und wie habe ich ihn später noch gehaßt – eine solche Gewalt über mich ausgeübt, daß er mich ganz verblendete. Er enthielt jenen Tropfen uneingestandener Zuneigung, der ihm erst die nötige Würze verabfolgte. Diesen Tropfen habe ich aus jener Zeit herübergerettet, da ich einen Freund verlor und einen Feind gewann.

Aber damals kannte ich mich in meinen Gefühlen noch wenig aus. Kann man einen Menschen aus tiefstem Herzen hassen und ihm zugleich zugetan sein, der einem weder lebendigen Leibes noch in irgendeiner menschlichen Äußerung persönlich nahegerückt ist?

Bis ich, wie durch einen Zufall, einige Jahre später seine Stimme hörte, die Stimme meines Feindes.

Schon von jeher haben Stimmen großen Eindruck auf mich gemacht. Sie schleichen sich in mein Gehör und unterbrechen die Einsamkeit meiner Gedanken. Ein Ton wird angeschlagen, er erweckt andere Töne, Akkorde brechen auf, ganze Geschichten von Klängen bestürzen mich. Zum Beispiel zwei Menschen auf der Straße, die sich dicht unter meinem Fenster unterhalten. Ich vernehme nur ihre Stimmen. Der Wind zerwehte ihre Worte, der Sinn verweht, übrig bleibt nur die schnelle Aufeinanderfolge von Schwingungen an meinem Trommelfell, ich selbst verstehe nichts von dem, was sie da sprechen. Aber aus den Stimmen, die die Luft mir zuträgt, aus dem Tonfall, den steigenden und fallenden Lauten, aus dem Behutsamen und Sachten, kann ich den Inhalt ihres Gespräches entnehmen. Ich glaube, daß ich mich auf Stimmen verstehe. Auch die Stimme eines Kindes! Nicht ohne Rührung vermag ich der Stimme eines Kindes zu lauschen, den ersten

Wortbildungen und Sprachversuchen, beginnend mit dem frühesten Krähen und Stammeln. Nicht diese sind es im Grunde – diese ersten geistigen Versuche, wie die Menschen sagen –, die mich anrühren. Das Stimmchen, mit dem diese ersten Experimente vollbracht werden, hat meine ganze Liebe und Andacht. Unbegreiflich, nur die Anzahl der gesprochenen Worte zu zählen und sich die Kostbarkeit des Klanges entgehen zu lassen. In nichts anderem als diesem Stimmchen zeigt sich das köstliche Erwachen der kleinen Seele. Ich höre die Stimme eines Menschen, und langsam entsteht mir ein Bild des Sprechers. So denke ich ihn mir, so könnte er sein. Manchmal will es mir scheinen, als ob bestimmte Töne in der Stimme Geheimnisse verrieten, deren sich der Sprecher selbst nicht bewußt ist. Eine Stimme hat eine große Macht über mich.

Es gibt Menschen, die ernsthaft behaupten, daß es an seiner Stimme läge, wiederum andere, daß es die Kraft seiner Augen sei, ein nicht näher zu beschreibendes Glitzern und Irrlichtern, und dritte, daß ein gewisser elektrischer Strom, ein Fluidum, das von seiner Person ausstrahle, das Geheimnis seiner Wirkung erkläre. Alle diese Erklärungen habe ich im Laufe der Jahre an mir selbst überprüfen können. Ich finde sie übertrieben, lächerlich. Sie gehören mit zu der Legende, die sie mitformen halfen. Man muß ihnen darum aufs schärfste entgegentreten. Einzig mit seiner Stimme hat es, wie mir scheint, eine besondere Bewandtnis.

Ich hatte eine Reise unternommen und kam eines Abends nach einer langen Fußwanderung müde in eine mittelgroße Stadt. Sie lag an einer Hügelkette, ein Fluß durchzog sie. Diese Art des Reisens bereitet mir die größte Abwechslung, und ich ziehe sie jeder anderen vor. Wenn man, hingegeben den auf- und absteigenden Wellen einer Landschaft, von Hügel zu Hügel sich treiben läßt und erläuft, was das Auge aus der Ferne gesammelt hat, erst dann ist man der Mühle des Täglichen entflohen, die mit unbarmherzigem Tritt das Denken und alle Sinne unablässig zermahlt und zerstäubt. Aus der Tretmühle dieser Zerstreuung war ich hierher geflüchtet, alles zurücklassend, was der inneren Sammlung abträglich sein könnte. Doch mit der Ironie des kleinen Wandergottes hatte ich nicht gerechnet.

Bei der hereinbrechenden Dunkelheit und bei meiner eigenen Müdigkeit waren mir, als ich aus den Wäldern in die Stadt hinabstieg, wohl hie und da große weinrote Plakate aufgefallen, die zum Teil abgerissen und überklebt an den Wänden der Häuser und an den Reklamesäulen hingen. Jedoch, ich schenkte ihnen keine besondere Beachtung und ging in den ersten besten Gasthof, ungefähr in der Mitte der Stadt, den ich viele Menschen zugleich mit mir betreten sah. Der Wirt brachte mich auf mein Zimmer. Aus dem Fenster sah ich die Brücke über den Fluß, das träge hingleitende Wasser dämmerte wie fließendes Metall zu mir herauf.

Ich hatte eigentlich die Absicht, mich bald zur Ruhe zu begeben. Sonst liebe ich es, bei Nachthimmel durch die Straßen und Plätze zu streifen, wohin die Nase mich führt. Die Silhouetten und Schatten einer mir völlig unbekannten Stadt, die ich am Abend durchwandere, gewähren mir das größte Gefühl von Heimischsein.

Doch der Lärm trieb mich wieder hinunter. Das Städtchen schien auf den Beinen, um sich hier in dem Gasthof ein Stelldichein zu geben. Immer noch kamen Besucher an.

Ich überquerte den breiten Hausflur, in dem es geschäftig zuging, und trat in die Gaststube. Hier, in dem geräumigen, etwas altertümlichen Zimmer, dessen Decke und Wände durch stämmige Holzpfähle gestützt wurden, war es ruhiger. Die zinnernen Krüge und Teller auf dem Sims, die handgeschnitzten Tische und Stühle, die mit weichen Polstern behaglich ausgelegt waren, gaben dem Ganzen ein freundliches Gepräge und milderten meine unmutige Stimmung. Endlich gelang es mir, den Wirt zu fassen.

»Was geht hier vor?« fragte ich, »eine Theatervorstellung oder ein Varieté?«

Ich hatte nicht übel Lust, mir meine Laune etwas aufzuheitern.

»Ja wissen Sie denn nicht?« fragte er ungläubig.

»Aber nein!«

»Heute abend ist eine Versammlung hier!«

»So? Wer ist der Redner?«

»B.«, sagte er.

Ich war ehrlich überrascht und schwieg.

»Die Saaltüren sind schon geschlossen. Niemand kann mehr hinein«, fuhr er erregter fort. »Ich habe den größten Saal in der Stadt. Er ist bereits übervoll.«

»Von seinen Anhängern?« fragte ich neugierig.

»Nicht nur«, entgegnete der Wirt, »obwohl es viele hier gibt. Auch von den Gegnern. Wenn Sie wollen, besorge ich Ihnen drinnen noch ein Plätzchen.« Sein Angebot kam aus einem harmlosen Gemüt, und darum beunruhigte es mich nicht besonders. Daß er seinen Saal für den Abend vermietet hatte, gehörte schließlich zu seinem Geschäft und nicht zu seiner Überzeugung. Diese interessierte mich nicht im mindesten.

Aber sein Angebot lockte mich. Zögernd erhob ich mich von meinem Platz, noch nicht recht entschlossen, zu gehen oder zu bleiben. Der Wirt sah nur die zustimmende Bewegung.

»Ich bringe Sie durch eine Hintertür in den Saal«, sagte er leise, als handelte es sich um eine Konspiration, »kommen Sie nur mit.«

Noch immer im Zweifel, lief ich hinter ihm her. Es war eine einmalige Gelegenheit, ich durfte sie mir nicht entgehen lassen. Eine zweite Chance würde ich nicht mehr so schnell erhalten. Und doch, irgendein unfaßbarer Widerstand in mir selbst rief mich zurück.

Wir verschwanden, unter der Führung des Wirtes, im Keller, liefen durch mehrere dunkle Gänge, treppauf, treppab, und landeten in irgendeinem Hinterhaus. Der Saal mußte in der Nähe sein, das Durcheinander vieler Stimmen drang durch die Steinmauern zu uns her. Der Wirt öffnete eine Tür. Wir standen am anderen Ende des Saales, etwas erhöht, und sahen in ein festliches Chaos.

Der Saal war verziert mit Fahnen, Girlanden, große Spanntücher waren an der Brüstung der Galerie aufgehängt, mit irgendwelchen Losungen seines Streites bedeckt. Man saß auf langen Reihen von Stühlen, dazwischen Tische mit Wimpeln, auch an den Wänden standen Tische, ganze Familien schienen hier Platz genommen zu haben. Dazwischen balancierten in weißen Kitteln Ober ihre metallenen Tabletts über den Häuptern, man trank und rauchte. Ein blauer Qualm von Rauch und Wasserdampf nebelte das Ganze ein. Wer hier saß, welcher Gesinnung auch, war verloren.

»Ich werde Ihnen einen Stuhl hier vorne hinstellen«, sagte der Wirt und wies ans Ende der ersten Reihe, »dann können Sie ihn gut sehen.« Er schien ein ganz besonderes Interesse zu haben, mich in den Saal zu befördern. Er schickte sich an, in einem der kleinen Zimmer zu verschwinden, neben der Bühne, an deren linkem Seiteneingang vom Saal aus wir standen, um einen Stuhl zu holen.

»Lassen Sie es«, sagte ich und hielt ihn am Arm zurück. Er sah mich entgeistert an. »Ich habe es mir überlegt, es ist zu voll, die Luft und – gehen wir.« Ich warf die Tür zu.

Bei Tabak und Bier wollte ich meinen Feind nicht zum ersten Male begegnen.

Wir traten den Rückweg an und landeten wieder in der Gaststube. Ich war allein.

Da saß ich also in demselben Städtchen, unter demselben Dach mit ihm. Wenn es nach dem Wirt gegangen wäre, hätte ich sozusagen zu seinen Füßen gesessen und gelauscht und ihn unbemerkt beobachtet. Ich hätte ihn nach Herzenslust in mich aufnehmen können und wäre nun endlich einmal dahintergekommen, was für ein Mensch er war. Sonderbar, daß ich zuvor noch nie auf diesen Gedanken gekommen war, eine der vielen Versammlungen zu besuchen, in denen er auftrat. Aber alles kam zu überraschend. Schließlich war ich nicht deswegen auf Wanderschaft gegangen, um so unvorbereitet Auge in Auge mit ihm zu stehen. Ich wußte den Weg zurück in den Saal. Wenn ich wollte, konnte ich mich in seine Nähe begeben. Wenn ich über genügend Mut verfügte – und ich zweifelte in meiner Vorstellung nicht daran –, würde ich außerordentliche Dinge vollbringen können. Ich gehe in der Pause zu ihm und verwickle ihn in ein Gespräch. Ich sage ihm nicht, wer ich bin und woher ich komme. Ich bin nur einer aus dem Saal. Ein Anhänger oder ein Gegner – auch das würde ich in der Schwebe lassen. Meine Müdigkeit und mein anfänglicher Mißmut boten einen günstigen Boden für das Entstehen solcher und ähnlicher Gedanken. Sie überstürzten sich fast in meinem Kopfe. Im Verlaufe des Gesprächs, das ich mit ihm haben werde, entwickelt sich etwas zwischen uns – Freundschaft kann ich es nicht nennen –, eine Art Einverständnis. Ich merke an seiner Weise, zuzuhören und zu erwidern, welches Gefühl langsam in ihm die Oberhand gewinnt. Er bedauert, daß zuvor noch niemand mit ihm so gesprochen hat. Ich lasse durchscheinen, daß ich es begreife, und bleibe weiter diskret. Was kann er noch zu sagen haben? Langsam gelingt es mir, ihn zu überzeugen, daß er sich auf dem verkehrten Weg befindet, daß er sich Vorstellungen von seinen Gegnern macht, die in nichts, in rein gar nichts dem wirklichen Bild entsprechen. Ich werde mich hüten, ihm zu sagen: ›Schau mich an und bekenne, daß du dich geirrt hast.‹ Ich diskutiere weiter mit ihm. So schnell gibt er sich nicht geschlagen, natürlich nicht. Aber es hängt von mir ab, von meinem Takt, von meiner Überzeugungskraft, von meinen Argumenten, ob er Einsicht gewinnt. Wenn es mir gelänge, ihn zu überzeugen! Ja, damals vertrat ich noch die Meinung, daß man einen Menschen durch Diskutieren verändern könne. Wenn ich ihn verändern könnte, es würde meine Bewunderung für ihn nur noch steigern.

Hier muß ich eine Erklärung einfügen, gewissermaßen als Entschuldigung für das Maß von Charakterlosigkeit, das ich damals bewies. In den Augen meiner damaligen Kumpane war ich ein schwacher Bruder. Meine Haltung schwankte, das heißt, ich war mir bewußt, daß man meine Haltung als schwankend auslegen konnte. Ich zeigte wenig Rückgrat, in Gesprächen und Diskussionen bewies ich zuwenig Leidenschaft. Ich erwog und bedachte zuviel, vor allem, was die andere Seite an Erwägungen und Überdenkungen ins Feld führen könnte. Ich widmete ihr übertriebene Aufmerksamkeit. Unmöglich, ihnen allen einen Blick in die Verwirrung zu gewähren, in die mich meine widerstrebenden Gefühle gebracht hatten. Zudem – ich wiederhole nur das Eingeständnis meiner raffinierten Schwäche – war ich mir selbst nicht im klaren über die Kräfte, die mich bewegten. Sollte ich ihnen etwa das Erlebnis mit meinem Freunde anvertrauen? Man lacht über Dinge des Herzens. Sollte ich mich in aller Öffentlichkeit der Schwäche zeihen, in einem Streit, der auf Leben und Tod ging, vorläufig – man beachte: vorläufig! – nicht Partei ergreifen und Entscheidungen treffen zu können?

Der Selbstbetrug ist die gefälligste von allen Lügen. Sie ist das Allheilmittel für alle Erkrankungen der Person, ja sogar metaphysische Wunden vermag sie zu heilen. Wohl hatte mir das Erlebnis mit meinem Freund einen gehörigen Schlag versetzt, doch zu Boden hatte es mich nicht geworfen. Im Gegenteil. Diese erste und nicht geringe Enttäuschung hatte mich gestärkt und auf alle noch kommenden vorbereitet. Ich stand ihnen nicht länger mehr unbewaffnet gegenüber. Hatte ich im Verlust nicht einen Gewinn gebucht, oder begann hier der Selbstbetrug? Kann man beide, Gewinn und Verlust, zugleich einheimsen, wie mein Freund es wahrhaben wollte, mit der Linken das eine, mit der Rechten das andere? Mochte ich nach außen auch unsicher, schwankend erscheinen, ein schwacher Bruder – niemand konnte mich hindern, dieser Schwäche einen Schwung ins Absolute zu verleihen. Vielleicht kam ich auf diese Weise mit meinem Leid zu Rande.

Ich war objektiv. Ich gehörte zu der Gruppe der sogenannten Objektiven, das heißt solcher Menschen, die vermeinen und es als ihre sittliche Pflicht betrachten, jedes Geschehen frei von jeder persönlichen Meinung zu schauen. Denn diese erwächst gemeinhin doch nur aus beschränkten Vorurteilen.

Man gelangt zu dieser Haltung nicht aus einer nüchternen Betrachtung aller Dinge, obgleich eine derartige Betrachtungsweise als Endziel proklamiert wird. Nein, sie ist eine mühsam im Kampf mit unseren Leiderfahrungen errungene. Auch wenn es uns selbst dabei an den Kragen geht – wir müssen darüber hinauswachsen. Es könnte nämlich sein, daß unser Gegner recht hat. Dann verbleibt uns nichts anderes, als dies freimütig zu bekennen. Malt Plakate und hängt sie euch um, zieht damit durch die Stadt, daß jeder es vernehmen kann: ›Wir sind euer Unglück! Raus mit uns!‹ Dies verlangt die Menschenwürde.

Ein solcher Objektiver war ich mit Leib und Seele. Wenn man sich das Prinzip der Gerechtigkeit als Richtschnur für sein Tun und Lassen erwählt hat, muß man dann nicht auch seinem Feinde zuerst einmal Gerechtigkeit widerfahren lassen? Der Gedanke des Roten Kreuzes, den alle Welt so stolz als schönsten Gewinn der Humanität betrachtet, so daß sie sich mitunter auch an ihn hält, hat im Grunde verheerend gewirkt. Denn er gestattet, ja, er setzt logischerweise voraus, daß man seinen Gegner erst einmal halb totgeschlagen haben muß, bevor man ihn auch als Menschgenossen betrachten und behandeln darf. Wie oft sind nicht gerade die heftigsten Schreier nach gerechter Behandlung der eigenen Person die Unbilligsten, wenn es ihren Widersacher betrifft. Diese Typen sind rundheraus eine Karikatur des Menschengeschlechtes und schuld daran, daß die edelste aller himmlischen Tugenden noch kein Heimatrecht auf Erden erlangt hat.

Ich sonnte mich in dem harten Gedanken, daß ich meinem Feinde Gerechtigkeit widerfahren ließe. Damals ging es mir selbst noch nicht an den Kragen.

Ein seltsames Zusammentreffen zu unvorhergesehener Stunde! Wäre ich nicht von der Wanderung so ermüdet gewesen, ich hätte mir mit Macht Eintritt in den Saal erzwungen, aber nicht durch eine Hintertür. So saß ich gelassen in der spärlich besuchten Gaststube, außer mir nur zwei verliebte Pärchen im Schutze von Holznischen, und hing meinen Gedanken nach. Jahre waren vergangen seit dem Gespräch mit meinem Freund. Die Ideen, die B. bei seiner Reise durch das Land verkündete, waren mir in ihrer Schärfe wohlbekannt. Noch mehr Einzelheiten wußte ich von ihm. Er führte einen großen Kampf, von Stadt zu Stadt, um die Menschen für sich zu gewinnen. Jedes Mittel war ihm recht, dieses Ziel zu erreichen. Noch mußte er sich manche Beschränkungen auferlegen, doch seine Drohungen und Warnungen waren unmißverständlich. Noch war er nicht Herr über Leben und Tod, noch nicht – noch nicht?

Wie ich so an dem Tisch in der fast leeren Gaststube saß, nur meinen Träumereien hingegeben, fühlte ich meine Müdigkeit in dieser traulichen Umgebung beim abgeblendeten Schein der Lampen gelöster und wohliger. Der Wirt erschien einige Male und machte sich in einer Ecke zu schaffen. Er tat sehr wichtig und sprach kein Wort. Ich hatte mir einen herben Wein bestellt, der auf den Hängen der Umgebung gereift war. So verging einige Zeit. Draußen auf dem Gang war es inzwischen ruhiger geworden. Man hatte einen jeden in den Saal verfrachtet. Die Pärchen in den Ecken und drei Neuankömmlinge unterhielten sich halblaut.

Auf einmal mischte sich in dieses leise, summende Stimmengewirr der Gaststube ein typisches Krachen und Knattern, das irgendwo erhöht aus einer Ecke seinen Anfang nahm – jenes charakteristische Geräusch, das die Technik präludiert. Der Wirt hatte in seiner Harmlosigkeit den Einfall gehabt, die Rede aus dem Saal vermittels eines Lautsprechers hier in dem Gastzimmer erklingen und so seine Gäste an diesem Genuß teilhaben zu lassen. Eine Musikkapelle setzte ein, die den allgemeinen Spektakel noch vermehrte. Lärmen, Rufe, Pfeifen, Versuche mitzusingen. Dann brach es ab. Man hörte das Knarren der Bretter auf dem Rednergestühl, ein paar kräftige Schritte. Beifall, Gejohl und Gerufe, ein Höllenkonzert begrüßte B. Der Wirt kam und drehte an dem Apparat, der Spektakel rückte etwas in die Ferne. Dann kam er wieder näher, ebbte ab. Tiefe Stille. Auch in dem Gastzimmer. Diese wenigen Sekunden Stille am Anfang – ich werde sie nie vergessen – gehörten schon zu seiner Rede, so gut wie der Beifall zum Schluß oder die Zurufe während seiner Ausführungen. Auch uns in dem Gastzimmer teilte sich die schweigende Erwartung des Saales durch den Apparat mit.

In diese lautlose Spannung fielen seine ersten Worte. Zögernd, vorsichtig. Sie zerrissen die Stille nicht, nein, so völlig waren sie ihr angepaßt, daß man glauben konnte, sie kämen aus ihr selbst hervor. Nur selten habe ich in ein solches gespanntes Schweigen hinein eine menschliche Stimme sprechen hören. Es klang wie aus einem Grabe, dunkel-tief, etwas unheimlich. Eiskalt lief es den Rücken hinunter. Eine solche Stimme hört man mit den Sinnen seines ganzen Körpers. Was ist das, dachte ich, warum dieser gepreßte, schaurige Beginn? Hat er einen schlechten Tag heute? Ich war leicht enttäuscht, etwas befremdet. Doch bald begriff ich, was es bedeutete. Die Monotonie des Beginnens währte eine gute Weile. Sie diente dazu, etwas anderes niederzuhalten, zu verbergen und doch zugleich vorzubereiten. Man spürte die Anstrengung, mit der das geschah.

Der Wirt kam auf Zehenspitzen an meinen Tisch geschlichen.

»Hören Sie?« flüsterte er mir zu. Ich nickte: »Ja.«

»Oder wollen Sie es lauter haben, ganz wie Sie wollen.«

»Es wird die anderen stören«, sagte ich, nur um etwas zu sagen.

»Das glaube ich nicht.«

»Mir genügt es«, erklärte ich.

»Später wird es schon lauter«, sagte der Wirt, »wenn er erst einmal richtig beginnt.« Vorsichtig tänzelte er wieder zurück.

Mein Freund kam mir in den Sinn. Zuweilen war es mir, wie wenn er, hier irgendwo versteckt, zusammen mit mir der Rede lauschte. ›Ich habe ihn sprechen hören, und ich war gewonnen.‹ Unablässig hatte er mein Gesicht betrachtet, um den Eindruck zu studieren, den seine Worte hervorriefen. Als ob ihm persönlich etwas daran gelegen wäre, daß ich unter seinen Einfluß kam.

Die Erinnerung an unser letztes Zusammensein weckte Gedanken der Wehmut in mir auf. Jahre waren darüber hingegangen. Er war mein Freund, noch immer. Die Verfassung, in der ich mich augenblicklich befand, ließ mich mit einer selbstquälerischen Lust diesem Gedanken nachhängen. Ich hätte mich ohne große Anstrengung völlig in sie verlieren können. Doch irgendein Gefühl, mochte es Scham sein, hielt mich zurück. Vor dem unsichtbar spähenden Auge meines Freundes wollte ich mir keine Blöße geben. Zumal in dem Zustand der körperlichen Ermüdung, in dem man stärker als je der Lust selbstquälerischer Gedanken ausgeliefert ist. Ich war nüchtern genug und wollte auf meiner Hut sein. Ob B. ein Schwindler war, ein Falschspieler, oder wirklich jemand, der die Gnade Gottes auf uns herabrief – nicht eher würde ich Ruhe geben, bis ich hinter sein Geheimnis gekommen war, vorausgesetzt, daß überhaupt ein solches dabei im Spiele war. Die Rede nahm ihren Fortgang. Er tastete offenbar noch immer und blieb abwartend. Nur einige ironische Formulierungen dazwischengestreut, unterbrachen die Monotonie und lockten die ersten Lacher im Saal hervor. Allmählich befreite sich die Stimme mehr und mehr von jenem Zwang, ihre Tonhöhe stieg an, sie zeigte im ganzen viel mehr Abwechslung und Schattierung. Volltönend schallte sie aus dem Apparat heraus in das Gastzimmer, als spräche jemand aus persönlicher Nähe. Da hier nur einige Zuhörer saßen, wirkte es ein wenig komisch, daß jemand so aus voller Brust sprach. Übrigens sprach er mit einer seltsamen Artikulation, die ihn bis in die fernste Ecke verständlich machte.

Er schien nun seiner Sache sicherer zu sein. Deshalb ging er zum Angriff über. Mit fester Überzeugung verkündete er einige Wahrheiten, Wahrheiten so allgemeiner Art, daß jedermann, ob er wollte oder nicht, zustimmen mußte: Der Mann hat recht! Wenn auch niemand da war, der eine andere Wahrheit ausgesprochen hatte oder die eben verkündete in Zweifel zog, so tat er doch, als bestünde dieser Niemand und wäre selbst hier im Saale irgendwo versteckt. Er hatte sein Ziel erreicht. Die ersten zustimmenden Rufe erschollen. Der Beginn seines Erfolges! Sein Mut wuchs, und er gab noch mehrere, immer mutigere Wahrheiten zum besten. Dies sind Wahrheiten, die man sich erst einmal überlegen muß, so widersinnig erscheinen sie auf den ersten Blick. Aber ein Körnchen Wahrheit steckt wohl doch in ihnen. Sie gehörten zu seinem Programm. Fast nie verfehlten sie ihre Wirkung. Sie waren, wie erwähnt, mutig und erhitzten die Gemüter. Auch die Art, in der sie vorgetragen wurden, war kühn. Wiederum gab er sich den Anschein, als setzte er sich mit diesem Niemand auseinander. Er erhob ihn zu seinem Widersacher und begann mit ihm vor den Augen des Saales einen Strauß. Eine tolle Erfindung! Er hatte ihn sozusagen in seiner Weste in den Saal hineingeschmuggelt – keiner von den Anwesenden hatte es vorher bemerkt – und ihn irgendwo unter die Zuschauer niedergesetzt. Da saß er nun. ›Seht, da sitzt er, hört ihr, was er sagt!‹ Und dann erfand er alles, was jener sagte, den er selbst erfunden hatte. Warum soll es nicht einen Menschen geben, der so aussieht und diese Worte spricht? Aber er legte ihm alle Fragen in den Mund, die aus seinem eigenen Gehirn kamen, und da er selbst die ganze Zeit das Wort führte, auch wenn er seinen Widersacher angeblich zu Wort kommen ließ, gelang es ihm, seine Zuhörer in den Bann zu ziehen.

Er begann eindringlicher zu sprechen, und als er merkte, daß er an Einfluß gewann, begann er auf einmal unvermittelt – nur ein Gespanntsein in seiner Stimme hatte es schon im voraus angekündigt – zu schreien. Mitten im Satz, in der Auseinandersetzung mit seinem Gegner, fing er an zu toben und zu schreien. Ein Rasender!

Er griff an, er beschuldigte, machte lächerlich, riß nieder, schlug rechts und links, blindlings, widerlegte Behauptungen, die niemand behauptet hatte, und regte sich dabei furchtbar auf. Der andere hatte niemanden mehr, der für ihn sprach. Er, der nie bestand, wurde durch die Stimme totgemacht, und da er schwieg, vermeinte ein jeder, daß er tot sei.

Wehrlos saß ich in der Gaststube. Ich war der Niemand da in dem Saale. Ich hörte meine eigene Vernichtung. Eine dunkle Ahnung befiel mich, und der Mut sank mir.

»Er brüllt«, sagte jemand ein paar Tische weiter.

»Was ein Mensch brüllen kann«, erwiderte ein anderer.

Dann wieder Schweigen. Nur der Apparat zitterte und krächzte. Doch nicht lange. Bald darauf hatte die Stimme zu ihrem alten, natürlichen Ausdruck zurückgefunden. Sie erklang nun leidenschaftlicher, im Unterton erregt und irrlichternd. Aber ihre Glut war kaltes Feuer. Woher nahm sie nur das Flackernde? Wie ein fremdes Metall lag es in ihr, von Zeit zu Zeit unsichtbare Strahlen aussendend. Sie brachen durch die Stimme, seltsam brennend und fasziniernd – etwas Fremdes. Es ging nicht von dem Menschen selbst aus. Seine Erregung war nicht die eines Menschen, der erregt ist. B. gehörte nicht zum Typ der Selbstkocher, jener Redner, die unterm Sprechen in Schweiß und Feuer geraten, von sich selbst fasziniert werden und Torheiten begehen, indem sie dann Dinge sagen, die man besser verschweigt. Er wußte nur zu gut, was er sagte, und nie hat er aus der Schule geplaudert. Wenn er brüllte, dann wußte er, daß er es tat. Es gehörte zu seinem Programm, er hatte alles im voraus berechnet. Schon im nächsten Moment war er wieder gefaßt und zeigte sich vollkommen gelassen.

Oft geschah es, in späteren Jahren, daß er nach großen belangreichen Ansprachen, in denen er alle Register hatte spielen lassen, ruhig und gefaßt vom Rednerpult abtrat, während seine Zuhörerschaft vor Erregung und Spannung fast verging.

Waren es der Inhalt seiner Ausführungen, seine Beweisgründe, oder war es die Art, in der er seine Rede vortrug, dieses großartige Feuerwerk von bunten, jäh aufspringenden Raketen, die zusammen mit unaufhörlichem Explodieren von leichteren und schwereren Sprengstoffen einem erstaunten Publikum Atem und Verstand benahm?

Es ging ihm anscheinend auch nicht um die mehr oder weniger mutigen Wahrheiten, die er hier zu verkünden stand. Schon eher war es ihm um den Gegner zu tun, dem er mit diesen streitbaren Wahrheiten auf den Leib rückte. Doch schließlich konnte ihm nur daran gelegen sein, eine bestimmte Wirkung bei seinen Zuhörern zu erzielen, die er nach seinen Berechnungen wieder benötigte, um ein anderes Ziel zu erreichen. Darum brachte er immer wieder dieselben Argumente in unabsehbarer Wiederholung, bis man nicht mehr so sehr auf seine

Worte als auf seine Stimme lauschte. In ihr lag das endgültige Ziel beschlossen.

Der Wirt war wieder erschienen. »Es ist ein bißchen laut«, sagte er und milderte die Einstellung des Apparates. Er nickte zu mir herüber. Ich antwortete ihm nicht.

Allmählich hatte sich mein anfängliches Erschrecken gelegt. Die Bezauberung war gewichen. Die Müdigkeit machte sich wieder stärker geltend. Ich dämmerte vor mich hin in einer eigenartigen Stimmung, ein Schweben zwischen Wachen und Schlafen, in dem die Seele besonders hellhörig ist, das Bewußtsein sanft umschleiert, doch zugleich wie von einem schärferen inneren Licht durchstrahlt. Alles scheint klarer und deutlicher geprägt. Die Anziehungskraft der Erde wirkt schwerer, die Gliedmaßen hängen bleischwer am Körper, sich entspannend, fühlt man ihr warmes Gewicht. Die Dinge scheinen bis auf den Grund sichtbar. Die verwirrende Ordnung der Zeit, drängend nach den Kategorien im Zeitlichen, ist ausgelöscht. Vergangenes, Gegenwärtiges, Zukünftiges zeigt sich als ein Unteilbares, aus dem die Ganzheit sichtbar wird.

Die übrigen Gäste schenkten der Rede keine Beachtung mehr. Sie unterhielten sich und lachten.

Die Stimme war in die Ferne gerückt. Sie nahm mehr und mehr den Klang von etwas Geisterhaftem, Unwirklichem an. Ich lehnte mich zurück in die Polster und schloß die Augen. Die verhaltene Stimme hatte nichts von ihrer Eindringlichkeit eingebüßt.

Die Ausbrüche folgten wieder schnell aufeinander. Dann lange Zeit wieder die flackernde Gespanntheit. Alles aber gedämpft durch die sachtere Einstellung des Apparates.

Etwas lag in dieser Stimme, was mit dem Mann selbst nichts zu tun hatte. Hinter dem Geschrei, aus einer kühlen Leidenschaft geboren, und dem Gepöbel, das das Raffinement einer unbarmherzigen Gesinnung verriet, klang noch etwas anderes auf – ein großes Glück, ein großer Erfolg; oder eine große Gefahr, ein großer Untergang?

Es beklemmte mich und zugleich schlug es mich in seinen Bann. Anders als zuvor erschien es nunmehr, als ob die Stimme eine persönliche Botschaft an mich hätte. Wiederum bestand zwischen uns irgendein Einverständnis. Was es war, wußte ich nicht. Aber er hatte es nur mit mir allein zu tun, mit keinem seiner Freunde sonst. Ein kleiner, unansehnlicher Mann, ergriffen von etwas, das stärker war als er selbst, sprach, als würgte er sich selbst. Er stand wie in einer Verdammnis. Eine Fackel flackerte an einem Scheideweg. Er mußte wählen. Ein Schicksal kündigte sich an. Und wer mit ihm in Berührung kam, wurde gezeichnet. Doch er selbst blieb klein, ambitiös, ein Kommis, der gern selbst Chef gewesen wäre. Von Zeit zu Zeit, wenn das Fremde, Größere in ihm durchbrach und volle Macht über ihn gewann, wurde er ratlos und stand vor einem Unfaßbaren. Es ergriff ihn, aber er ergriff es nicht. Wer war er denn? Ohne Unterlaß fragte er sich selbst. Er wußte es nicht. Er wurde sich fremd in diesen Augenblicken, und das, was über ihn kam, war das Fremde. Manchmal aber dachte er auch, daß das, was ihn überkam, er selbst sei. Dann wähnte er sich ebenso groß und mächtig und unaufhaltsam wie ein Fluß. Er begann zu drängen, zu schreien und zu toben. Er konnte sich nicht halten, er trat über seine Ufer. Doch er begriff es nicht. Mir war es, daß er schrie wie einer, der gerettet werden will, da er ertrinkt.

Aus diesen Träumen wurde ich auf unliebsame Art geweckt. Ein Hagel Steine fiel in die Gaststube, die Fenster brachen klirrend, noch mehr Steine folgten, sie prallten gegen die Holzwände und die zinnernen Krüge, die hell aufklangen, einige fielen auf den Boden. Ein Stein traf den Lautsprecher, so daß er verstummte. Darauf stürmten einige finster aussehende Männer in die Stube. Einer blieb an der Tür stehen und hielt mit der Hand auf dem Rücken die Klinke fest. Niemand konnte mehr hinaus. Die wenigen Gäste und auch ich wußten nicht recht, was das alles zu bedeuten hatte. Die Männer begannen, ein paar Stühle an den Lehnen in die Luft zu schwingen und sie darauf mit einem wütenden Schwung auf dem Boden in Stücke zu schlagen. Der grimmige Ausdruck ihrer Gesichter stand im offenen Widerspruch zu der Hingabe, mit der sie ihr Werk verrichteten. Tische wurden umgeworfen, Stuhlbeine lagen zerstreut umher, geflochtene Sitze waren zerrissen, bunte Tischtücher lagen in den Ecken herum. Ein Mann stand an der Theke und warf in der Abwesenheit des Wirtes alle Gläser, die er packen konnte, zu Boden. Nur ein Glas hielt er unter den Bierkran und ließ es schnell vollschäumen und trank es aus. Plötzlich hörten sie mit den Tischen und Stühlen auf und machten Anstalten, den Gästen auf den Leib zu rücken. Ein Mann steuerte auf meinen Tisch zu, seine Miene verhieß nicht viel Gutes.

»Komm her, mein Bürschchen!« rief er drohend mit jener Mischung von blinder Wut und geheuchelter Väterlichkeit in seiner Stimme, die die handgreiflichen Diskussionen eröffnet.

»Was soll das heißen?« brüllte ich zurück. Meine Müdigkeit war verflogen. Seine Dummheit empörte mich mehr als sein freches Betragen. Ich begriff sofort, wen seine Wut eigentlich suchte. »Was wollen Sie von mir?« fügte ich etwas weniger erbittert hinzu.

»Gehörst du auch zu denen?« fragte er und wies mit seiner Hand nach dem Saal.

»Gehen Sie dorthin, da finden Sie, wen Sie suchen!« sagte ich barsch.

»Was bist du denn für einer?« sagte er auf einmal ruhiger und versuchte einzulenken. Anscheinend war er zu der Entdeckung gekommen, daß ich ein Fremder war und als Gast hier saß. Seine übrigen Genossen standen mit den anderen in einer erregten Diskussion. Er stand neben meinem Tisch. Ich blieb sitzen.

Er war ein einfacher Mann, klein, ganz gutmütig, wenn man ihn aus der Nähe betrachtete, sicherlich freundlich geartet im Familienkreis und ein braver Hausvater, aber jetzt besessen von einer Idee, die ihn an falscher Stelle jemanden suchen ließ, den er anderswo bestimmt gefunden hätte. Er konnte nicht wissen, an wen er geraten war, als er auf mich zutrat. Das Komische meiner Lage, die plötzliche Bedrohung durch einen Bundesgenossen, kam mir immer mehr zum Bewußtsein. Ich begann zu lachen und lachte ihm ins Gesicht.

Er sah mich fassungslos an.

»Nein, nein«, sagte ich geruhsam, um ihm zu helfen, »nein, ich bin nicht der Richtige. Im Gegenteil.«

Er zögerte noch immer. Schließlich fragte er mißtrauisch, weil er nicht glauben konnte, daß er sich da beinahe über alle Maßen geirrt hätte: »Ja, warum sitzen Sie dann hier?«

Erst wollte ich ihm antworten, daß dies ihn gar nichts angehe, wie und warum ich hier saß. Doch ich bezwang meine aufflackernde Ungeduld und sagte, jedes Wort gewichtig betonend: »Ich sitze hier, weil ich nicht im Saale sitzen will, begreifen Sie das?«

Dies war deutlich. Er wußte nichts darauf zu erwidern. Schließlich war er gekommen, um zu handeln. Seine Entschlossenheit hatte mich zu Beginn verwirrt. Er hatte es nicht gemerkt. Eigentlich bewunderte ich ihn ein wenig, daß er einfach von draußen in eine Gaststube trat und zu handeln begann, auch wenn es vorerst Tische und Stühle betraf. Unentschlossen stand er neben meinem Tisch. Ich stand auf. »Ich bin müde und werde jetzt schlafen gehen«, sagte ich, »gute Nacht!«

»Gute Nacht!« erwiderte er in seiner Einfalt.

Inzwischen war der Wirt zurückgekommen, hatte die Sachlage schnell übersehen und war wieder verschwunden. Kurz darauf betrat er in Begleitung einiger handfester Kerle die Gaststube.

Ich war gerade aufgestanden, als sie eintraten. Der Wirt bebte. Im Umsehen war die entstellte Gaststube von den Eindringlingen gesäubert, ohne daß es zu einer großen Schlägerei gekommen war.

»Bitte sich nicht zu beunruhigen«, sagte er zitternd, »sich nicht zu beunruhigen. Die Versicherung deckt den Schaden. Diese Buben!« Die handfesten Kerle hatten sich im Umkreis aufgestellt und zeigten männliche Entschlossenheit.

»Räumt auf«, sagte der Wirt, »dann trinkt ihr auf meine Kosten ein Bier.« Sie räumten auf und setzten sich in die Mitte der Gaststube, tranken ihr Bier und sprachen das Geschehene noch einmal durch. Der Wirt trat an meinen Tisch, vor Erregung war er noch immer bleich. Er sah mich stehen und fragte beflissen:

»Hat man Sie belästigt? Diese Buben, ihre Steinwürfe galten einem, den sie nicht erreichten. So etwas ist hier noch nie dagewesen.«

»Er hat sicherlich hier auch noch nie gesprochen«, sagte ich.

»Das erste Mal«, antwortete der Wirt. »Ich habe damit gar nichts zu schaffen. Ich vermiete meinen Saal an jedermann, der ihn bezahlt.« Er setzte sich vor Erregung auf einen Stuhl, der Schweiß stand auf seiner Stirn. »Lieber meine Biergläser und meine Einrichtung als meine Gäste«, sagte er und wischte sich mit dem Ärmel übers Gesicht. »Warum muß man immer gleich losschlagen?« sagte er.

Die Polizei betrat das Gastzimmer. Der Wirt erhob sich. »Bitte, entschuldigen Sie mich.«

Ich wartete das Ende nicht mehr ab und verschwand in meinem Zimmer oben.

VIII

Dieser Abend mit seinem tragikomischen Schluß hatte einen tiefen Eindruck in mir hinterlassen. Aus dem halbdämmernden Zustand, in dem ich mich befand, als ich, ein heimlicher Lauscher, in der Gaststube saß und doch an allem, was sich im Saal zutrug, teilhatte, war ein sonderbarer Gedanke in mein Wachsein hinübergeraten und hatte sich dort festgesetzt. Schon lange muß er vorher in mir geschlummert haben.

Es gibt Begegnungen, die das Schicksal wie mit einer unsichtbaren Schrift lange zuvor gezeichnet hat. Erst wenn das Verhängnis anhebt, wird ihr Inhalt offenbar. Die einzelnen Lettern treten aus dem blinden Hintergrund heraus, gruppieren sich zu Worten, der Sinn wird ablesbar. Man steht in seinem Vollzuge, und dennoch widersetzt man sich.

Zu Beginn wagte ich nicht, diesen Gedanken zu denken, so absurd erschien er mir. Wenn ich meine Augen schloß, erstand mir seine Gestalt von innen, und wenn ich in mich hineinhörte, summte in meinem Ohr seine Stimme. Sosehr ich mich auch zur Wehr setzte, ich konnte nicht verhindern, daß mir Bild und Schall vertraut wurden, als wären sie völlig aus meinen Sinnen entstanden und führten selbständig ihr äußeres Leben. Erging es ihm mit mir anders? Wie stark ich in seinen Gedanken lag, dessen war ich eben wieder Zeuge gewesen. Kein Liebhaber kann anhänglicher von dem Gegenstand seiner Liebe sprechen als auf die Weise, die die seine war, auch wenn er mich verwünschte. Er suchte mich. War dies nicht deutlich? Stets war ich bei ihm. Er trug mich mit sich herum, geradeso wie er seine Hand, sein Ohr oder seine Zunge stets mit sich herumführte. Er muß von mir besessen gewesen sein.

Wir sind nicht geboren für Freundschaften. Den menschlichen Verhältnissen entspricht im Grunde ein anderer Bezug. Kein noch so hochgestimmter Lobgesang kann den Argwohn beseitigen, der zwischen den Lebenden aufgerichtet ist. Wir alle sind Doppelspieler. Es ist das Nächste, was uns verbindet. Einsamkeit, Abgeschlossenheit ist das Gemeinsame. Das Liebend-miteinander-Sein, du meine Güte! Was ist hier gemeint? Vielleicht die gemeinsamen Belange, die nur zur Gründung eines Konsumvereins führen? Man schaue einmal umher, es gibt Beispiele genug, nach welchen Bauplänen die menschlichen Umstände einander zugeordnet sind. Und gar erst die Liebenden, von denen die Dichter zu singen belieben!

Wie ich meinem Feind erscheine, wie er mir begegnet, in den Verhüllungen und Maskeraden unserer Feindschaft enthüllt sich der Urgrund unseres Bestandes.

Welches der sonderbare Gedanke war, der mich befiel? Daß er genauso unsicher, so schwankend war wie ich selbst und, ergriffen von der Angst, sich selbst ein Unbekannter zu sein, seinen Widersacher, mich, herausgefordert und an die Wand gemalt hatte, wie die alten Maler ihre Heiligenbilder im Schweiße schufen, wenn ihr Dämon sie befiel. Ich war nur eine Fratze, eine Maske, die er sich in seiner Bedrängnis zurechtgeformt hatte. Aber sie genügte ihm. Sie war sein Gegenbild. Vielleicht hatte auch ihm einst sein Vater zugeflüstert: ›Wir sind …!‹ Und nun suchte er in seiner Not nach dem Sinn und der Bewandtnis, die es mit dieser Einflüsterung auf sich hatte. Vielleicht hatte er es schon einmal gewußt, aber sein Wissen wieder verloren. Vielleicht galt ihm dies auch nichts mehr, da er anderen Beziehungen anheimfiel. Vielleicht fühlte er nur: Wer ich bin, weiß ich nicht. Er schrie, da er es nicht wußte. Er wollte einer sein, der sich selbst erschaute, so hingestellt, wie er einen Baum oder ein Haus sah, oder ein Ungewitter, wenn es sich entlud. Auch er kannte die Geheimnisse der Dunkelkammer und ihre Versuchungen, die Retuschen und Tricks, die man in ihnen zuwege bringt, die halben und ganzen Ähnlichkeiten, mit denen man sich nie abfindet. Dann hatte er auf seinem Wege mich gefunden. Er sah mir die Einflüsterung meines Vaters an, die kurze Aussage, die zugleich verwundert fragte: ›Wir sind …?‹ So schuf er sich in mir ein Gegenbild und wußte von nun an: Wer ich nicht bin, dies weiß ich wohl. Alles, was er in sich verschwieg und womit er selbst nicht zu Rande kam, erblickte er in mir. Bezaubert, hingerissen und zugleich voll Entsetzen und Grauen. Er glaubte, daß ich es sei, so wie er mich beschrieb. Aber er irrte sich vorerst. Ich war es nicht. Sein Entsetzen verhüllte ihm meine wahre Gestalt. Hätte er nicht dankbar sein müssen? War nicht ich der einzige, der ihn in sich bestätigte? Nicht die lärmende Schar seiner umnebelten Mitläufer, zu schweigen von denen, die sich seine Freunde nannten. Er und ich, wir waren einander ins Blickfeld geraten, wir hatten miteinander zu schaffen. Wir wuchsen aneinander auf. Eine Verwandtschaft war zwischen uns aufgerichtet, gebunden mit den starken Banden einer Feindschaft auf Leben und Tod. Sie begann mit dem Leben, sie zielte schließlich auf den Tod. Aber im Anfang war sie beides, Leben und Tod. An uns beiden lag es, zu wählen. In seinem Angesicht war ich die Falte, von der Nase hart geschwungen um den Mund. In seiner Stimme, wenn sie brüllte, war ich das Zittern. Er lag in meiner Selbstqual wie im Augengrund. Der Schritt des einen war zugleich der des anderen. Daß ich mich um mich sorgte, galt zugleich ihm. Daß ich mich um ihn sorgte, galt zugleich mir. Ich hatte seine Stimme belauscht. Stand er nicht noch vor allen Möglichkeiten, die zwischen Tod und Leben liegen? Konnte er nicht eine große Hoffnung wie eine schwere Sorge werden? Ein verheißungsvoller Aufgang oder ein Untergang in Vernichtung und Grauen? Gleichviel, er hatte zu wählen, und es hing von ihm ab, wie er wählte, und zugleich auch von mir. Dessen war ich gewisser, je tiefer er sich in mir verstrickte. Als sein getreuer Widersacher lag es bei mir, auf der Hut zu sein, daß er seine Wahl richtig vollzog. Noch hatte er nicht gewählt, noch hatte er nicht gehandelt und Taten vollbracht, durch die er sich selbst richtete. Aber die Gefahr blieb.

Ja, er hatte noch nicht gehandelt. Dieser Gedanke tröstete mich. Und solange war noch nichts verloren. Zuweilen war es völlig ungewiß, ob er jemals handeln würde. Handelte überhaupt, wer so sprach? Noch hatte er Zeit, auch dessen war ich gewiß. Und auch ich hatte noch nicht gewählt, dessen konnte er sicher sein. Und dann der Gedanke, daß wir beide als Widersacher, vielleicht im Plane der Schöpfung, die sich stetig vollzog, vorausgesehen waren!?

O Gott, mein Gott!

IX

Noch ist er nicht tot. Noch erschreckt er die Welt mit unabsehbaren Taten, die seinen Untergang ankündigen. Er faßt Beschlüsse und läßt sie verbissen durchführen, als fühlte er sich sicher in der Grausamkeit seines Gewissens. Er handelt, er ist mächtig über Leben und Tod. Menschen läßt er erzittern vor Glück, wenn er sich ihnen leutselig naht, und erbeben vor Verlorensein, wenn er seinen Übermut an ihnen mißt. Alles macht er zunichte. Es ist seine eigene Vernichtung, die ihn antreibt. Aber schon ist sein Ruhm, den das Entsetzen ihm verlieh, verblichen in den Augen derer, die ihre Furcht an ihm überwinden lernten. Die Strahlen, mit denen die Sonne beim Aufgang die Welt erhellt, tragen ein anderes Leuchten in sich, wenn sie untergehend das dämmrige Gestirn bescheinen. Er hätte es wissen können.

Aber damals dachte ich, daß das Verhängnis noch von uns beiden abzuwenden sei. Ich hatte den Wahn, ihn von seinem Wahn zu befreien. Unabwendbar drohte die Gefahr. Ich verharrte trotzig in meiner Haltung. Man will blind sein, die Zeichen, mit denen sich ein Zukünftiges ankündigt, wünscht man nicht zu erkennen. Man gebraucht alle Listen, man ruft die Vorsehung, den Himmel, die Idee der Schöpfung und vieles andere herbei, um sich zu verschanzen. Man bedenkt Prüfungen, Botschaften aus einer anderen Welt, weil man sich nicht fassen kann. Ein früher nie verspürter Schauer von Gehobensein, Spannung und wahnwitziger Lähmung zugleich übermeistert uns. Der Mensch ist wehrlos in dem Vermuten eines außerordentlichen Geschehens, zu dem er unabänderlich hinwächst. Immer mehr begreife ich die Beschwörung meines Vaters:

›Dann gnade uns Gott!‹

In den Jahren, da ich im geheimen mit ihm focht, litt ich Qualen, die nur der Angst zu eigen sind. Aber damals wußte ich noch nicht, daß dies die Angst war. Ohne Unterlaß erniedrigte ich mich, und dies mit einer beinahe selbstmörderischen Freude am Erniedrigtsein. Jedesmal wenn mich sein Schlag traf, dachte ich, daß es so sein müsse und daß es an mir liege. In allem, was er tat, schien mir ein Recht zu liegen und eine Berechtigung, die für mich ihre besondere Bedeutung beweisen konnte. Ich fand, daß ich diese Berechtigung nicht außer Betracht lassen durfte.

Ich konnte ihn nicht aufgeben, ich hatte ihn nötig. Sein Dasein bedeutete in einer nahen Zukunft meine Vernichtung, dies war gewiß. Aber sein plötzlicher Tod oder irgendein anderes Ereignis, das mich seiner drohenden Gegenwart beraubt hätte, hätte ebenfalls meinen Untergang zur Folge gehabt. Zwischen uns waren Bindungen und Verpflichtungen entstanden, deren nur der inne wird, dessen Anteil an den Dingen der Welt im Leiden liegt. Es ist vielleicht ein wunderlicher und fragwürdiger Anteil. Aber wer bricht die Gemeinschaft, die insgeheim zwischen Verfolgern und Verfolgten aufgerichtet ist?

Er machte mich leiden, und ich litt voller Hingabe. Jede Veränderung dieses Zustandes zwischen uns hätte mich in ein Vakuum gestürzt, hätte mich des heftigen Lebensantriebes beraubt, der aus dem Willen zum Leiden stammt. Wohin hätte ich mich wenden sollen? Er war mir alles!

Der Freunde und guten Bekannten sind viele, ein ›Guten Tag‹, ein freundliches Lächeln, ein Händedruck und ein Kuß von Mund zu Mund – es ist das Alltägliche, das sich selbst richtet. Man schenkt ihm keine Beachtung mehr. Er aber war mir gesandt als Feind, er hatte eine Sendung zu erfüllen, das heißt, ich bildete mir ein, daß sie ihm aufgetragen war. Ich selbst war es schließlich, der sie ihm aufzwang. Ich gebrauchte ihn, wie man ein Glas oder eine Flasche gebraucht, die man erst vollfüllt und dann an den Mund setzt, um aus ihr zu trinken. Und zugleich verachtete ich ihn ein wenig, da er das Geheimnis nicht kannte, dessen ich dank ihm teilhaftig ward. Um nichts in der Welt hätte ich seine Rolle übernehmen wollen. Sie erschien mir nicht begehrenswert, es fehlte ihr an Phantasie, die sich nur um Sorge und Bedrängnis legt und den Bettler unsichtbar schmückt mit dem Purpur seiner Ohnmacht. Was wußte er von alledem? Aber auch diejenigen, die mein Vater meinte, als er sagte ›Wir sind‹, was wußten sie von den Seligkeiten, die einem von seinem Widersacher bereitet sein können? Für sie war er ein lästiger Unmensch, der ihnen das Leben sauer machte. Sie sahen deutlich die tägliche Drohung, die erst den äußeren Dingen des Lebens galt, aber auch dort nicht haltmachen und weiter vorstoßen würde, bis sie das Leben selbst in seinem Kern zerstört hatte.

Inmitten dieser Auseinandersetzungen und Zweifel lief ich damals herum, dem Manne ähnlich, der im heftigsten Regenguß auf der Straße einhergeht und seinen Regenmantel über dem Arm trägt. Es kommt ihm anscheinend nicht in den Sinn, ihn anzuziehen. Die Gewißheit, ihn bei sich und über dem Arm zu tragen, genügt ihm völlig. Er wird naß, er fühlt den Regen auf seinem Körper, und außerdem ist er nicht wasserscheu. Schließlich weiß er, daß ihm nichts geschehen kann, er hat ja seinen Mantel bei sich.

Damals begegnete ich dem einen oder anderen meiner Kumpane, und es entwickelte sich dann folgendes Gespräch zwischen uns.

Er fragt: »Man sieht Sie ja gar nicht mehr«, und drückt mir herzhaft die Hand, »wo stecken Sie denn? Sie sehen so müde aus oder abgearbeitet. Können Sie schlafen? Es ist eine verdammt schwere Zeit.«

»Ja«, erwidere ich.

»Und ich fürchte, daß sie noch schwerer wird für uns.«

»Das ist gut möglich«, sage ich.

»Unlängst traf ich K.«, fährt er fort, »er erzählte mir, daß er Sie gesprochen hat, nur kurz. Es geht ihm nicht gut.«

»K.? O ja, nur kurz, das stimmt. Er stieg zu mir in die Tram, an der folgenden Haltestelle mußte ich hinaus.«

»Er hat seine Stellung verloren. Über kurz oder lang werden wir alle aus unseren Stellungen hinausgedrängt. Läßt man Sie noch arbeiten?«

»Bisher noch«, erkläre ich, »aber es ist mir selbst ein Wunder.«

»Sehen Sie«, pflichtet er mir bei, »Sie machen sich auch keine Illusionen mehr. Sie sind doch hier geboren?«

»Natürlich bin ich hier geboren. Aber warum fragen Sie das?«

»Nur so. Verstehen Sie das, man ist hier geboren, man spricht die gleiche Sprache. Wenn man heute denkt: Morgen werde ich mir die Haare schneiden lassen, so sagt man: ›Morgen werde ich mir die Haare schneiden lassen‹, und dann läßt man sie sich auch schneiden. Es gibt gar kein Gefälle dazwischen. Und trotz allem hat man kein Recht mehr, man wird hinausgestoßen, wie ein Fremder behandelt. Und warum? Warum bloß? Wissen Sie es? Ich möchte es schon gerne wissen. Weil man ein anderer sein soll. Ein anderer? Was ist das, ein anderer?«

In solchen Augenblicken fallen mir dann immer die alten Griechen ein, die die Perser die Fremden – Barbaroi – genannt haben. Früher machte es mir Spaß, mich bei derartigen Gelegenheiten in großen Beschauungen zu ergehen. Aber seit einiger Zeit finde ich es peinlich für die Griechen, und da sage ich lieber nichts. Ich flüstere darum nur halblaut, aber so, daß er es hören kann: »Barbaren.«

»Ja«, fährt er fort, »das ist schon richtig. Früher waren es andere Götzen, andere Kriegsbemalungen, andere Frauen, weiß ich was alles, und jetzt anderes Blut, anderes Geld, andere Bodenschätze, andere Gedanken, eine andere Mentalität. Märchen, nichts als Märchen, sage ich Ihnen, früher schon, natürlich, in der sogenannten Kinderstube der Menschheit, und jetzt, wo sie sich zum Schlafen oder zum Sterben hinlegt, auch noch Märchen. Das Märchen regiert die Welt. Sie sind doch Sportlehrer?«

»Ja, aber nur nebenberuflich.«

»Gut, das macht nichts. Haben Sie irgendwelche Pläne für die Zukunft?«

Nein, ich habe keine Pläne für die Zukunft. Ich sage ihm das. »Es könnte möglich sein, daß man sich an Sie wendet.«

»Als Sportlehrer?«

»Ja, Sie sind überrascht?«

»Ein wenig.«

»Wenn man uns überall hinausdrängt, verbleibt uns nichts anderes, als uns selbständig zu machen, etwas Eigenes aufzuziehen, eigene Konzerte, denn man wird nicht vor der Kunst haltmachen, eigene Büros, eigene Sportplätze, Tanzgelegenheiten, alles, kurzum.«

»Und da wollen Sie mich …!«

»Ja«, sagt er. »Haben Sie keine Lust?«

»Lust? Ich glaube nicht, daß man danach noch fragen kann, wenn es einmal schon soweit ist.«

»Sind Sie denn pessimistisch?« fragt er auf einmal.

»Pessimistisch? Nein, dazu sehe ich noch keinen Anlaß.«

»Aber auch nicht optimistisch.«

»Das ist nicht meine Natur«, sage ich.

Der andere lacht. Er hält es offenbar für einen Witz.

Wir sind inzwischen ein paar Schritte gegangen, haben eine Straße überquert und laufen am Rande eines Parkes im Schatten dichtbelaubter, hoher Bäume. Es ist hier, mitten im Sommer, kühler als auf den Straßen, die offen die Sonne in die Stadt hereinziehen. Auch die Bäume reißen die Glut in ihre Äste und Stämme hinein, die Blätter versengen unter den hitzigen Strahlen. Der Schatten, den sie werfen, ist dunkel und kühl.

»Es ist schön hier«, sagt der andere. Er bleibt stehen, zieht ein Taschentuch aus seiner Rocktasche und beginnt sich Stirn, Gesicht und Hals zu wischen. Er schließt dabei die Augen, legt sein Gesicht in unzählige Falten, keucht leise und beugt sein Haupt. Sein Gesicht hat einen Ausdruck, den ich nicht an ihm kenne, so wie ich den ganzen Menschen eigentlich nicht kenne. So könnte er aussehen, denke ich bei mir, wenn er allein ist und an Dinge denkt, die ihn sehr bedrücken, vielleicht an die Zukunft seiner Kinder, das Schicksal seiner Eltern, alles Dinge, die nichts Gutes versprechen. Er ist ein Mann und hat seine Sorgen, aber ich kenne ihn nicht.

»Sie wären also bereit«, beginnt er wiederum.

»Finden Sie es so wichtig?« frage ich. »Sportlehrer? Ich dächte, man hätte andere Sorgen. Und dann das Geld. Wollen Sie dafür Geld ausgeben?«

»Hören Sie mal, ich finde Sie aber komisch. Sie sägen sich selbst den Ast ab, auf dem Sie sitzen könnten.« Er ist leicht gekränkt und ereifert sich, mir die Pläne haargenau darzulegen. »So wie die Wirklichkeit ist, mit allen Berufen, im großen natürlich, werden wir im kleinen unsere Wirklichkeit aufziehen. Was bleibt uns anderes übrig? Mit Krankenhäusern, Schulen, Sportplätzen, Kinos, Konzerten, Versicherungsgesellschaften, alles. Begreifen Sie nicht die Konsequenzen, wenn alles folgerichtig weitergeht, so wie es sich jetzt allmählich anläßt? Über Nacht werden wir vor der Tatsache stehen. Man muß vorbereitet sein.«

Ich überlege, daß er eigentlich von seinem Standpunkt aus recht hat. Natürlich, von seinem Standpunkt aus hat meistens jedermann recht. Zudem ist es gar nicht so unvernünftig.

»Sie halten zuwenig Kontakt«, sagt er leicht vorwurfsvoll. »Es ist gut, daß ich Sie treffe. Ich wollte es Ihnen schon lange sagen. Sie schließen sich von selbst ab oder sogar aus.«

»Keine Rede!«

»K. hatte den gleichen Eindruck, als er Sie nur kurz sprach.«

»So?«

»Sie sind vielleicht zu zurückhaltend, oder Sie haben Ihre eigenen Gedanken. Man sollte sich mehr sehen. Wir müssen zusammenstehen. Es hilft doch nichts.«

»Sie finden also ...«

Er spricht weiter. Wir alle stehen auf derselben Seite, gewollt oder ungewollt. Es ist doch sehr einfach. Man bedroht uns, mich, Sie, uns alle, die wir ...

So klangen die Worte – Worte meines Vaters. Ich lasse ihn weiterreden. »Wir sind nun einmal alle in der gleichen Lage, wir bilden eine Gemeinschaft.«

»Weil man uns verfolgt?« werfe ich, ein wenig ironisch, dazwischen.

»Ist das etwa nichts«, sagt er hastig, atmet tief ein und hebt leicht die Achseln, als hätte er zu seinem Erstaunen entdeckt, daß er mir noch das Abc beibringen muß. »Aber lassen wir das, ob wir nun auf aktive oder passive Weise eine Gemeinschaft sind, lassen wir das. Es gibt nur Scherereien. Ob wir es sind, weil man uns in eine Hürde zusammengedrängt hat oder weil wir es aus uns selbst schon vorher waren – das letztere wäre vorzuziehen. Es gäbe ein Aktivum, eine schlagkräftige Idee. Genug davon. Es ändert nichts an den Tatsachen. Ihr Schicksal ist das meine, wie das meine zugleich das Ihre ist, das von uns allen. Wir bedeuten jetzt alle einander gleich viel. Die Zukunft ist für uns alle ...«

Er unterbricht sich, anscheinend verspürt er aus meiner Haltung eine Kritik. Ich schweige.

»Ist das etwa nicht so?« fragt er und stützt seinen Kopf in seine Hand und sieht mich erwartungsvoll an. Wir sind stehengeblieben unter den hohen Bäumen, die die Sonne fangen.

»Kommen Sie, gehen wir weiter«, sage ich gelassen. »Ich kann es nicht leugnen. Nur wußte ich nicht, daß wir einander in der Tat soviel bedeuten.«

Er geht stumm neben mir. Er ist erstaunt oder vielmehr beleidigt. Ich sehe sein Gesicht, das gleiche wie kurz zuvor, als er sich den Schweiß abwischte. Er überlegt lange Zeit, dann sagt er: »Hören Sie, Sie nehmen es zu persönlich!«

»Sehr richtig, ich nehme es in der Tat persönlich. Wie sonst?«

Wir sind in der Nähe eines kleinen Gartenrestaurants angelangt, einer Bretterbude, ein paar Tische mit bunten Decken, eiserne Klappstühle rundherum, Mütter mit Kindern, die halbnackt im Sand und auf dem Rasen spielen.

»Trinken wir etwas zusammen. Was trinken Sie?« Wir trinken zusammen. »Zum Wohl!« Er ergreift wieder das Wort.

»Sie nehmen es viel zu persönlich«, sagt er. »Wir bilden eine Gemeinschaft auf Leben und Tod, vergessen Sie das nicht. Dies verbindet uns – auf Tod und Leben. Gewiß, kleine persönliche Unterschiede können dabei bestehenbleiben, je nach Anlage des betreffenden Individuums. Aber dies sind Nuancen des Persönlichen. Auf Tod und Leben, hierauf konzentriert sich sozusagen alles Persönliche, das zugleich das Gemeine ist, im goetheschen Sinne, wohlverstanden. Sie verstehen mich?« Er nimmt einen Schluck und wartet.

»Warum Goethe?« frage ich, »warum auf einmal mit Goethe, was bedeutet das?« Meine Frage kommt ihm unerwartet, und er lächelt.

»Es verwirrt Sie? Ich sehe es. Ich meinte es nur so als eine Erklärung des Wortes *das Gemeine,* es ist ein goethisches Wort und heutzutage etwas ungebräuchlich, wenn ich nicht irre. Sie kennen es? Warum verwirrt es Sie? Haben Sie etwas gegen ihn?«

»Nein, nein, aber ich kämpfe lieber ohne Alliierte. Man muß ihre Lieferungen später doch bezahlen. Ich habe Sie trotzdem verstanden. Gut. Auf Tod und Leben. Sie meinen, daß wir den gemeinsamen Feind haben?«

»Sehr richtig«, sagt er erleichtert und lehnt sich zurück. »Ich merke, daß wir anfangen, uns zu begreifen.« Es tut ihm gut. »Nur weiter. Trinken Sie doch.« Ich trinke.

»Den gemeinsamen Angreifer«, wiederhole ich. »Dies schafft Bindungen, eine gewisse Kameradschaft, natürlich, wer wollte das leugnen? Obwohl ich noch nicht weiß, ob es nicht noch mehr Belange sind, die uns zusammenschweißen.«

»Nun wird er gar rationalistisch«, sagt er scherzend und freut sich, daß er über den Berg mit mir ist, »während ich Sie immer im Verdacht hatte, Sie nehmen es mir hoffentlich nicht übel …«

»Ich nehme gar nichts«, sage ich kurz. »Ich wollte Ihnen nur sagen, daß ich eine Gemeinschaft auf Tod und Leben außer mit Ihnen, oder besser mit uns, auch noch mit einem anderen habe. Und sie ist tiefer als die, von der Sie die ganze Zeit sprechen.«

»So? Mit wem denn in Gottes Namen?« fragt er herausfordernd.

»Sie kennen sie nicht? Es gibt eine Gemeinschaft, tiefer als die aller Gleichgesinnter, größer als aller derer, die sich zu einer Partei bekennen ...«

»Nun«, unterbricht er mich, »heraus mit der Sprache!«

»Die der Widersacher«, sage ich endlich und fühle mich erleichtert, »die Gemeinschaft derer, die unlösbar auf Tod und Leben in ihrem Streit aneinandergebunden sind, wie Himmel und Erde, Sonne und Mond und die Sterne in ihrem Lauf aneinandergebunden sind. Aber diese letzten Beispiele muß ich widerrufen«, füge ich im gleichen Atemzug hinzu. »Es sind poetische Verzierungen und eigentlich unwahr.«

»Warum«, widerspricht er lächelnd, »lassen Sie doch. Sie sind im schönsten Zuge, ich finde es gar nicht so übel – die Poesie!«

»Aber es ist doch unwahr«, beharre ich, »es gibt nur eine Gemeinschaft der Widersacher, die der Menschen. Sie ist beispiellos. Wie es mit dem Himmel und der Erde, dem Wasser, dem Feuer und dem übrigen kosmischen Humbug steht, ist mir unbekannt.«

Es entsteht eine Pause. Wir sitzen zusammen an einem Tisch in einem Gartenrestaurant unter Bäumen mitten in der großen Stadt, wir sprechen miteinander, und plötzlich fällt eine Pause in unser Gespräch. Sie muß sich schon irgendwie zu Anfang in unsere Worte geschlichen haben, ohne daß wir es bemerkten. Oder vielleicht wußten wir beide, daß sie sich im Hinterhalt verborgen hielt. Sosehr wir uns auch Mühe gaben, wir konnten ihr nicht entgehen, und plötzlich trat sie hervor. Es ist nicht das Schweigen zwischen Menschen, die sich ausgesprochen und nun einander nichts mehr zu sagen haben, sie warten noch einen Augenblick, dann stehen sie auf, und ein jeder geht seines Weges. Ade! Es ist auch nicht das Schweigen, das entsteht, wenn einem nichts mehr einfällt. Es ist nur eine kleine Atempause, in der man wie ein Geiger mitten im Spiel sein Ohr an das Instrument legt und lauscht, ob es noch rein gestimmt ist, bevor man zum nächsten Auftakt ansetzt.

»Also mit Ihrem Feinde«, sagt er bedächtig und lehnt sich zurück in seinen Stuhl. Er verbessert sich: »Mit unserem Feinde«, und wartet. Dann fährt er fort: »Und dabei kann man noch nicht einmal sagen, daß Sie ein Überläufer oder ein Verräter sind.«

»Danke«, sage ich. Ich trinke mein Glas leer und sehe, daß das seine auch leer ist. »Jetzt trinken Sie noch mit mir. Sie geben mir die Ehre?«

Ich bestelle. Wir trinken zusammen.

»Und nun, bitte, erklären Sie mir, wie kommen Sie auf diesen Gedanken?« fügt er hastig hinzu, als hätte er noch schnell ein Versprechen verhüten können. Ich wußte, was er sagen wollte. Er hatte ruhig, jedes Wort einzeln abwägend, gesprochen. Nur dieses letzte sprudelte er hastig hervor.

»Sie brauchen nichts zu beschönigen«, erwidere ich. »Sie wollten sagen, diesen Unsinn, nicht wahr? Nun gut. Aber ich fühle es so, ich erlebe es so und nehme von niemandem Befehle entgegen, wie ich zu fühlen und zu erleben habe. Er bedeutet mir in meinem Leben ebensoviel wie ich ihm in dem seinen.«

»Oho!« unterbricht er mich höhnend.

Ohne mich jedoch stören zu lassen, fahre ich fort: »Und dies ist unendlich mehr, als ich Ihnen oder Sie mir oder weiß ich sonstwer wem von uns bedeuten könnte!«

Eine beseligende Erregung beschleicht mich bei dem Gedanken, ihm zu offenbaren, welch ein Segen ein Feind sein könnte. Er blinzelt mich jedoch unentwegt an, als wollte er sagen, lieber Freund oder: Mach dir doch nichts vor, so daß ich mit betonter Nüchternheit sage: »Sie sehen ihn nur als den Angreifer, als den, der uns bedroht. Das ist nur die eine Seite. Sie überschätzen ihn damit.«

»Mich dünkt«, fährt er mit dem gleichen, leicht höhnischen Ausdruck um seinen Mund fort, »mich dünkt, ihn überschätzen, das kann man schwerlich, es ist die Frage, ob Sie ihn nicht unterschätzen, indem Sie auch nur wieder die andere Seite sehen. Schließlich ist er doch der Angreifer.«

»Nicht nur, nicht nur.« Triumphierend stoße ich die Worte hervor.

»Sie bestreiten das?«

»Ja, wir sind es im gleichen Maße für ihn.«

»Wir? Wie ist das möglich? Wir sind …?«

Ich unterbreche ihn: »Ja, wir sind! Diese Tatsache, daß wir sind, genügt ihm, um sich angegriffen zu fühlen, vielleicht hat sie ihn überhaupt erst dazu gebracht. Die gleichen Ängste, die Sie und ich, die jeder von uns durchstehen muß, muß auch er allein durchstehen. Nicht ähnliche – die gleichen. Wer ist er, und wer bin ich?«

»Er ist eine Geißel Gottes«, sagt er ruhig und scharf. Es ist, als geißele er mit seinen Worten.

»Was?«

»Eine Geißel Gottes«, wiederholt er gelassen. »Finden Sie den Gedanken so absurd?«

»Warum«, frage ich zurück, »warum sagen Sie das?« Meine Erregung wächst, und ich verberge sie nur mit Mühe.

»Man müßte ihn totschlagen, einfach totschlagen. Aus!«

Ich sehe ihn entsetzt an.

»Warum?« flüstere ich. Es ist nicht der Gedanke, der mich außer Fassung bringt. Ich erinnere mich an die Männer, die die Gaststube erstürmten, in der ich, ein harmloser Wanderer, ermüdet von einer Reise saß und lauschte. Der Mut, die Entschlossenheit, die aus seinen Worten spricht, klingt anders und neuartig. Er würde sich nicht mit dem Vorzimmer, mit der Gaststube und unschuldigen Biertischen und Stühlen begnügen. Er würde in den Saal gehen und den Gegner suchen. Er weiß, daß es ihm an den Kragen geht, und darum verkauft er seine Haut so teuer wie möglich.

Spöttisch verzieht er seinen Mund und sagt: »Dann hat Ihre Gemeinschaft der Widersacher ein Ende – das Ende, das ihr zukommt!«

Er trinkt sein Glas aus und schweigt.

Die Kinder spielen auf dem Rasen vor uns, sie balgen sich, und die Mütter schauen vergnügt zu, und nur, wenn es zu arg hergeht und ein Kleines zu weinen beginnt, greifen sie ein, trösten, weisen zurecht, bringen das Spiel wieder in Gang und kehren dann zurück zu ihren Plätzen. Sie falten die Hände im Schoß, es ist warm, ihre Gesichter glühen von der Wärme und vom Spiel ihrer Kinder.

Mein Gegenüber zieht wiederum sein Taschentuch hervor und betupft Hals und Gesicht, seine Bewegungen sind ruhig und entschlossen.

»So ist es immer gewesen«, sage ich, »man erschlägt seinen Gegner, weil für zwei, die einander befehden, angeblich kein Platz auf der Erde ist. Einer muß das Feld räumen. Der andere ist dann der Sieger, und das Leben geht weiter. Bis ein neuer Gegner aufsteht, und dann wird er der Sieger über den ersten. Alles ist so eitel, alles. Am Morgen geht die Sonne auf im Osten und am Abend fällt sie im Westen. Dann ist es Nacht. Und am folgenden Morgen rollt sie wie neu wieder im Osten herauf. Von den Bergen schmilzt der Schnee, die Bäche sammeln sich zu großen Strömen und versinken im Meer. Aber es fällt Neuschnee im Gebirge, und alles ist unabänderlich. Die Schöpfung ist vollendet und vertan. Der Feind ist eine Geißel Gottes, und man muß ihn totschlagen.«

»Sie können auch warten, bis er Sie erschlägt. Aber das ist schließlich dasselbe«, entgegnet er.

»Ach«, stoße ich hervor. Ich weiß nichts mehr zu sagen.

»Was wollen Sie«, fährt er fort, »Sie sind mit der Schöpfung unzufrieden und zerbrechen sich den Kopf über Ihren Feind. Sie grübeln. Denken Sie, daß er über Sie nachdenkt? Er handelt!«

»Er wird es nicht wagen«, entfährt es mir, »nein, er wird es nicht wagen!«

»Nicht wagen? Probieren Sie es, gehen Sie ruhig zu ihm und stellen Sie sich ihm vor, er erkennt Sie sonst nicht, und sagen Sie ihm: Du bist mein lieber Feind, ach, was bist du doch mein lieber Feind. Ich weiß, du wägst in deinem Gehirn, ob du mich totschlagen sollst oder nicht, und eigentlich müßte ich dir zuvorkommen und dich totschlagen. Aber du bist mein lieber Feind. Und Sie klopfen ihm dabei auf die Schulter, alles nur aus freundschaftlicher Feindschaft, und sagen, du bist zwar ein großer Schweinehund, und was du alles über mich denkst und von mir sagst, ist nur aus Gemeinheit und Niedertracht, aber schließlich bist du mein lieber Feind. Gib mir deine Tochter zur Frau, und wir werden Kinder zusammen haben. Es wird ein großartiges Nachgeschlecht sein, allemal freundliche kleine Feinde oder feindliche kleine Freunde, wie Sie wollen. Es wird eine neue Art Mensch, vielleicht mit drei Beinen, die Welt hat solche Art Mensch noch nie gesehen. Versuchen Sie es nur. Ich bin sehr gespannt, was er Ihnen antwortet. Vielleicht umarmt er Sie, ja, vielleicht empfängt er Sie in seinem Palast und sagt: Komm, ich habe ja nur auf dich gewartet, und dann führt er Sie in die Prunkkammer, wo auf goldbestickten Kissen ein prächtig geschliffenes Schwert ruht, und er sagt: Für dich habe ich es schleifen lassen, mein lieber Feind, aber habe keine Angst, zwischen uns ist nichts mehr vorgefallen, und alles ist in bester Ordnung. Ich schenke dir dieses Schwert, und nun wollen wir zusammen einmal tüchtig unter unseren Freunden aufräumen, die sind mir schon lange ein Dorn im Auge.«

»Sie spotten«, sage ich, »Sie machen es sich leicht, und darum spotten Sie. Warum sprachen Sie von der Geißel Gottes zu Beginn? Oder war dies ein Spaß, sozusagen?«

»Vielleicht ist es in der Tat absurd«, erwidert er bedächtig und atmet tief ein, »ihn als von Gott, als eine Geißel, die von Gott kommt, zu betrachten. So ist nun einmal der Sprachgebrauch. Es ist mir entschlüpft. Aber Sie haben recht, mich darauf aufmerksam zu machen. Es ist absurd. Man verleiht ihm dadurch nur eine Bedeutung.«

»Und wenn es trotzdem so ist?«

Er sieht mich auf einmal prüfend an und sagt mit auffallend leiser Stimme und dermaßen entschlossen, daß es mir scheint, er hätte nur auf diesen Augenblick gewartet, um diesen Satz aussprechen zu können:

»Dann können wir uns nicht länger unterhalten!«

»So, das ist aller Weisheit Schluß also«, sage ich, »und warum? Warum können wir nicht länger miteinander sprechen?«

»Rechten Sie mit Gott«, sagt er unwirsch.

»Das tun wir schon lange. Sie haben es vielleicht nicht gemerkt. Es ist die Geschichte Hiobs.«

»Hiob?« fragt er, und der Ausdruck auf seinem Gesicht wechselt. Er ist neu belebt. »Wie kommen Sie darauf?«

»Die ganze Zeit mußte ich daran denken«, erwidere ich, »es fiel mir so ein.«

»Eine verteufelte Geschichte«, fährt er fort, »die Sache mit Hiob. Es sind viele Bücher darüber geschrieben. Offen gestanden, ich habe sie nie begriffen. Vielleicht hat sie mich deshalb so gefesselt. Haben Sie sie begriffen?« Und ohne eine Antwort abzuwarten, spricht er weiter. »Hiob hatte ein gutes Gewissen und rebellierte. Schließlich beugte er sich und gab zu, daß er in seiner Rebellion Dinge gesprochen hatte, die er selbst nicht verstand.«

»Und er liebte die Geißel, die er nicht verstand«, füge ich hinzu.

»Meinen Sie das wirklich?« fragt er, und in seiner Stimme liegt Opposition. »Was mich betrifft – ich denke gesünder über den Fall. Ich interpretiere nicht. Wer mich schlägt, den schlage ich wieder.«

»Aber wenn es nun in Wahrheit Gott ist, wie es Ihnen zuerst entschlüpfte, der sich der Geißel bedient?«

»Auch die Ägypter sind im Meer ertrunken, und Mirjam hat ein Danklied angestimmt. Sie haben das anscheinend vergessen«, sagt er.

»Und was hat Gott geantwortet?«

»Darüber ist mir nichts bekannt.«

»Sie wissen es also nicht«, sage ich. »Mit Zorn in seiner Stimme hat er geantwortet: ›Was singt ihr mir ein Lied, während die Schöpfung meiner Hände in den Wellen untergeht?‹«

Pause. Er ist überrascht.

»Dann hätte er sie nicht ertrinken lassen sollen«, sagt er. »Übrigens, Sie fürchten sich wohl vor seinem Zorn, daß Sie nicht wagen, ein Danklied anzustimmen?«

»Nein«, erwidere ich. Und auf einmal kommt mir ein Gedanke, aber er erscheint mir selbst so läppisch, so unnütz, daß ich zögere, ihn in Worte zu fassen. »Der Zorn schert mich nicht, aber ich kann trotzdem kein Danklied anstimmen.« Dann fahre ich kurzentschlossen fort: »Es mutet Sie vielleicht lächerlich an, was ich Ihnen jetzt sage. Nehmen Sie es meinetwegen als Geständnis eines Wahnsinnigen. Aber ich liebe das Leben so sehr, daß ich es selbst noch in meinem Widersacher entdecke und mich vor Bewunderung nicht fassen kann, wenn ich sehe, daß auch er teilhat an einer Schöpfungstat, die zu vernichten er vielleicht aufgebrochen ist. Glauben Sie mir, er kann es selbst nicht fassen.«

»Sie lieben also das Leben«, wiederholt er nachdenklich und ironisch, »– sogar noch in Ihrem Widersacher. Nun, ich habe das Gefühl«, fährt er fort, »daß Sie es mehr in ihm lieben als in sich selbst.«

»Warum?«

»Sonst würden Sie es nämlich besser verteidigen.«

»Verteidigen, was heißt das, verteidigen?« entgegne ich bitter. »Es bedeutet, seinen Angriff bejahen und ihn vielleicht noch dazu ermutigen. Es bedeutet den Kriegsruf annehmen und die Gegnerschaft verewigen. Das ist nicht meine Absicht.«

»Natürlich nicht«, sagt er, »Sie haben sich nämlich von vornherein entschlossen, jeglichen Widerstand aufzugeben. Mit dieser Gesinnung werden Sie keinen Kampf bestehen können. Sie wissen das, Sie spiegeln sich nur vor, daß Sie es nicht wüßten. Sie wollen Ihren Feind nicht herausfordern. Sie wollen etwas ganz anderes.«

Ich fühle mich in die Enge getrieben und versuche, ihm Widerstand zu leisten. So schnell gebe ich mich nicht geschlagen, mag er von mir denken, was er will. »Ich will gar nichts von ihm«, sage ich. »Wie können Sie das behaupten, Sie wissen es doch nicht?«

»Sie wollen ihm behagen«, fährt er unbeirrt fort. »Sie zweifeln, ob Sie ihn treffen, wenn Sie auf ihn schießen. Gesetzt den Fall, Sie bringen ihn nicht mit dem ersten Schuß zur Strecke, Ihr Schuß geht ins Blaue, dann steigern Sie nur seine Angriffslust und sind verloren.«

»Ich will ihm nicht behagen, und ich will ihn auch nicht mit dem ersten Schuß erledigen, dies alles will ich nicht«, sage ich und zeige mich auch weiterhin hartnäckig. »Das ist nicht die Frage, um die es hier zwischen uns geht. Ist er eine Geißel Gottes, oder ist er es nicht?«

Meine Hartnäckigkeit verwirrt den anderen, und er beginnt unruhig auf seinem Stuhl hin und her zu rutschen. »Jetzt finde ich überhaupt nicht mehr heraus«, sagt er schließlich. »Also, wer hat das gesagt von der Geißel?«

»Sie haben begonnen!«

»Ich? Nun gut. Aber ich habe doch hinzugefügt, daß es mir nur entschlüpft ist. Ich glaube nämlich nicht an die Geißel. Aber gesetzt den Fall, ich glaubte es doch, so bin ich der Ansicht, daß wir nicht wissen, welche Bedeutung der Geißel zugedacht ist, und daß uns nichts anderes übrigbleibt, als uns so zu verhalten, wie man sich eben gegen eine Geißel verhält, die einen schlägt. Man schlägt zurück, das ist doch deutlich ...«

»Dann frage ich Sie«, erwidere ich, »schlagen Sie nur die Geißel, oder beabsichtigen Sie auch den, der sich ihrer bedient, vielleicht mitten ins Gesicht …?«

»Das ist doch nur Bildersprache«, unterbricht er mich. »Sie nehmen es wieder zu wörtlich und zu persönlich.«

»Aber es ist ein ausgezeichnetes Bild«, entgegne ich. »Ich frage mich allen Ernstes mitunter, sollen wir der Geißel nicht mehr Respekt, mehr Achtung entgegenbringen? Darf man ihre Abkunft dermaßen vergessen?«

»Mehr Achtung, mehr Respekt? Vielleicht noch hingehen und sich anbieten?« sagt er.

Ich schweige.

»Sie antworten ja nichts«, beginnt er wiederum. »Weil Sie keine Antwort wissen, geben Sie es zu. Wo bleibt da der Selbstrespekt, die einfachste Selbstachtung und der Selbsterhaltungstrieb? Sie vergessen den Selbsterhaltungstrieb. Man muß ein Esel sein, wenn man sich schlagen läßt, ohne …«

Ich unterbreche ihn. »Ich gebe zu, ich habe mich geirrt. Ich dachte nämlich, Sie sprechen von Gott.«

»Unmenschlich«, entgegnet er, »Ihre Haltung ist unmenschlich und verderblich.«

»Ich weiß es nicht«, sage ich kurz.

Das Gespräch stockt. Es ist ein vertracktes Gespräch, eines der vielen, die zu keinem runden Schluß kommen, und vielleicht ist es auch gar nicht die Absicht, je eine solche Abrundung zu erreichen. Wir sehen einander an und schweigen. Er hält sein Glas zwischen den Fingern und läßt es auf dem Tisch tanzen. Er hat meine Unsicherheit entdeckt. Ich trachte nicht, sie zu verbergen. Und ich sehe seine Sicherheit, und ich sehe, daß sie nichts anderes ist als eine Unsicherheit, von der er aber noch nichts weiß.

Ähnliche Gedanken müssen auch in seinem Kopf herumgehen, denn er versucht, unserem Gespräch neues Leben einzuhauchen. Aber es bleibt ein fragwürdiges Unternehmen, und er stellt sich auf meinen Standpunkt. Er wiederholt meine letzten Worte:

»Also, Sie meinen, man sollte auch eine Geißel …?«

Aber ich erwidere nur kurz, daß ich es nicht weiß.

Er betrachtet mich ungläubig, mit steigendem Unbehagen. Er fühlt sich mir überlegen, natürlich fühlt er sich mir überlegen, und er strengt sich äußerst an, es mich nicht merken zu lassen, wie sehr er sich überlegen fühlt. Aber gerade darum merke ich es.

»Sie wollen also nicht gegen ihn kämpfen«, beginnt er wiederum. »Sie wollen dies den anderen überlassen, uns. Sie haben anscheinend noch nie echt gekämpft. Waren Sie je Soldat?«

»Nein«, erwidere ich und schäme mich, daß ich nicht Soldat gewesen bin. Es ist eine dumme, eine völlig wahnwitzige Scham, als ob man erst dann mitreden könnte, wenn man mit einem Maschinengewehr im Arm irgendwo unter freiem Himmel geschlafen hat wie mit einer Frau, und am folgenden Tag wird man wach, wenn man überhaupt noch wach wird, und fühlt, daß man ein anderer geworden ist, ein Mann oder ein Halbgott, der Himmel weiß, welche Flausen sich Männer in ihren Kopf setzen, wenn sie Soldat waren.

»Dann wissen Sie also nicht, wie es ist, wenn man auf Tod und Leben ficht«, fährt er fort und spricht alles aus, was mir im gleichen Augenblick auf verächtliche Weise durch den Kopf gegangen ist. »Im gleichen Augenblick nämlich«, versucht er mir zu erklären, »wo man aufhört, eine Geißel anders zu betrachten als das, was sie ist, als eine Geißel nämlich, die schlägt und Schmerzen verursacht, verliert sie ihren Sinn, hört sie auf, Geißel zu sein. Man setzt sich zur Wehr, man läßt sich nicht schlagen. Darum schlage ich zurück.«

»Darum schlagen Sie also zurück«, wiederhole ich und verfalle in Grübeleien. Und nach einer Weile fahre ich fort: »Ich kann mir nicht helfen, aber ich sehe beides und fühle nicht nur das eine. Ich fühle beides, die Geißel und den, von dem ich glaube, daß er sich ihrer bedient.«

»Das heißt, Sie lieben die Geißel auch«, sagt er trocken und zieht wie aus einer Rechensumme das Endergebnis.

»Das habe ich noch nicht gesagt«, verteidige ich mich. »Denken Sie etwa, mich schlägt sie nicht, und ich fühle keinen Schmerz? Auch wenn ich mich bemühe, ihn in seiner Geißel zu lieben, es schmerzt. Aber warum schickt man sie mir? Vielleicht, daß mir eines Tages die Erkenntnis oder die Gnade oder ...«

»Wenn Sie nicht vorher erschlagen sind!« unterbricht er mich. Ich spreche nicht weiter.

»Sie antworten ja wieder nichts«, sagt er. »Das ist nun das zweite Mal.«

»Was soll ich Ihnen antworten? Das ist nicht meine Sache. Mein Tod ist nicht meine Sache!«

»Und Ihr Leben dann«, entgegnet er entschlossen, »ist das auch nicht Ihre Sache? Philosophie des Schlachtopfers nenne ich das. Gehen Sie. Sie werden nicht weit damit kommen. Sie sind ein lästiger Mensch. Und passen Sie lieber auf, daß Sie nicht sein erstes Schlachtopfer werden.«

Er steht auf. »Bitte zahlen!« ruft er.

Bevor der Kellner kommt, beugt er sich zu mir herab und sagt:

»Übrigens, wenn Sie mich fragen, sage ich Ihnen etwas im Vertrauen, es bleibt unter uns, Sie können darauf rechnen. Sie haben Angst, Angst und nichts weiter.«

»Und ich sage Ihnen etwas anderes im Vertrauen«, erwidere ich und stehe langsam auf, »es bleibt ebenfalls unter uns, Sie können darauf vertrauen. Hören Sie! Die Geißel schlägt Sie, und Sie schlagen zurück. Das ist Ihr gutes Recht, und da mische ich mich nicht weiter ein. Mit der Geißel wollen Sie im Grunde nichts weiter zu tun haben. Sie ist Ihnen viel zu lästig. Es müßte eine Zuckerstange sein, an der Sie so recht von Herzen schlecken könnten, eine Zuckerstange Gottes meinetwegen. Dann danken Sie Ihrem Schöpfer aus vollem Herzen. Passen Sie auf, daß Sie sich nicht Ihren Magen verderben.«

Dergleichen Gespräche führte ich in jener Zeit.

Ich lebte in der großen Stadt, verrichtete, so gut es ging, noch meine Arbeit und sah, wie sich alle Dinge schärfer anließen, unaufhaltsam. Der Winter fiel ein, er war dieses Jahr härter. Hier und da kam es in der Stadt zu Zusammenstößen und Schlägereien. Nach den ersten Maßnahmen und Verfügungen, die wie alles, was die Macht schafft, zum Gesetz erhoben wurden, kam es zu Tätlichkeiten. Die Berichte aus dem Lande lauteten nicht anders. Ein Kind konnte fühlen, welchem Ende man zutrieb. Ich muß bekennen, daß mich der Gedanke trieb, daß alles nicht Wirklichkeit würde. Er würde es nicht wagen! Nein, er würde es nicht wagen. Ja, zuweilen war mir zumute, als ob auch das gegenwärtige Geschehen einen Zug ins Unwirkliche trüge. Ich war bereit, mich auf einen blutigen Strauß vorzubereiten. In meiner Vorstellung jedoch lebte er als ein Weltenstrauß, ausgefochten auf fernen Planeten und Milchstraßen, über die die Tanks rollten. Nur ab und an würde aus der Weite des Raumes das Getöse der Waffen hier auf Erden erklingen und hie und da ein rosenroter Tropfen den Sand netzen. Nein, er würde es nicht wagen. Diese unsinnige Hoffnung, die nur aus der tiefsten Hoffnungslosigkeit geboren werden kann – und vielleicht auch aus Angst –, erfaßte mich und zog mich wie in einen Wirbel hemmungsloser Phantasien hinein. Alle Umstände würde er bis zur letzten Möglichkeit treiben, aus der kein Entrinnen mehr möglich ist und aus der sich dann dieses Letzte, Äußerste folgerichtig ergibt. Wie zum Wurf würde er seine Hand heben, die Muskeln schon dem Ziele entgegengespannt, des Sieges gewiß und frohlockend über die Niederlage seiner Gegner. Alles verrät seine Entschlossenheit und Kraft. Seht nur, wie er erhöht da oben steht, so daß ein jeder ihn erblicken kann! Jetzt wird er ansetzen, jetzt holt er aus, weit – ein tiefer Atemzug, jetzt, seht nur, jetzt –, aber nein! Er schließt seine Augen, sein Mund entspannt sich zu einem Lächeln, und unhörbar fast flüstert er: Nein! Es ist über ihn gekommen und wieder aus ihm ausgebrochen, dieses Nein, er hält es fest, und alle Neins vereint er in seinem bejahenden Nein, und immer nur ein dreifaches Nein bleibt im Munde, während das Ohr das Ja mithört, das in seinem Grunde mitschwingt, das starke, tiefe Ja, das das Nein aus seinem verneinenden Nein stößt und es auf ewig aus seinem Neingrunde herausreißt. Nein, nein, nein, bleib nur Nein, immer nur Nein, sag ja zu dem Nein, und alles, was nein ist, wird bejaht, es ist so gut, und alles wird offen, ohne Grenzen wieder, es ist die besänftigende Ruhe, dieses Nein, es ist die Nein-Tat, das Nein aller Neins, es ist Anfang und kein Unterschied mehr. So strömt es heraus, und du brauchst es nicht mehr zu sein und nicht mehr zu fürchten, das Ja, das Nein, denn es ist beides ja nein, nein ja, ja nein, nein ja, immer nur dieses eine zusammen, ineinander verschlungen und unzertrennbar in seiner Neinjaschaft. Sein Arm sinkt entschlossen zurück. Aber die Kraft spannt ihn. Nein … Er schüttelt leicht seinen Kopf, als verscheuchte er einen bösen Traum wie Vögel, die auf seinem Kopf genistet haben. – Nein!

Es wäre sein größter Sieg, seine größte Überwindung. Im Kreise um ihn herum bei allen, die ihm gläubig gefolgt waren, zuerst Schweigen und Enttäuschung. Doch! Man fühlt sich betrogen, man hat einen großen Spektakel erwartet und man hat Eintrittskarten gelöst und viel Geld bezahlt, man erwartet sein Geld nicht zurück, was soll man mit Geld? Spektakel, Spektakel! Und nur einer oder zwei, die nicht um des Spektakels willen kamen, im Gegenteil, es war ihnen ernst, und sie gehörten nicht zu seinen Freunden und Anhängern, es waren Widersacher, und man müßte sie eigentlich totschlagen – sie hörten das tiefe Ja in seinem Nein. Aber vielleicht waren auch sie nur gekommen, um ihn heimtückisch zu erschlagen? Die Menge erkennt sie auf einmal, und siehe, die beiden erheben ihre Stimmen und jubeln ihm zu, zu diesem großen Nein. Sie jubeln ihm zu? Ja, der Jubel der Widersacher über einen Sieg, der ihr gemeinsamer Sieg ist. Und langsam begreift die Menge die Überwindung, die geschah, und angefeuert durch die wenigen stimmt sie ein in den großen Jubelchor, alle, alle ohne Unterschied, Freund und Feind!

X

Von Zeit zu Zeit verspüre ich das Bedürfnis in mir, mir selbst zu versichern, daß die einzige Quelle, die meine Aufzeichnungen speist, mein Gedächtnis ist. Ich habe es nie nach seinem Werte zu schätzen gewußt, aber ich kann nicht umhin, festzustellen, daß es ausgezeichnet ist und selbst Erlebnisse, die sich mir als anscheinend bedeutungslos aufdrängen, mit festen Umrissen behalten hat. Zum Glück bin ich von dem Ehrgeiz, mir selbst eine gewisse Kunstfertigkeit andichten zu wollen, so weit entfernt, daß ich meine Erinnerungen ohne die Zensur passieren lassen kann, ob sie wichtig oder unwichtig, interessant oder langweilig sind.

Ich sehe klarer, da ich mich nicht jener motorischen Anstrengung unterziehe wie sie, die Autoren, die um jeden Preis ihre Geschichten fesselnd und wichtig vortragen müssen, da sie sonst kein Mensch liest.

Die Korrektur ist ihnen alles. Ich verkehre in der angenehmen Lage, unabhängig zu sein von den Ansprüchen des Amüsements und den Vorwürfen der Langeweile. Für mich gilt nur der Zeitvertreib, in der primitivsten Bedeutung des Wortes, wenn man die Zeit treiben muß, da sie einem sonst zu langsam läuft.

Trotz meinem hervorragenden Gedächtnis, dessen ich mich eben nicht ohne eine gewisse Eitelkeit rühmte, muß ich mir selbst bekennen, daß mir der Name des Mädchens entfallen ist, das in meinen Erinnerungen eine nicht unwichtige Rolle spielt. Ich habe ihn vergessen, man sagt, daß so etwas nicht zufällig geschehe. Nun gut, ich beuge mich gelassen diesem offensichtlichen Versagen und kann nur hoffen, daß er mir später wieder einfallen wird. Nicht ohne inneres Behagen betrachte ich meine Ohnmacht, die sich darin kundtut, daß ich wohl Gespräche und Situationen zu reproduzieren weiß, jedoch einen Namen, den Namen eines lebendigen Menschen, nicht wieder hervorzaubern kann, es sei denn, daß ich mich verleiten ließe, irgendeinen Namen zu erfinden und ihn an Stelle des echten und einzig wahren zu setzen. Mag meine Phantasie auch hier und dort, mir unbewußt, die Zügel ergriffen haben und meine Erinnerungen lenken, soweit ist es noch nicht, daß ich hier kampflos das Feld räume und gewissenlos einen Namen phantasiere, der nicht paßt zu dem lebenden Original.

Wir hatten uns in der darauffolgenden Zeit noch etliche Male gesehen. Wir trafen uns am Abend, wenn das Warenhaus schloß, unten vor dem Portal, oder ich holte sie zuweilen ab, wenn mein Dienst schon früher beendet war. Wir hatten uns so drei- oder viermal getroffen, es war eine Freundschaft, die alle Möglichkeiten in sich enthielt und selbst noch keine feste Basis gefunden hatte. Der Gedanke, daß ich sie außerhalb meines gegenwärtigen Lebens hielt, verschaffte mir das Behagen, daß niemand von meinen Freunden es wissen sollte. Sie war wie eine Insel, außerhalb der Küste gelegen und von dort nicht einmal mit einem Fernrohr zu erspähen. Ihre Nähe entspannte mich, ihre Art, ein Gespräch zu führen, ihre komisch-natürlichen Einfälle und Bemerkungen verschafften mir die angenehme Illusion, daß ich, wenn ich mit ihr zusammen war, wirklich außerhalb aller Gedanken und Stimmungen lebte, die sonst mein Leben füllten. Die Frage blieb nur, inwieweit ich meine Phantasien verwirklichen konnte oder inwieweit die Wirklichkeit meine Phantasien störte.

Ihren Bruder hatte ich seit dem ersten gemeinsamen und mißlungenen Mahl in der Konditorei nicht mehr getroffen. Er gefiel mir nicht besonders. Er hatte etwas Düsteres in seinem Auftreten, etwas Abwehrendes, als müßte er viel auch vor sich selbst verbergen. Er war so völlig das Gegenteil von seiner Schwester, daß mich manchmal Zweifel beschlichen, ob sie überhaupt Geschwister waren.

Nachdem wir einmal in dem kleinen Restaurant, in dem ich immer aß, zusammen gegessen hatten, brachte ich sie nach Hause.

»Ich habe noch eine Menge Arbeit«, sagte sie.

»Zerreißt der Bruder so viele Strümpfe?« fragte ich.

Sie lachte. »Sie können mir Ihre auch bringen«, sagte sie, »wenn Sie nichts Besseres haben.«

»Meine Mutter«, sagte ich, »alle vierzehn Tage schicke ich ihr ein Paket. Aber ich danke Ihnen.«

Zuweilen ging uns der Gesprächsstoff aus, und dann peinigte ich mein Gehirn, was ich erzählen sollte, und erzählte irgendeine Geschichte, die mir gerade einfiel. Aber dahinter steckte die Angst, daß ich ihr eines Tages Dinge erzählen würde, die ich lieber verschwieg, da ich nicht wußte, wie sie sie aufnehmen würde. Dann war es auf einmal keine Insel mehr, die außerhalb der Küste lag, und mir kam der Gedanke, daß ich nur neben ihr herging, um mich selbst zu betrügen, daß ich auf die Flucht ging, daß ich mir einbildete, sie zu lieben, während ich mich im Grunde vor mir selbst schämte.

Wolfs Worte kamen mir in den Sinn. Hatte er doch recht? Ich bin ein Schuft, dachte ich mir. Da gehe ich neben einem jungen Mädchen her, das ich zufällig kennengelernt habe, und bilde mir vielleicht ein, daß ich sie liebe. Aber wer weiß, was sie denkt, wenn sie neben mir herläuft. Alles muß kompliziert sein, dachte ich, nichts ist einfach, und das hat seinen Grund, daß wir, mein Vater und ich und Wolf und Leo, Harry und noch viele andere, sind, wie wir sind.

Ich betrachtete sie verstohlen von der Seite, ob sie meine zwiespältigen Gedanken erriet. Düstere Bilder stiegen in mir auf, getrieben von einer geheimen Angst, ihr etwas anzutun, sie zu beleidigen und ihr somit den Grund zu geben, sich zurückzuziehen, bevor sie den wahren Grund erfuhr und mich zurückstieß. Ich wollte ihr zuvorkommen und mich rächen für alles, was mir schon in meiner Jugend die Kinder antaten, wenn sie mich vom Spiel ausschlossen, bevor sie die Gelegenheit nahm, mich zu treffen und zu beleidigen. Eine zerstörerische Lust gaukelte mir alle Freude vor, die man genießen kann, wie ein Kind das Zerstören eines Bauwerks genießt, dessen Errichtung ihm viel Lust bereitet hatte. Danach kam die Beschämung und jenes zärtliche Gefühl, das mir wie eine Brücke erschien zu jener Insel, an der ich baute und die ich nicht aufzugeben gedachte, bevor alle Pfeiler fest in den Grund gelassen und die Bogen darübergespannt waren und die stärksten Lasten ihren Weg hinüber zum anderen Ufer fanden.

Wir fuhren eine Strecke mit der Bahn und liefen das letzte Stück des Weges bis zu ihrer Wohnung. Es waren zwei mittelgroße, etwas dunkle Zimmer und eine Küche, aber durch die Sorgfalt, mit der sie hergerichtet waren, anheimelnd und wohnlich. Die Zwischentür war geöffnet.

»Dies ist mein Zimmer«, sagte sie, »und hierneben wohnt mein Bruder. Er muß schon zu Hause gewesen sein.« Sie deutete auf einige Kleidungsstücke, die über einem Stuhl hingen. In einem dunkelblauen Bakelit-Aschenbecher lagen Zigarettenreste.

»Machen Sie es sich bequem«, sagte sie und wies mir einen Sessel am Fenster. Sie ging ins Nebenzimmer, um Ordnung zu machen.

»Ein Jahr wohnen wir schon hier«, rief sie durch das Zimmer. »Gefällt es Ihnen?« Dann ging sie hinaus.

Das Zimmer trug, obwohl es deutlich ein möbliertes Zimmer war, die Spuren ihres Wesens, eine bunte Decke über dem Tisch, ein paar Kunstdrucke an der Wand, eine handbemalte Schale auf dem Ofensims und eine große Vase mit Blumen auf dem Boden vor dem Fenster machten den Raum wohnlich. Dann kam sie zurück. Sie sah erfrischt aus, etwas Puder und Rouge, das Haar gekämmt, und sie setzte sich auf den Diwan, der an der Wand stand mit dem Kopfende zum Fenster. Sie legte die Beine auf die Wolldecke, die den Diwan bedeckte, wir rauchten zusammen.

Wolf hat doch nicht recht, dachte ich und verlor allmählich meine

Befangenheit. Was für einen Unsinn ein Mensch sich alles einreden kann, vor allem, wenn es um ein Mädchen geht. Ich habe alles, was sich ein junger Mann im Augenblick wünschen kann, ich sitze hier in einem Zimmer allein mit einem Mädchen, sie ist nett und appetitlich, sie hat es sich auf dem Diwan bequem gemacht, es ist angenehm, nach ihr zu sehen, wie sie daliegt, sie hat gute Manieren, und wer weiß, was im Augenblick durch ihren Kopf geht, wenn sie mit mir spricht und mich mit ihren schwarzen, warmen Augen anblickt. Die Augen sind das Wichtigste an einer Frau, vor allem, wenn sie schön sind. An dieser jungen Frau sind sie das Schönste, das heißt, die anderen Dinge sind auch schön und nett, aber wenn die Augen nicht schön sind, dann ist alles andere, auch wenn es schön und begehrenswert aussieht, doch viel weniger schön.

Sie wohnt hier mit ihrem Bruder zusammen, einem etwas finsteren und hageren Burschen, der mir im Grunde nicht gefällt, vielleicht weil sie sagt, daß er ihr Bruder ist. Wir werden schon sehen, was das für ein Herr ist. Im Augenblick ist er abwesend, und das ist wiederum sympathisch an ihm, daß er uns hier allein läßt. Wenn man weiß, daß man nur noch drei Tage zu leben hat, dann könnte die Liebe etwas sehr Einfaches sein, man brauchte nicht mehr an das Morgen, das Übermorgen zu denken. Aber wenn man dies nicht weiß und vorausdenkt und vorausdenkt und vorausgorgt, dann wird es immer schwerer mit dem Leben und auch mit der Liebe. Auch mit dem Tod geht es einem so. Ich könnte mir denken, daß man selbst noch seinen verruchtesten Feind ein wenig lieben kann, wenn man nur weiß, daß er morgen oder übermorgen stirbt. Darum ist der Gedanke an das ewige Leben so schwierig zu denken, weil er der Liebe die Ewigkeit nimmt, die nur in den drei Tagen so ganz ewig ist. Aber dennoch müßte die Liebe immer etwas Einfaches sein, auch wenn man weiß, daß es in zweiundsiebzig Stunden noch nicht vorbei ist mit dem Leben und mit der Ewigkeit. Sie müßte etwas Einfaches sein, man darf sich nicht anstrengen wie bei einer Arbeit oder wenn dich der Ehrgeiz einem Ziele zutreibt, oder der Wille zu zeigen, was man alles kann. Man müßte, als ob man auf einer Wolke säße, in sie hineinsegeln, so luftig und hoch und ohne jede Schwere müßte man über Land und Wasser hinfahren, kein Hindernis, das sich ihr entgegenstellt, du läßt sie alle tief unter dir liegen, Grenzen, Berge, Flüsse, alles ist hoch und leicht um dich herum und in dir selbst. So einfach muß die Liebe sein. Ich war bereit abzuwarten, mich ihr ganz zu überlassen und abzuwarten, wohin mich die Wolke treiben würde.

Das Mädchen hatte sich auf dem Diwan zurückgelegt und die Hände hinter ihrem Nacken verschränkt, sie stützte ihn und sah nach oben, als ob sie auf einer Wiese läge und in den Himmel sähe. Sie lag auf ihren Handflächen wie auf einem Kissen, und sie hielt ihren Kopf oberhalb des Kopfendes in der Schwebe, so daß sie nicht die wollene Decke des Diwans berührte. Zuweilen sah sie mit halbgeschlossenen Augen vor sich hin und hinein in das Zimmer ihres Bruders. Ihr Körper hatte durch die schwebende Haltung des Kopfes etwas Gespanntes und Straffes angenommen. Jetzt schien diese Haltung sie leicht zu ermüden, sie drückte ihren Nacken nach oben, so daß sich das Kinn der Brust näherte. Dann fiel sie langsam zurück auf ein Kissen. Es war still in den beiden Zimmern, nur von der Straße her drang der Lärm herauf, wenn ein Auto vorbeifuhr, und wir saßen hier allein in ihrem Zimmer mit dem Blick auf das Zimmer ihres Bruders.

»Sie kennen doch meinen Bruder?« fragte sie.

»Ich habe ihn einmal gesehen«, erwiderte ich, »damals, erinnern Sie sich, in der Konditorei nach dem Zwischenfall mit den beiden Frauen.«

»Richtig«, erwiderte sie, »ich habe noch oft daran gedacht; was für eine komische Situation, in der Sie damals auftraten.«

»Ich habe später in einer ähnlichen Lage«, fuhr sie fort, »die gleiche Taktik angewandt, mit dem gleichen Erfolg. Wirklich eine großartige Idee!«

Ich hatte nicht das Gefühl, daß sie mir schmeicheln wollte. Während sie dieses sagte, lachte sie vor sich hin, als ob sie die Szene noch einmal sich abspielen sähe. Dann richtete sie sich plötzlich auf, fuhr sich mit beiden Händen über das Haar, blickte zu mir herüber und sagte: »Sie erzählen wenig von sich selbst!«

Ich erschrak, da ich ihren Vorwurf als einen Anschlag fühlte. Aber die Erregung wirkte nicht lange nach, ich erzählte irgendeinen Vorfall, erweckte ihre Lachlust, und das Gespräch hatte eine gefährliche Klippe glücklich umsegelt. Ich fühlte mich wohl in ihrer Nähe, und meine aufsteigenden Phantasien begannen eine angenehme Spannung in mir zu erwecken. Bevor sie selbst noch die Gelegenheit erhielt, mein Gefühl von Sicherheit und Beschirmung durch neue, heikle Fragen zu gefährden, ertönte draußen an der Vortür Lärm, das Schloß ging, tiefe Stimmen ertönten, feste Männerschritte liefen über die Diele. Sie sprang auf.

»Mein Bruder!« sagte sie verwirrt.

»Sie haben ihn nicht erwartet?«

»Doch, aber er ist nicht allein!«

Drei Männer traten zusammen mit ihrem Bruder in das Zimmer, alle ungefähr im gleichen Alter, Anfang Zwanzig, aber unterschiedlich in der Erscheinung und in ihrem Auftreten. Ohne die geringste Spur von Verlegenheit schritten die drei auf sie zu und begrüßten sie herzlich. Nur der Bruder hob aus der Ferne seine Hand zu einem kurzen, saloppen Gruß.

Der eine war mittelgroß, von gedrungener, athletischer Figur, mit einem gewaltigen Haarschopf, der sein etwas grobes, aber ausdrucksvolles viereckiges Gesicht umrahmte. Seine linkischen Bewegungen suchte er durch ein gewisses freches, betont männliches Auftreten zu überdecken. Der andere war um einen Kopf größer, gemessen, von einer kalten Ruhe, er hatte enggeschnittene Augen, und in seinem Blick lag etwas finster Lauerndes. Er gab sich gutmütig, als er sie begrüßte, indem er ihr vertraulich zublinzelte. Der dritte schien noch ein Kind, ein Junge zu sein, obwohl er so groß war wie der zweite, wirkte er kleiner. Er trug enganliegende Kniehosen und ein kurzes, graues Jackett mit hochgeschlossenem Kragen. Dadurch erweckte er den Eindruck einer strengen, fanatischen Begeisterung und Hingabe, die er in allen seinen Äußerungen noch zu betonen schien. Ich spürte deutlich, daß sie sich hier zu Hause fühlten. Sie alle, der Bruder einbezogen, machten den Eindruck der Zusammengehörigkeit, die gemeinsame Erlebnisse geschaffen haben, und ich war bestürzt. Ich wußte eigentlich sofort, mit wem ich es zu schaffen hatte.

Wir begrüßten einander, der Bruder sagte ironisch: »Ich hoffe nicht, daß wir stören.«

»Dummkopf«, erwiderte seine Schwester, »es ist deine Wohnung so wie meine!«

Ich wunderte mich, daß sie auf seine pseudo-witzige Bemerkung überhaupt einging.

»Wir nennen sie das geschwisterliche Ehepaar«, sagte der erste, der Athlet, und lachte mir vertraulich auf seine Art zu, die Anerkennung und Spott zugleich ausdrückte.

Der Jüngste grinste. Nur sie beide, Bruder und Schwester, lachten hell auf und sahen sich mit einem Blick des Einverständnisses an. Sie schienen an diese Neckereien gewöhnt zu sein.

»Ich sitze«, sagte der Finstere und zündete sich seelenruhig eine Zigarette an.

»Wir kommen etwas früher«, sagte der Bruder, »es gab heute nicht viel zu erleben.«

»Hast du gegessen?« fragte sie.

»Nicht viel«, entgegnete er kurz.

Sie verließ das Zimmer und begann in der Küche ein Abendbrot zu richten. Das Wasser lief, Geschirr klapperte, eilige Schritte auf den Steinfliesen.

»Habt ihr gegessen?« rief sie von der Küche aus.

»Ja und nein«, klang es zurück, »Jungmännermägen, du kennst sie.«

»Du hast es gut«, sagte der finster Aussehende zum Bruder gewandt.

»Meine Schwester denkt nicht daran, sich für mich ein Bein auszureißen. Ich mache mir alles selber zurecht. Und deine Hospita?«

»Ich bin zufrieden«, erwiderte der Jüngste, »sie versorgt mich gut. Abends, wenn ich heimkomme, steht immer noch ein Teller in der Küche bereit.«

»Läßt sie sich auch gut bezahlen?« fragte der Bruder.

»Ich glaube nicht, daß sie viel an mir verdient«, gab er zur Antwort.

»Dann betrachtet sie dich also wie einen Sohn, das ist noch schlimmer. Ich kenne das. Es sind die lästigsten Hospitas. Im Anfang ist es ganz angenehm, man läßt sich gerne verwöhnen. Aber dann kommt eines Tages der Punkt, wo es dir gegen den Strich geht, und dann bleibt dir nichts anderes übrig, als Reißaus zu nehmen.«

»Ich habe es auch eine Zeit selbst getan«, sagte der Athlet, »aber die unregelmäßige Lebensweise rächte sich bald. Jetzt bin ich wieder froh, wenn es jemand für mich regelt.«

»Ihr wohnt zwei Jahre hier?« wandte sich der Jüngste an den Bruder.

»Ein Jahr«, verbesserte der Athlet ihn und sah den Bruder an. »Nicht wahr?« Der Bruder nickte.

»Ich habe die Einweihung mitgemacht«, fuhr er fort und richtete das Wort an mich, um mich in das Gespräch einzubeziehen, von dem ich mich bisher ohne bestimmte Absicht zurückgehalten hatte.

»War es ein besonderes Fest?« fragte ich und versuchte mich ihren Gesprächen anzupassen.

»Und ob«, erwiderte er. »Das Besondere war, daß wir alle entsetzlich viel tranken und niemand betrunken war.«

»Mir brummte der Schädel noch drei Tage später«, sagte der Finstere.

Ich begriff, daß mein erster Eindruck von einer geschlossenen Gruppe der richtige gewesen war, man kannte einander schon seit langem, nur der Jüngste war vielleicht später in den Kreis gekommen. – »Kommen Sie alle aus …«, sagte ich und nannte den Namen des Ortes, den mir das Mädchen als ihren Heimatort genannt hatte.

»Nein«, erwiderte der Jüngste, »wir kommen alle aus verschiedenen Orten, aber wie es so geht, man lernt sich schnell kennen, wenn man die gleichen Interessen und Ideen hat.«

Der Finstere saß bei diesen Worten vornübergebeugt auf seinem Stuhl, die Unterarme über die Knie gelegt, und pfiff vor sich hin. Von Zeit zu Zeit blickte er auf und betrachtete mich prüfend.

»Das ist ein Glück«, sagte ich, »sonst wäre man ja ganz allein.«

Der Finstere nickte zustimmend, begann wieder zu flöten, brach ab und blickte mich an, wie es mir schien, weniger skeptisch, und fragte: »Sind Sie organisiert?«

Die Frage überraschte mich, sie kam so unvermittelt, daß ich nicht die innere Kraft hatte, sie ruhig zu durchdenken und dann meine Antwort zu formulieren. Aber ich glaube, daß sie auch dann nicht anders gelautet hätte als jetzt, wo ich schnell sagte: »Noch nicht!«

Meine Antwort schien ihn zu befriedigen. Er nickte einmal mit dem Kopf zum Zeichen, daß er sie billige, bog sich zurück in seinem Stuhl und pfiff halblaut weiter.

Der Bruder unterhielt sich inzwischen mit dem Jüngsten, sie sprachen über einen Abwesenden, zu dem sie alle drei in einem näheren Verhältnis standen.

»Ich finde ihn in der letzten Zeit merkwürdig schlapp«, sagte der Bruder, »ist dir das nicht auch aufgefallen?«

»Er hat Krach mit der Leitung«, erwiderte er.

»Kein Wunder«, sagte der Athlet, »ich fand ihn immer schlapp. Er ist nicht mein Typ, zu viele Skrupel, zuwenig Initiative.«

»Aber er hat gute Arbeit geleistet«, sagte der Jüngste, »du mußt nicht vergessen, daß er zu Beginn gute Arbeit geleistet hat.«

»Er war einer der ersten«, sagte der Bruder nachdenklich.

»Er hat zuviel Gewissen«, sagte der Jüngste wieder.

»Gewissen? Schon wieder kommst du mit deinem Gewissen«, fuhr der Finstere fort, »ich möchte gern wissen, was du mit deinem Gewissen willst, quatsch, er hat Angst!«

»Weil er Gewissen hat, hat er Angst, das ist doch deutlich«, sagte der Jüngste ein wenig zaghafter.

»Unsinn«, erwiderte der Finstere. »Er hat Angst, weiter nichts. Was du Gewissen nennst, ist steckengebliebene Pubertät.«

»Er möchte das Gewissen abschaffen«, sagte der Bruder lachend zu mir. Das Gespräch begann mich zu langweilen. Es war der altbackene Kuchen von Angst, Gewissen und Abschaffung des Gewissens, mit dem man keinen Hund mehr hinterm Ofen hervorlockt.

Obwohl die drei offensichtlich uneinig waren, hörten sie doch nicht auf, als Gesamtbild eine Einheit zu sein. Dies war der einzige Lichtpunkt in der trostlosen Öde ihrer Unterhaltung, der mich einigermaßen fesselte. Ich wünschte, daß das Mädchen bald wieder zurückkäme, ihretwegen war ich schließlich mit heraufgekommen. Wenn sie nicht bald kam, würde ich mich verabschieden. Auch die beiden anderen lachten, nur der Finstere selbst blieb ernst und sagte in dozierendem Ton: »Abschaffen? Das Gewissen schafft sich selber ab. Eines Tages merkst du, daß du es verloren hast.«

»Und die Angst?« fragte der Jüngste.

»Ist auch weg!«

»Woher kommt die Angst eigentlich?« fragte der Jüngste auf schülerhafte Weise, als erkenne er ohne weiteres die Überlegenheit seiner Kumpane an.

»Sie ist nur ein Signal, ein Warnzeichen, daß eine Gefahr aus der Außenwelt dir naht. Sie warnt dich und zwingt dich, deine Kräfte gut anzuwenden, um ihr zu begegnen.«

Niemand erwiderte etwas hierauf. Es entstand ein Schweigen, mit dem die anderen ihr Einverständnis mit seiner Erklärung ausdrückten. Sie saßen auf ihren Stühlen und starrten nachdenklich vor sich hin. Vielleicht hatten sie auch nur Hunger.

Diesem finster aussehenden jungen Mann, dachte ich, besorgt sein Gewissen so große Last, daß er es abschaffen möchte und erklärt, es schaffe sich selbst ab. Diese Erklärung ist mir nicht fremd, ich habe sie schon öfter verkünden gehört. Der Kreis, in den ich geraten war, hatte für mich keine Geheimnisse mehr. Sonderbarerweise betrachtete ich die vier jungen Männer völlig für sich und brachte sie nicht in Zusammenhang mit dem Mädchen, das mit einem Tablett voller Butterbrote, Tee, Marmelade und Früchten hereinkam und mit dem Fuß der Tür einen Stoß gab, daß sie ins Schloß fiel.

Der Athlet sprang auf und lief ihr mit ausgestreckten Armen entgegen. »Danke!« sagte sie. »Aber wenn du eine Decke holen willst.«

»Laß das«, sagte der Bruder, »nicht nötig!«

»Warum?« sagte sie und blieb, das Tablett in den ausgestreckten Armen, mitten im Zimmer stehen.

»Ich finde es übertrieben«, erwiderte er.

»Es ist aber so ungemütlich«, entgegnete sie ruhig und freundlich.

Inzwischen war der Athlet zur Kommode gegangen, die an der Wand neben der Tür stand, und hatte, ohne nähere Anweisungen einzuholen, aus der obersten Lade eine bunte Decke genommen. Er hielt sie in die Luft, das Mädchen nickte. Dann legte er sie über den kleinen Tisch.

Diese kleine unscheinbare Szene bewies mir aufs neue, daß hier in dem Kreise eine innerliche Einheit und Vertraulichkeit herrschte, die sich überall und sogar noch im Widerspruch offenbarte. Zugleich schloß sie mich endgültig aus. Ich hielt es für gut und erhob mich, als sie die Sachen von dem Tablett auf den Tisch ablud. Sie sah mich stehen, blickte über die Platte gebeugt zu mir herauf und unterbrach ihre Beschäftigung. »Sie wollen doch nicht etwa schon gehen?« sagte sie verwundert.

»Ja.«

Es fiel mir so schnell keine Ausrede ein, mein Impuls aufzubrechen stand außerdem im Gegensatz zu einem anderen, der mich bleiben hieß, zuhören, aufpassen, was sich hier weiter abspielte. Oder war es nur eine Art Selbstquälerei, die ich hiermit auf die Spitze trieb? Doch ich muß bekennen, daß die plötzliche Anwesenheit des Mädchens einen neuen Anreiz auf mich ausübte, doch zu bleiben, so daß meine Haltung einen Zwiespalt zu verraten begann, der allen anderen Anwesenden auffiel und dem der Finstere ein Ende bereitete, indem er sagte: »Sie müssen nicht aus Höflichkeit auf die Flucht gehen. Einen so großen Hunger haben wir nicht, für Sie bleibt auch noch etwas übrig.«

»Sonst denkt er noch, daß die Angst Sie treibt«, sagte der Jüngste, »denn Gewissen dürfen Sie hier nicht haben, es sei denn, daß die Rudimente der Pubertät Sie noch in ihren Klauen hätten.«

»Setzen Sie sich«, sagte das Mädchen und deckte weiter.

Zum Glück sind die Gesetze der Höflichkeit die am meisten elastischen, noch dehnbarer als die der Moral. Man kann unter ihrem Schutze die krassesten Widersprüche austragen und selbst Unhöflichkeiten begehen, Lügen erzählen, wenn man nur den Anschein zu erwecken weiß, daß es die Gesetze der Höflichkeit sind, die sie motivieren.

Ich setzte mich wieder hin. Der Athlet blinzelte mir zu und sagte: »Es wird schon noch gemütlicher werden.«

»Wenn die Männer ihren Hunger gestillt haben«, ergänzte das Mädchen, »passen Sie auf, was wir hier dann erleben werden. Das Essen scheint befruchtend auf die Ideen zu wirken. Männer können sich zugleich in Käsebrote und in Probleme der irdischen und himmlischen Notwendigkeiten versenken, das eine macht das andere schmackhafter. Sie meinen, daß es die hohen Gedanken seien, aber sie essen die Käsebrote.«

»Du hast es wieder einmal gut gemacht«, sagte der Finstere und aß.

»Wir können nicht immer über das Essen sprechen«, sagte der Bruder.

»Ich habe in der Küche gehört, worüber ihr euch unterhalten habt«, sagte sie, ohne eine Miene zu verziehen.

»Es entgeht ihr nichts«, sagte der Athlet. »Kann sich deine Hospita hiermit messen?« wandte er sich an den Jüngsten.

»Durchaus«, erwiderte er, mit vollen Backen kauend, »durchaus. Sie kann sich mit jedermann messen. Sie ist wie eine Mutter zu mir.«

»Wann ziehst du aus?« fragte der Athlet.

»Wenn sie stirbt«, erwiderte er lakonisch und aß weiter, »wenn sie stirbt.«

»Oder wenn du stirbst!«

»Auch das«, sagte er und aß mit vollen Backen weiter.

»Ihr müßt nicht über den Tod sprechen, wenn ihr eßt«, sagte sie.

»Man soll überhaupt nicht über den Tod sprechen«, sagte der Athlet, »nicht nur nicht, wenn man ißt, überhaupt nicht. Die Leute, die über den Tod reden, haben eine schlechte Verdauung. Ich finde deine Käsebrote immer noch hervorragend. Wo kaufst du ihn ein? In deinem Warenhaus?«

»Ja«, sagte sie, »ich kaufe ihn dort.«

»Ich dachte, du hättest Dienst heute abend«, sagte der Athlet zu ihrem Bruder.

Er schüttelte den Kopf und aß schweigend weiter.

Jetzt schwiegen alle und aßen. Ihr Schweigen und der Eifer, mit dem sie sich dem Essen hingaben, bedrückten mich und erweckten in mir das Gefühl, daß meine Gegenwart ihr Schweigen verursache, wenn auch Menschen, die schweigend zusammen um einen Tisch sitzen und essen, nach außen den Eindruck einer Gemeinschaft machen können. Ich fühlte, wie der Finstere mich von Zeit zu Zeit verstohlen beobachtete, während die anderen meine Anwesenheit nicht beachteten und sich nur um das Essen kümmerten. Auch das Mädchen schien mir etwas verändert zu sein, sie war von einer gleichmütigen Freundlichkeit gegen alle und ermunterte einen jeden von uns, tüchtig zuzugreifen, während sie selbst nur wenig aß. Ich dachte darüber nach, welche Stellung sie in diesem Kreise wohl einnehme, in dem sie von einem jeden respektiert wurde mit Ausnahme ihres Bruders, der sich darin zu gefallen schien, eine auffallende Gleichgültigkeit zur Schau zu stellen. Doch schien dies sie nicht zu irritieren. Sie blieb fest und unbefangen, und ihr Wesen, das so völlig dem Zimmer sein Gepräge gab, zerstreute schließlich auch meine Bedenken und gab mir eine Art gleichmütiger Gelassenheit zurück. Nach dem Essen stand der Bruder auf und kam aus seinem Zimmer mit einer Flasche Whisky mit Gläsern. Er stellte sie neben die Teller und holte Sodawasser. Auch das Mädchen erhob sich und begann abzuräumen.

»Was tust du?« fragte der Bruder.

»Wollen wir nicht erst den Tisch abräumen«, sagte sie, »sonst ist es ungemütlich!«

Der Athlet half ihr, die Teller auf das Tablett zu stellen, und sie trug es in die Küche, während er ihr die Türe öffnete. Er war der Netteste von allen, gutmütig und hilfsbereit. Sein Lachen dämpfte das Harte und Karge, das von dem Bruder und dem Finsteren ausging.

»Sie trinken Whisky?« sagte der Bruder zu mir.

»Sie trinken nichts?« wandte ich mich an seine Schwester, da er mir zuerst anbot.

Sie lachte. »Nein, danke! Nur manchmal!«

Er schenkte mir ein und ging der Reihe nach zu den anderen. »Du trinkst nicht«, sagte er zu dem Jüngsten und nahm die Flasche hoch.

»Ich trinke!« erwiderte er sehr bestimmt.

»So? Seit wann trinkst du?«

»Wenn ich Dienst hatte, trinke ich immer«, antwortete er. »Eine Woche, dann geht es vorüber!«

»Hast du Dienst gehabt?« fragte der Bruder.

»In der vergangenen Woche.«

»Dann ist sie also beinahe wieder vorbei«, sagte der Finstere und drehte sich auf seinem Stuhl um, so daß sie sich beide gegenübersaßen. »Warum trinkst du immer nach dem Dienst?«

»Ich weiß es nicht«, antwortete er, »aber es ist so, nach jedem Dienst muß ich eine Woche trinken.«

»Dann hast du noch nicht lange Dienst«, fuhr der Finstere fort.

»Nein«, erwiderte er, »es ist der dritte.«

»Der dritte? Gratuliere«, sagte er, »ich wußte gar nicht, daß du schon Dienst hast.« Er klopfte ihm herablassend freundschaftlich auf die Schulter. »Erzähle, wie gefällt es dir?«

»Nicht besonders«, sagte der Jüngste kurz.

»Nicht besonders?« wiederholte der Bruder. »Hast du etwas Besonderes erwartet, wenn du Dienst tun darfst?«

»Sie sind alle gleich«, sagte der Finstere, »erst können sie es nicht erwarten, bis sie Dienst tun dürfen, und dann ist es nichts Besonderes. Oder hast du etwa erwartet«, fuhr er fort, »gleich zu Anfang mit einem wichtigen Auftrag belehnt zu werden? Wenn du je dergleichen Phantasien über die Wichtigkeit deiner Person gehegt hast, so wird der Dienst sie dir gehörig austreiben!«

Dem Jüngsten schoß das Blut in den Kopf, er nahm sich zusammen, um nicht loszulegen. »Ich habe mir nichts anderes von ihm erwartet, als daß er ein ganz gewöhnlicher Dienst ist, daß man lernen muß, zu gehorchen und den Rebellen in sich zum Schweigen zu bringen. Das ist der Dienst, und ich glaube, daß ich es für das dritte Mal schon ganz anständig gelernt habe.«

»Den inneren Rebellen«, sagte der Bruder, »schau einmal an, erst dreimal Dienst gehabt, und schon weiß er genau, was die Absicht des Dienstes ist. In zwei Jahren sprechen wir uns wieder, Herr innerer Rebell, vorläufig bist du ein Anfänger.«

Der Jüngste saß wie erstarrt auf seinem Stuhl, er preßte noch immer seine Lippen fest aufeinander, in seinem Gesicht stritten Wut und Unterwerfung miteinander. Vielleicht dachte er, daß diese Angriffe auch zum Dienst gehörten und zu dem, was er lernen mußte.

Der Athlet kam ihm zu Hilfe. »Laßt ihn«, sagte er beschwichtigend, »es muß auch Anfänger geben, wir alle sind einmal Anfänger gewesen.«

»Ich bilde mir nicht ein, eine wichtige Persönlichkeit zu sein, auf die ihr alle gewartet habt, und ich tue meinen Dienst und alles, was vorgeschrieben ist, obgleich ich schon beim dritten Mal mehr getan habe, als ich mir habe träumen lassen.«

»Hast du Saaldienst gehabt mit anschließender Keilerei?« fragte der Bruder, sanfter im Ton.

»Saaldienst auch, aber ohne Keilerei«, erwiderte er. »Aber ich meine etwas ganz anderes, was ich mitgemacht habe, außerhalb des Dienstes.« Er hörte plötzlich auf, so daß eine Pause entstand, in der wir alle ihn neugierig anstarrten, in der Hoffnung, daß er von selbst weiterreden würde.

»Erzähl!« sagte der Finstere schließlich. »Was weiter?«

»Nichts!« sagte der Jüngste und versuchte, möglichst gleichgültig dreinzuschauen. Aber er hatte das Gefühl, einen kleinen Triumph davongetragen zu haben.

Der Athlet lehnte sich weit zurück in seinem Stuhl und grinste gutmütig. Ihm schienen die Angriffe und die Verteidigung des Jüngsten einen besonderen Spaß zu bereiten. Er wechselte mit ihm einen kurzen Blick, als wollte er sagen: Du hast dich gut gehalten, aber sei auf der Hut!

Jedoch die andern beiden ließen nicht los.

»Du hast also einen geheimen Auftrag gehabt«, sagte der Finstere, »ich wußte nicht, daß man schon beim dritten Dienst zu geheimen Aufträgen ausgesucht wird.«

»Ich erzähle lieber nichts«, sagte der Jüngste, »ich habe schon viel zuviel erzählt.« Aber ein jeder konnte ihm ansehen, daß er brennend gern weitergesprochen hätte.

»Du mit deiner Geheimniskrämerei«, sagte der Bruder unwirsch. »Hättest du lieber gleich deinen Mund gehalten. Also erzähl!«

»Wenn ihm aufgetragen wurde zu schweigen, so muß er schweigen«, sagte der Finstere, »das verlangt der Dienst.«

»Ich sagte doch, daß es kein Dienst war«, fuhr der Jüngste fort, »es war eine durchaus freiwillig von mir eingegangene Verpflichtung.«

»Aber anscheinend geheim«, sagte der Bruder, »ich glaube es nicht, daß man dich für solche Sachen schon aufruft.«

Der Jüngste zögerte und schaute hilfesuchend den Athleten an. »Ich glaube, daß du es ruhig erzählen kannst«, sagte der Athlet gutmütig und sah mich durchdringend an.

Auf einmal begriff ich, daß seine Weigerung, sein Erlebnis zu erzählen, mit meiner Anwesenheit zusammenhing und nicht so sehr, weil ihm befohlen war, es geheimzuhalten. Anscheinend war ich ihm zu spät eingefallen, so daß er schon zu weit gegangen war, als daß er sich noch, ohne Aufsehen zu erregen, hätte zurückziehen können. Ich war plötzlich, obwohl ich mich zurückgehalten hatte, in ihrem Kreise der Mittelpunkt geworden, von dem es abhing, ob er seine Geschichte erzählte. Ich erwartete, daß man mir mit Fragen auf den Leib rücken würde, und ich machte mich mit dem Gedanken vertraut, Farbe zu bekennen, aufzustehen und wegzugehen. Ich fühlte, daß der Mut in mir wuchs.

Zugleich hielt mich die Neugier zurück und die Lust, die anderen zum Narren zu halten, ihnen das Gefühl der Sicherheit zu verschaffen, indem ich mir selbst durch eine entschlossen-mutige Haltung ein anderes Aussehen gab. Ich muß zugeben, daß ich vielleicht den Anspruch erheben dürfte, Charakter bewiesen zu haben, wenn ich weggelaufen wäre. Schon einmal hatte ich dies getan, damals bei meinem Freunde, doch Reue und Selbstvorwürfe waren mir nicht erspart geblieben. Schließlich lockte mich das Spiel, das gleiche, das mich in der Dunkelkammer und bei den Briefmarken gelockt hatte, Neugier und zugleich ein wenig Mogelei, die Lust, sich selbst zu fühlen, indem man sich auf die andere Seite stellt, das Behagen, dem einen zu dienen, indem man ihn zugleich an das Goldene Kalb verrät.

Ich beschloß, hier bis zum Äußersten auszuharren, um jeden Preis, selbst um den der Selbstverleugnung, die, ich bekenne es, mir nicht sehr schwer fiel. Ich sah das Mädchen, sie lehnte über den Diwan gegen die Wand und stützte ihren Nacken mit einem Kissen, sie sah meinen Blick und erwiderte ihn fest und freundlich. Wenn sie wüßte, dachte ich, ob sie dann auch noch immer so freundlich meinen Blick erwiderte? Aber bevor ich noch selbst das Wort ergriff, das man von mir erwartete, kam mir der Finstere zuvor, mit einer merkwürdigen Bestimmtheit in seiner Stimme:

»Du kannst ruhig sprechen, wir sind hier völlig unter uns, nicht wahr?« Dabei blickte er das Mädchen an, das langsam und zustimmend nickte, und den Bruder, der bewegungslos auf seinem Platz saß und sich jeder Äußerung enthielt.

»Ich höre gerne Geschichten«, sagte ich, um die Spannung zu brechen. »Ich hoffe nur, daß die, die Sie uns erzählen, spannend genug ist. Meinetwegen haben Sie einen Mord begangen.«

Alle lachten, selbst der Bruder verzog komisch seinen Mund, dann stand er auf und schenkte dem Athleten und dem Finsteren zum zweiten Male ein.

»Mir auch«, sagte der Jüngste. Ich dankte.

»Einen Mord nicht«, sagte der Jüngste, »aber mit dem Tod hat es schon zu tun, was ich erlebt habe, und mit Gräbern und Grabsteinen und einer Mauer, auf die Glassplitter eingemauert waren, damit niemand hinüberkäme.«

Der Finstere veränderte auf einmal seinen Gesichtsausdruck, die Grausamkeit, die Gemeinheit, die hinter der Härte seiner Züge lagen, traten schärfer hervor. Er wandte sich mit einem Ruck auf seinem Platz um und sagte, zum Athleten gewandt, hastig und verbissen: »Das habe ich nicht gewußt. Bist du damit einverstanden, daß er es noch erzählt?«

»Natürlich«, erwiderte der andere, »ich bin damit einverstanden.«

Der Finstere zögerte, drehte sich abermals um und sagte zu dem Jüngsten: »Du willst doch nicht etwa erzählen, daß du …?«

»Gewiß«, unterbrach ihn dieser, »genau das will ich erzählen. Gräber, Grabsteine liegen nicht im Warenhaus oder auf dem Tanzboden. Es war ein richtiger Friedhof.«

»Donnerwetter«, sagte der Finstere.

»Wenn du es nicht glauben willst, frag ihn«, sagte der Jüngste und wies auf den Athleten.

»Warst du dabei?«

»Nein, ich war nicht dabei, aber ich wußte von der Sache.« Er lachte gutmütig.

»Er hat mich herbeigeholt«, sagte der Jüngste. »Einer der Teilnehmer fiel aus, er hat es mit der Angst gekriegt, seine Schwester hat unerwartet ein Kind bekommen, und da mußte er die Schande tragen helfen. Auf jeden Fall, ich war dabei«, fügte er mit kindlicher Überheblichkeit hinzu.

»Es ist vielleicht besser, wenn du diese Geschichte jetzt nicht erzählst«, sagte der Finstere entschlossen.

»Nicht erzählen? Hör einmal an, erst kurbelst du mich an, und wenn es soweit ist, dann bremst du auf einmal ab.« Sein Ehrgeiz war angestachelt, er war entschlossen, sie doch zu erzählen.

»Ich finde es trotzdem besser, wenn du sie ein anderes Mal erzählst«, erwiderte der andere beharrlich.

»Lassen Sie ihn doch erzählen«, sagte ich, ohne nachzudenken. Eine wahnwitzige Angst stieg in mir auf, und ich mußte sprechen, meinen Mund zu einem Wort formen, um ihrer Herr zu werden.

»Warum willst du ihn auf einmal daran hindern?« fragte der Bruder.

»Weil ich glaube, daß es nur eine Geschichte für Männer ist«, sagte der Finstere.

»Ach so«, sagte der Athlet, »darum. Nur eine Geschichte für Männer. Schön, meinetwegen. Ich begreife, daß es Witze gibt, die man nicht in Gegenwart von Frauen erzählen kann. Aber sterben Frauen nicht, werden sie nicht alt, häßlich, und legt man sie nicht auch in einen Sarg, wenn sie gestorben sind, und trägt sie hinaus? Was meinst du?« wandte er sich an den Bruder, »kann er sie erzählen oder nicht?«

»Ich weiß es nicht«, erwiderte er teilnahmslos, »frag sie selbst!«

»Sag du es selbst, ob du die Geschichte hören willst«, sagte der Jüngste zu dem Mädchen, »entscheide du, ob du sie hören willst und kannst.«

Was wird sie sagen, wie wird sie sich entscheiden, dachte ich im stillen, wird sie diesem abscheulichen Spuk ein Ende bereiten? Ich hoffte, daß sie es täte, indem sie ganz entschieden erklärte, was sie von der Geschichte, die er uns zu erzählen gedachte, hielt.

»Bisher habt ihr mich noch nie gefragt, ob ich eine Geschichte mit anhören will«, sagte sie, »warum denn heute abend?«

»Willst du sie hören?« fragte der Jüngste. »Ja oder nein!«

»Ich kann mich auch nebenan hinsetzen«, sagte sie, »wenn ihr nicht wollt, daß ich sie höre.«

»Nein«, sagte er, »das will keiner von uns, daß du dich nebenan hinsetzt. Dies ist schließlich dein Zimmer!«

»Oder wollt ihr euch nebenan hinsetzen, und ich bleibe hier«, sagte sie seltsam gefaßt.

»Nein, auch das wollen wir nicht«, sagte der Athlet, »das wäre unhöflich, wo du uns hier so gut bewirtet hast.«

»Dann bleibt uns nichts anderes übrig, als daß wir alle hier bleiben, und ihr entscheidet euch, ob ihr sie erzählen wollt oder nicht!«

»Darum geht es nicht«, sagte der Finstere, leicht gereizt. »Die Frage ist, ob du es willst!«

»Ich sagte euch doch, ich kenne die Geschichte nicht, die er erzählen will, und wie kann ich dann im voraus sagen, ob ich sie hören kann oder nicht.«

»Gut, dann erzählt er heute seine Geschichte nicht, und wir erzählen uns eine andere, die für alle passend ist, und bewahren diese Geschichte für später.«

»Schade«, sagte der Jüngste, »ich wollte gerade beginnen, ich fühlte in mir, wie sie erstand, genauso wie sie sich zugetragen hat, ich war in der besten Stimmung.«

»Ihr müßt entscheiden«, sagte sie, »auf mich braucht ihr keine Rücksicht zu nehmen.«

»Meinetwegen brauchst du auch nichts zu erzählen«, sagte der Athlet. »Ich kann mir gut vorstellen, wie sie sich zugetragen hat.«

»Und was ist Ihre Meinung?« wandte sich der Finstere plötzlich an mich.

In diesem wirren Hinundher, in dem ein jeder, mit Ausnahme des Finsteren und des Jüngsten, ungefähr das Gegenteil sagte von dem, was er dachte und fühlte, saß ich stumm dabei und hatte den Eindruck, daß man mich vergessen hatte. Ob er sie erzählte oder nicht, konnte mir schließlich gleichgültig sein, da ich wußte, daß es um einen Friedhof ging, auf dem wir unsere Toten begraben, und den sie verwüstet hatten, sie alle, die hier saßen, auch wenn vielleicht nur einer von ihnen es getan hatte. Die Frage, die an mich gerichtet war, kam mir gerade recht. Was gab es hier noch zu verheimlichen, und mit verbissenem Trotz sagte ich, und ich wunderte mich selbst über die Entschlossenheit, mit der ich sprach: »Ich möchte die Geschichte gerne hören!«

Der Jüngste atmete erleichtert auf.

»Gut«, sagte der Finstere, der die ganze Frage ins Rollen gebracht hatte, »erzähle, los!«

»Erzähle«, erwiderte der Angesprochene aufgebracht, »erzähle, als ob man einfach so erzählen kann, wenn man einmal angefangen hat und einem dann der Faden mir nichts, dir nichts abgeschnitten wurde. Ich bin auch keine Wasserleitung, die du einfach aufdrehst, und dann springt die Geschichte heraus.«

»Du hattest ja noch nicht angefangen«, sagte der Athlet, »bitte sammle dich und erzähle, es dauert mir viel zu lange!«

»Aber ich war schon im schönsten Zug, anzufangen.«

»Du hast ganz allgemein von Gräbern, Tod, von einer Mauer, mit Glasscherben besetzt, gesprochen«, sagte der Finstere, »und jedem von uns war deutlich, was du damit sagen wolltest.«

»Es ist vielleicht besser, wenn du alles nicht zu deutlich erzählst. Wir alle haben Phantasie genug, es uns vorzustellen, und dann kann ein jeder die Erzählung anhören, ohne Bauchschmerzen zu kriegen.«

»Warum Bauchschmerzen?« erwiderte er, »ich habe auch keine bekommen, als ich dabei war. Dabei wußte ich zu Beginn nicht, um was es ging. Irgend jemand fiel aus, und da fragte man mich, ob ich Lust hätte, einmal zu zeigen, was ich wert bin. Gut, sage ich, ihr müßt mir nur sagen, was ich tun muß, und ich tue es. Gehe zu dem und dem, sagte man mir, ich will lieber keinen Namen nennen, um es nicht zu deutlich zu machen, also gehe zu dem und dem, und du wirst alles Weitere hören.«

»Wie viele wart ihr?« unterbrach ihn der Finstere.

»Fünf Mann mit mir.«

»Verkehrt«, sagte er, »das sind viel zuviel, es erhöht nur das Risiko.«

»Laß mich nur weitererzählen. Also, ich gehe zu dem Bewußten hin und sage …«

»Kanntest du ihn?« fragte der Finstere wiederum.

»Nein!«

»Hattest du einen Ausweis?«

»Ich besitze einen, aber ich habe ihn nicht mitgenommen.«

Der Finstere drehte seinen Kopf zur Seite, so daß er über seine Schulter mit dem Athleten sprechen konnte, und sagte halblaut, aber ich konnte jedes Wort verstehen:

»Unglaublich, Fehler über Fehler. Hatte er keine Instruktionen, bevor er anfing? Es hätte doch ein Spitzel sein können, das taugt nichts!«

Der Athlet nickte nur stumm und wies mit seinem Kopf auf den Jüngsten, den die fortwährenden Unterbrechungen aus seiner Ruhe brachten.

»Wenn ihr mich immer unterbrecht«, sagte er bis zum äußersten gereizt, »erzähle ich nicht weiter!«

»Sei nicht so dumm, wir haben nur kurz etwas besprechen müssen, es sind Fehler gemacht worden, grobe Fehler, stelle dir vor, es wäre schiefgegangen!«

»Es ist nicht meine Schuld«, sagte der Jüngste.

»Du mußt deinen Verstand gebrauchen. Wer für eine solch wichtige Aktion ausersehen ist, muß seinen Verstand gebrauchen, das ist die erste Pflicht. Erzähle weiter!«

»Also, ich sagte zu ihm, ich komme für – ich sagte euch, ich nenne lieber keine Namen –, er ist ausgefallen. Ich weiß, antwortet er und sieht mich prüfend an, ich habe von dir gehört, hast du einen Ausweis bei dir?«

»Na also«, sagte der Finstere erleichtert.

»Barer Unsinn«, sagte der Jüngste, »barer Unsinn, auch ein Ausweis kann falsch sein.«

»Das ist richtig«, sagte der Finstere, machte mit seiner Hand eine Bewegung, als wollte er sagen: Auch das gibt es, damit muß man rechnen. »Was tat er, da du keinen bei dir hattest?«

»Er tat etwas viel Vernünftigeres«, sagte der Jüngste, »er rief ihn an«, und er wies mit seinem Finger auf den Athleten.

»Das ist in der Tat vernünftig«, sagte der Bruder und rutschte auf seinem Stuhl hin und her.

Der Jüngste fuhr fort:

»Aber nach einem Augenblick kam er zurück und sagte, es sei in Ordnung, also heute abend um sieben Uhr, Bahnhof Süd, zweite Sperre, und höre zu, du kennst niemanden, verstanden?«

Bahnhof Süd, dachte ich bei mir, wohin werden sie gefahren sein, um ihr trauriges Geschäft zu verrichten?

»Ich bin Punkt sieben Uhr Bahnhof Süd, Sperre zwei, und eine Menge Leute stehen dort herum. Ich stelle mich dort auf, und wie das so geht, man schaut sich um, und da stehen unter den vielen Wartenden verstreut drei, die ich schon einmal gesehen hatte, und tun, als ob sie einander nicht kennen. Sie standen nicht nebeneinander, nein, sie standen verstreut, sonst denkt ihr wieder, daß ein Fehler gemacht wurde, aber es wurde kein Fehler gemacht, an dem ganzen Abend wurde kein Fehler gemacht, soviel verstehe ich auch von der Sache. Zuerst wollte ich noch auf sie losstürmen, aber ich bedachte mich. Wir fuhren einzeln im Zug nach L.«

»Hattet ihr Fahrkarten?« fragte der Bruder.

Was für eine dumme Frage, dachte ich, es ist beinahe ein Verhör.

»Wir hatten sie vorher von ihm erhalten«, sagte der Jüngste. »Wir fuhren also nach L., niemand kannte den anderen, auf dem Bahnhof nicht und unterwegs auch nicht, an der Weise, wie sie mich anglotzten, merkte ich es. Die Fahrt dauerte ungefähr anderthalb Stunden, und als wir in L. ankamen, wich die Dämmerung der Nacht. Wir liefen immer noch getrennt durch die Stadt, der Führer voraus, wir wußten immer noch nicht, was wir hier zu suchen hatten, aber jeder hatte Vertrauen. So liefen wir durch die Straßen hinaus, dort wo der Wald die Hügel herabsteigt und bis an die ersten Häuser reicht. Wir bogen einen schmalen Seitenweg ein zwischen zwei Häusern, wo es in den Wald hinauf und zu einem Aussichtsturm geht. Ich kenne zufällig die Gegend, als Kind habe ich dort anderthalb Jahre mit meinen Eltern gewohnt. Es war ein kalter, dunkler Septemberabend, in meinem Regenmantel fühlte ich mich klamm, es ist ein elendes Kaff, in das wir gefahren waren, und wenn ich nicht hätte zeigen wollen, was ich wert bin, hätten mich nicht zehn Eilzüge in dieses Nest gebracht. Wenn es regnet, sind die Rinnsteine braune, übelstinkende Bäche, die Straßen sind so schlecht, daß sich nur selten ein Automobil in dieses Dorf, aber es ist eine Stadt, verirrt, obwohl es an sich ganz reizvoll liegt. Nach zehn Metern standen wir an einem eisernen Tor, es war ein hölzernes Tor, in dem der Wurm saß, man hatte es mit Eisenplatten beschlagen. Aber wir wußten noch immer nicht, warum wir hierhergeschickt waren und uns im Schutze der Dunkelheit durch die Stadt bis an den Rand des Waldes schlichen. Bis wir dann davorstanden und es langsam in uns dämmerte, daß man uns hierhergeschickt hatte, damit wir auf diesem Friedhof einmal gründlich nach dem Rechten sähen.«

»Man hat euch geschickt«, sagte der Finstere und blickte mürrisch auf, »woher weißt du, daß man euch geschickt hat?«

»Das weiß ich nicht.«

»Aber du hast gesagt, daß man euch geschickt hat.« Der Finstere sah sich im Kreise um, wir alle nickten, ja, das hat er gesagt.

»Wenn ich das erzählt habe ...«

»Ihr seid freiwillig gegangen«, sagte der Finstere mit entschlossenem Ton, »bitte erzähle nicht, daß man euch geschickt hat, wenn ihr freiwillig gegangen seid. Das ist nicht korrekt.«

»Es war der Friedhof«, fuhr er fort, »wir sahen ihn in der Nacht vor uns liegen, eine halbhohe Mauer aus Felsensteinen umgrenzte ihn, wir konnten über sie hinwegsehen, am Eingang ein hölzernes Tor mit Eisen beschlagen. Ein Friedhof ist immer eine düstere Angelegenheit, auch am Tage, aber erst recht, wenn du ihn so in der Nacht daliegen siehst, das heißt, du siehst ihn nicht, nur Finsternis und dann dort irgendwo geronnene Dunkelheit in den Grabsteinen und Erdhügeln, die sich in die Finsternis wölben und ihr so eng anliegen, daß du denkst, daß dies der Schatten ist, den die Finsternis sich selbst wirft in der Nacht. Der Friedhof lag am Fuße des Hügels, am Rande des Waldes, der den Hügel hinauf sich noch stundenweit gen Osten erstreckt, ich kannte ihn, als Kinder haben wir oft in dem Wald gespielt. Seine Bäume umgaben den Friedhof von drei Seiten, sie beugten sich über die halbhohe Mauer hinab, und die Spitzen ihrer Zweige berührten fast den Efeu und den Sand der Gräber. Nur das Portal lag frei. Von überall her kam Stille und Finsternis, vom Friedhof her, aus dem Wald und aus der Nacht. Wir gingen an der Mauer entlang, tastend und stolpernd, an dem steinernen Viereck, über Baumwurzeln und durch Sandlöcher. Dann standen wir einen Augenblick, ohne uns zu rühren, in einer Reihe an der Mauer und schauten hinab auf den Acker.«

»Auf den Acker?« unterbrach ihn der Finstere, »auf den Totenacker? Das klingt aber reichlich pathetisch, ich dachte, ihr wart dahin gereist, um den Acker tüchtig umzugraben, und jetzt erzählst du nur eine romantische Geschichte von dem Walde, der Nacht und anderem Dingsbums. Bleib bei der Sache!«

»Du mußt mich nicht schon wieder unterbrechen«, sagte der Jüngste ungehalten, »aber ich sage dir, wie wir da standen, gab es unter uns bestimmt keinen, der nicht einen Augenblick das Gefühl gehabt hätte, als ob er selbst hier an einem Grabe stünde. Schließlich war die ganze Situation für uns völlig neu, wir waren gar nicht vorbereitet, und jeder von uns hat schon einmal einen Toten nach seinem letzten Ruheplatz gebracht.«

»Trotzdem«, fuhr der Finstere auf kalte, gehässige Weise fort, »ihr hättet wissen müssen, warum ihr da standet, und da hätte euch euer Gefühl sagen müssen, daß das, wofür ihr gekommen seid, notwendig und darum …«

»Das weiß ich alles, spar deine Mühe«, sagte der Jüngste kurz, »ich erzähle nur, was sich dort zugetragen hat. Mein Nebenmann, ein kleiner untersetzter Bursche, stieß mich an und flüsterte: ›Hast du das gewußt?‹ Ich schüttelte meinen Kopf und flüsterte ›nein‹, denn ich dachte, daß er in der Dunkelheit die Bewegung des Kopfes nicht richtig verstehen konnte. ›Ich bin Vollwaise‹, flüsterte er mir zu, ›verstehst du?‹ – ›Ich verstehe, ja, aber es muß sein‹, sagte ich.«

Der Jüngste machte hier eine kleine Pause und sah fragend den Finsteren an. Doch dieser verzog keine Miene und saß da, zum Sprung bereit, um jeden Augenblick unterbrechen zu können. Als der Jüngste sah, daß der andere keine Anstalten traf, seine Antwort zu loben, fuhr er fort: »›Ja, es muß‹, wiederholte er ängstlich, ›und ich werde es auch tun.‹ Ich hatte Mitleid mit ihm, es klang so jämmerlich, als hätte man ihm aufgetragen, einen Mord zu begehen, und eigentlich war es auch so eine Art Mord, was wir da zu vollbringen dachten. Nur daß es keine Menschen, keine Lebenden mehr waren, die sich wehren, wenn man sie anfällt, und schreien, sondern was von ihnen übrigbleibt, das Gebein, die Asche. Wir waren gekommen, die Toten umzubringen. Und wenn ihr mich fragt, der ich es miterlebt habe, und ich bin stolz darauf, daß ich es miterleben durfte, so sage ich, daß es viel schwieriger ist, einen Toten umzubringen als einen Lebenden.«

»Warum?« entfuhr es dem Bruder auf einmal, nachdem er die ganze Zeit in düsteres Schweigen versunken war, »warum?«

»Haben Sie denn schon einmal einen Menschen umgebracht?« warf ich dazwischen, äußerlich vollkommen ruhig, als fände ich es interessant, zu wissen, ob er in seinem noch so kurzen Leben bereits einen Mord auf dem Gewissen habe.

»Unsinn«, sagte der Finstere, »ich finde auch, daß du viel zuviel philosophierst.«

»Ich wollte nur sagen, was in mir und den anderen umging, als wir die Gräber verwüsteten, aber ein Mord an einem lebenden Menschen ist mir dadurch begreiflicher und weniger abschreckend geworden.«

»Laß das doch«, entgegnete der Finstere, »du machst die Sache zu kompliziert. Das ist immer so, wenn man Anfänger vor Probleme stellt, denen sie innerlich nicht gewachsen sind. Darum finde ich die Aktion verkehrt. Hat euer Anführer nicht mit euch darüber gesprochen, nachher?«

»Nein«, sagte der Jüngste, »der hatte sich am Auge schwer verletzt.«

»Wobei?«

»Im Dunkeln war er gegen einen herabhängenden Zweig gelaufen, aber das war nur einer der Unfälle dort.«

»Habt ihr noch mehr gehabt?«

»Ja.«

»Erzähle erst weiter«, sagte der Finstere, »ihr wart gekommen, um Grabhügel zu zertrampeln und Steine umzuwerfen, weiter nichts. Vergiß alles andere, als wäre weiter nichts geschehen.«

»Das ist richtig«, erwiderte er, »dafür waren wir im Grunde gekommen. Aber wir taten noch ganz andere Dinge.«

»Welche?«

»Wir haben die Toten umgebracht. Sie müssen unser Kommen bemerkt haben, sie standen aus ihren Gräbern auf und haben mit uns gekämpft. Schließlich haben wir sie umgebracht.«

»Du phantasierst«, sagte der Finstere mit lauter Stimme und wandte sich zum Athleten, »sag du ihm, daß er aufhört.«

»Warum«, erwiderte der Angesprochene, »wenn er und die anderen das Gefühl hatten, daß die Toten aus ihren Gräbern heraufkamen und umgebracht werden mußten, so wird er es gewiß erlebt haben und darf es auch erzählen.«

»Wahnsinn«, sagte der Finstere.

»Ich kann mir gut vorstellen«, sagte der Athlet, »daß es sich so zugetragen hat. Ein nächtlicher Waldfriedhof gehört sicherlich nicht zu den angenehmsten Plätzen, seine Abende und Nächte zu verbringen, da können einem noch viel verrücktere Einfälle kommen.«

»Du hast recht«, fuhr der Jüngste fort, »mir kamen noch ganz andere Einfälle. Zuvor mußten wir erst noch vieles andere umbringen.«

»Was?« fragte das Mädchen. Wir alle sahen sie an.

»Zuerst die Nacht, dann die Stille und zum Schluß den Wald. Diese drei mußten wir erst noch umbringen, zuerst einzeln und dann zusammen. Ich werde es euch erzählen. Wir standen also an der Mauer und flüsterten, da begann jemand halblaut vor sich hin zu fluchen. Es war – aber ich wollte ja keine Namen nennen –, es war also ein stämmiger Junge, ein Turner, der da auf einmal so zu fluchen begann.

›Halt deinen Mund‹, sagte der Anführer, ›mach nicht einen solchen Spektakel, was hast du?‹

›Meine Hand‹, sagte er, ›paßt auf, die Hunde haben Glasscherben auf der Mauer angebracht. Die ganze Mauer ist voll. Wir kommen nicht hinüber.‹

›Überlaß das mir‹, sagte der Anführer, ›blutest du stark?‹

›Meine ganze Handfläche ist aufgerissen, hat jemand Verbandszeug bei sich?‹ Aber niemand hatte es bei sich.

›Nimm das Taschentuch‹, sagte der Anführer. Dann verband er ihm die Hand. Es war unheimlich still und so dunkel, daß man nichts sah als Dunkelheit, dort, wo die Bäume stehen, war Dunkelheit, und der Raum zwischen den Stämmen war ebenfalls angefüllt mit Dunkelheit, wie wenn in einen Teig, wenn er lange geschlagen wurde, Löcher hineingekommen sind, die das Ganze auflockern. Und es war unheimlich still. Über dem Friedhof hing eine Stille, was dir aus dem Wald entgegenkommt, ist Stille, und die Nacht ist tiefe Stille. Aber es war, wie wenn aus diesen drei die Stille ausgezogen war und sich vereint hier auf der Mauer vor uns niedergelassen hatte, die tiefe Stille der Nacht, des Waldes und des Friedhofes, eine feste, schwere Mauer, die gegen uns emporwuchs und sich schwer auf unsere Schultern legte, viel schwerer und fester als die aus Stein, vor der wir standen. Ich habe nie gewußt, daß es so still auf der Erde sein kann.

›Ich möchte gern wissen, wie tief er ist‹, sagte jemand. Der Anführer verschwand in dem Wald, wir hörten Äste knacken, dann kam er mit einem großen Stock zurück, den er über die Mauer schwang, um die Tiefe zu loten.

›Anderthalb Meter‹, sagte er. Er versuchte es an einer zweiten Stelle.

›Dasselbe‹, sagte er.

›Bleib stehen‹, sagte er und schwang sich auf die Mauer, während er sich auf die Schultern des fünften Mannes, von dem ich euch auch noch nichts erzählt habe, stützte. Es war eigentlich mehr ein Mädchen als ein Junge, dieser fünfte. Er hatte weiches, flachsblondes Haar, eine durchschimmernde Haut und die Bewegungen eines Mädchens. Als ich ihn sah, begriff ich nicht, warum man ihn ausgesucht hatte.

›Geht es?‹ fragte ich, als er auf der Mauer stand.

Wegen der Glasscherben stand er breitbeinig auf den beiden äußersten Rändern der Mauer, dann machte er mit seinem Oberkörper eine halbe Drehung, so daß er mit seinem Rücken zu uns stand und in die Richtung des Sprunges blickte.

›Verdammt, ist das dunkel‹, sagte er, ›ich springe, gib mir die Hand!‹

Er wartete, setzte ab und sprang, sein Fall dröhnte dumpf auf dem Sandboden, das Laub raschelte.

Dann schwangen wir uns der Reihe nach, wie wir standen, uns auf den folgenden stützend, auf die Mauer und sprangen in die Tiefe und das Dunkel hinab. Aber es war, als ob die Tiefe und das Dunkel uns entgegenfielen und mit einem plötzlichen Stoß unseren Leib erschütterten. Ich sprang als letzter, und da ich niemand mehr als Stütze hatte, nahm ich einen kleinen Anlauf, sprang über die Glasversperrung und sprang in die dunklen Stimmen hinab, die mir zuflüsterten. Die kühle Septembernacht strich um mein Gesicht. Ich fiel gegen etwas Warmes, das sofort nachgab, ein menschlicher Körper.

›Verdammt‹, rief eine schmerzverzogene Stimme. Ich versuchte ihn festzuhalten, aber wir fielen beide auf den Grund. Es war der Mädchenjunge. ›Idiot‹, sagte ich.

›Macht keinen solchen Lärm‹, sagte der Anführer ärgerlich, ›und steht schnell auf.‹

›Er ist direkt auf meine Zehen gesprungen‹, knurrte er.

›Pst, heul nicht‹, sagte der Anführer.

Die anderen lachten leise. ›Die erste Leiche‹, hörte ich jemand flüstern. Es war der Turner.

Da standen wir nun alle auf dem Friedhof, und die Vorstellung konnte beginnen. Aber man beginnt im Dunkeln nicht so eins, zwei, drei. Es gibt Dinge, die gehen im Dunkeln von selbst, du brauchst sozusagen nicht erst zu beginnen, es ist dunkel, und die Dinge haben von allein angefangen, das Dunkel hat sie anfangen lassen. Das Dunkel hilft dir, es ist dein Freund, dein Bundesgenosse. Aber wir alle standen da, zusammengetrieben wie die Kühe vor dem Melken, und warteten darauf, daß wir anfingen. Die Nacht machte alles unsichtbar, sie beschirmte uns zwar, aber sie ließ uns einfach nicht anfangen, sie war unser Gegner, wir fühlten, daß die Nacht unser Feind war.

›So‹, sagte unser Anführer, ›kommt mit‹, und wir versuchten, ihm durch die Finsternis zu folgen. Wenn ihr aber nun denkt, daß wir sogleich mit unserer Arbeit anfingen, dann irrt ihr. Wir schlichen gehorsam im Gänsemarsch hinter ihm her, er versuchte anscheinend erst einmal auf den Hauptweg zu gelangen, um sich einigermaßen zu orientieren. Der Friedhof war nicht groß, und alle Abstände waren beträchtlich klein. Dann bog er in einen Seitenweg ein, als suchte er ein bestimmtes Grab, mit dem er anfangen wollte. Ich mußte früher öfter mit meinen Eltern mitgehen, wenn sie das Grab meiner kleinen Schwester auf unserem viel größeren Friedhof aufsuchten. Sie gingen auch immer den mittleren Weg und schlugen von dort einen Seitenpfad ein, obwohl unser Grab nahe der Mauer lag und wir besser den äußeren Weg hätten nehmen können.

Der Waisenjunge hielt sich in meiner Nähe. ›Wir mußten jeden dritten Sonntag zum Grab unserer Eltern gehen‹, flüsterte er, ›der Direktor hatte das so angeordnet. Leben deine noch?‹ War es, daß er leise sprach, oder bebte seine Stimme vor Erwartung?

›Sie leben noch‹, erwiderte ich und schämte mich ein wenig.

›Gehst du auch zum ersten Male mit?‹ fragte er.

›Ja.‹

Dann schwiegen wir beide, bis er sagte: ›Es ist so dunkel.‹

›Ja.‹

›Es ist kein großer Friedhof.‹

›Nein‹, sagte ich.

›Findest du nicht auch, daß er schön liegt?‹

›Wie meinst du das?‹ fragte ich.

›Ich meine, daß er für einen Friedhof schön liegt‹, erklärte er, ›so am Walde.‹

›Ich weiß es nicht‹, erwiderte ich kurz.

›Die großen Friedhöfe finde ich nicht so schön‹, fuhr er fort, ›mitten in der Stadt, es ist so unruhig dort, und man verläuft sich immer. Ein anderer Junge aus dem Waisenhaus …‹

›Pst‹, machte ich, ›wir müssen leiser sein.‹

›Ja‹, erwiderte er und schwieg.

Wir trotteten weiter, rechts und links von uns lagen die Hügel, kleine dunkle Erdklumpen, die sich in die Nacht wölbten, als ob die Erde dort, wo die Toten lagen, Bäuche getrieben hätte, in denen sie das Gebein zurück in ihren Schoß nahm. Wir trotteten hindurch wie ein Leichenzug, der bei Nacht und Nebel einen heimlichen Toten forttrug.

›Himmel und Hölle‹, sagte eine Stimme, es war der Turner.

›Was hast du‹, fragte der Anführer, der neben ihm ging.

›Ich halte es nicht mehr.‹

›Was hältst du nicht mehr?‹

›Ich habe Leibschmerzen‹, sagte er.

›So?‹

›Ja. Ich muß mal.‹

Der Anführer lachte. ›Geh doch, setz dich irgendwo hin, such dir ein schönes Grab und scheiß drauf, aber ziele gut …‹

›Es kommt ganz plötzlich‹, sagte der Turner und krümmte sich, ›ich halte es nicht mehr.‹

›Geh doch und setz dich in die Familiengruft, scheiß ihm in die Fresse.‹

»Entschuldige«, sagte der Jüngste, seine Geschichte unterbrechend, und wandte sich an das Mädchen, »entschuldige, Lisa – (richtig, Lisa, sie hieß Lisa, jetzt endlich fällt mir ihr Name wieder ein, so lange hatte ich ihn vergessen, warum aber jetzt?), aber er sagte es wirklich. Außerdem tun solche Worte in bestimmten Situationen ausgesprochen gut, sie geben Mut, und du fühlst dich recht zu Taten aufgelegt, wenn du in Worten alles, was an Grimmigkeit und Unrat in dir drinsteckt, herausgelassen hast. Dann fühlt man sich erst imstande, selbst die nobelsten Taten zu verrichten.«

170

Das Mädchen lachte, Lisa heißt sie, Lisa, sie lachte und sagte ruhig: »Erzähle nur weiter.«

»Der Turner sprang über ein Grab, über noch eins, wie man über Hürden springt, und verschwand. Wir hörten ihn behaglich stöhnen. Dann kam er wieder zurück und war noch beschäftigt, seine Hose, die er bereits hinaufgezogen hatte, wieder zu schließen.

›Jetzt kann's losgehen‹, sagte er.

Wir trotteten noch immer etwas ziellos umher, hier und da versetzten wir den Gräbern, die am Wege standen, einen Tritt und zogen an einem Gitter oder packten einen Grabstein, um ihn umzuwerfen. Aber wir zogen und packten noch nicht fest genug, es war erst der Anfang, ein Abtasten und Probieren, für das, was kam, die erste Runde.

›Los, Jungens‹, sagte der Anführer, ›wir müssen endlich anfangen.‹

›Ja‹, wiederholte der Mädchenjunge, und ich merkte, daß er ein wenig stotterte, ›jetzt müssen wir endlich anfangen, wenn es nur nicht so dunkel wäre.‹

›Für dich hätten wir erst einen Scheinwerfer aufstellen müssen, wie?‹ fragte der Anführer.

›Das meine ich nicht‹, entschuldigte er sich stotternd, ›ich meine, wenn es nicht so dunkel wäre, hätten wir schon lange angefangen.‹

›Idiot‹, sagte der Turner, ›du stotterst, Mensch, und außerdem ist jeder Satz, den du herausstotterst, auch noch Quatsch.‹

›Laß ihn in Ruhe‹, sagte der Waisenjunge, ›es ist nicht recht, daß du ihm seinen Sprachfehler vorwirfst.‹

›Kümmere dich um deine Großmutter‹, erwiderte der Turner gereizt. ›Zeig erst einmal, was du für ein Kerl bist, bevor du Stotterer, die Quatsch sprechen, in Schutz nimmst. Hast du verstanden?‹

›Ich habe dich verstanden‹, sagte der Waisenjunge, ›aber trotzdem werde ich ihn weiter gegen dich in Schutz nehmen, und wenn du denkst, daß ich hierhergekommen bin, um zu zeigen, was ich für ein Kerl bin, irrst du dich gründlich. Ich bin mitgegangen, ohne daß man mir vorher erzählt hat, was ich zu tun habe. Gut, ich bin nun einmal hier und werde tun, was man von mir verlangt, auch wenn es eine schändliche Sache ist, die wir betreiben, eine schändliche Sache.‹

›Was sagst du da‹, sagte der Turner, etwas Lauerndes lag in seiner

Stimme. Man konnte sein Gesicht nicht sehen, es war nur eine schwarz-umrissene Fläche, aus der halblaut eine zischende Stimme kam, aber ich konnte mir gut vorstellen, wie er aussah, seine Augen nur halb geöffnet, die Lippen straff und den Kopf geduckt eingezogen, als spannte er seinen Körper zum Sprung.

›Eine ekelhafte und schändliche Sache, die wir hier betreiben‹, wiederholte der andere herausfordernd, ›auch sehe ich ihre Notwendigkeit nicht ein, und doch mache ich mit, denn ich bin nun einmal hier. Aber es bleibt eine ekelhafte Sache.‹

›Du mußt leiser sprechen‹, sagte der Anführer, ›man kann uns sonst hören.‹ Das war alles, was er im Augenblick sagte.

Zuerst wunderte ich mich, daß er nicht schärfer vorging. Bis ich begriff, daß er weise handelte. Ich dachte erst, daß es Schlappheit wäre, aber später habe ich noch einmal nachgedacht und fand, daß er eigentlich sehr weise aufgetreten ist. Dem Turner schoß es in den Bauch, der Mädchenjunge begann zu stottern, und der Waisenjunge dachte sicher an den dritten Sonntag im Monat. Er ließ sie alle gewähren, was tiefer in ihnen steckte, mußte heraus, und er hinderte sie nicht, er hatte Erfahrung mit solchen Unternehmungen, darum war er weise.

›Ich bin froh, daß ich eine Waise bin‹, fuhr er fort, ›daß meine beiden lieben Eltern schon lange tot sind, ich würde es nicht wagen, ihnen unter die Augen zu kommen, wenn sie noch am Leben wären.‹

Da sagte der Stotterer, der Mädchenjunge, derselbe, den er eben noch in Schutz genommen hatte, zu ihm: ›Hast du etwa Angst?‹

Wir alle waren überrascht, daß er das sagte, wo der andere noch eben für ihn eingetreten war, und nun fiel er ihn an und trachtete vielleicht, sich dadurch bei den anderen Liebkind zu machen. Es war widerwärtig, und niemand pflichtete ihm bei.

Auch der Waisenjunge schenkte seinem Gerede keine Beachtung und sagte: ›Meinetwegen schlagt die Lebenden tot, steckt ihre Häuser an und werft ihre Kinder zum Fenster hinaus, meinetwegen, aber die Toten laßt in Ruhe. Es ist ehrenvoll, gegen einen lebenden Feind zu kämpfen und ihn, wenn es sein muß, umzubringen. Aber Tote umzubringen, darauf ruht kein Segen.‹«

Nach den anfänglichen Unterbrechungen hatten alle still seiner Erzählung gelauscht und saßen zurückgelehnt auf ihren Stühlen oder hingen in einem Sessel wie der Bruder, sie rauchten, blickten in die Luft, warfen ab und zu einen Blick auf den Erzähler und blieben weiter völlig passiv. An ihren Gesichtern konnte man nicht ablesen, welche Wirkung diese Erzählung auf sie ausübte, sie waren die gleichen wie zuvor, und ich saß unter ihnen, ein Fremder, ohne daß sie es wußten, lauschte ebenfalls seiner Erzählung und versuchte, möglichst gleichgültig dreinzuschauen. Du bist ein Schuft, dachte ich bei mir, daß du nicht aufstehst und dieser ekelhaften und schändlichen Sache den Garaus machst. Es tat mir gut, mich selbst einen Schuft zu nennen, und zugleich litt ich darunter. Seine Erzählung erweckte allen Grimm und Haß in mir, ich litt darunter, und zugleich tat es mir gut, daß ich litt. Ich hätte heulen können, und zugleich tat es mir gut, wie wenn ein Vater mit Tränen in den Augen sein Kind schlägt, die doppelte Lust genießend, daß er schlagen kann, und die Lust der Qual, daß er es schlägt. Da unterbrach ihn der Athlet.

»Hat er das so gesagt?« fragte er. Er saß noch immer ruhig und breit auf seinem Stuhl und schien so vor sich hin zu denken: Schau einmal dieser Waisenknabe! Er wechselte einen Blick mit dem Finsteren, und obwohl sie beide so verschiedene Menschen waren, offenbarte mir dieser Blick ein heimliches Einverständnis, das ich übersehen hatte. Ich sah, daß der Gutmütige gar nicht mehr so gutmütig war.

»Weiter«, sagte der Finstere, »erzähle ruhig weiter!«

Der Jüngste erzählte weiter. »Da begann der Turner wieder und sagte:

›Du begreifst auch gar nichts davon, was wir hier tun und warum wir hierhergekommen sind. Es geht gar nicht so sehr um die Toten als um die Lebenden. Stell dir vor, wenn sie morgen kommen und die Bescherung entdecken, vielleicht begraben sie morgen wieder einen Toten, Mensch, die Gesichter möchte ich sehen.‹

›Du mußt leiser sprechen‹, sagte der Anführer und klopfte ihm ermutigend auf die Schulter. Wir alle schwiegen, auch der Waisenjunge. Wiederum fühlten wir die Stille des Friedhofes und der Nacht, ein warmer Wind erhob sich und begann die Bäume zu bewegen, so daß die Zweige auf die Gräber schlugen. Es war kein Himmel zu sehen dort, wo wir standen, unter den Bäumen nicht und auch nicht auf den freien Stellen dazwischen, es war Nacht, sternenlose Nacht.

›Dann erst werden sie merken, daß es ihnen an den Kragen geht, bei lebendigem Leibe werden sie es merken, daß es zu Ende ist mit ihnen. Bei lebendigem Leibe werden sie alle Todesängste ausstehen, die ein Mensch ausstehen kann bei vollem Bewußtsein. Ihr Leben wird ein schreckliches Sterben werden, viel schrecklicher als das Sterben selbst, und die letzte Gewißheit, daß der Tod ihnen Ruhe und Frieden bringt, wird ihnen entschwinden.‹

›Das mag alles wahr sein‹, erwiderte der Waisenjunge, ›aber trotzdem …‹

›Hört endlich auf‹, sagte der Anführer.

›Das eine will ich noch sagen.‹

›Nein, hört endlich auf!‹

›Laß ihn ausreden‹, sagte der Stotterer flott und ohne anzustoßen.

›Also sprich!‹ sagte der Anführer.

›Aber trotzdem‹, fuhr er fort, ›bleibt es ein Unrecht, und eine innere Stimme sagt mir, daß es so ist. Wenn du glaubst, daß es so etwas gibt …‹

›Interessiert mich nicht‹, sagte der Turner. ›Und daß es einen Himmel und …‹

›Quatsch‹, sagte der Mädchenjunge, ›glaube ich nicht, an den Himmel glaube ich nicht.‹

Es klang unglaublich komisch, ich habe schon viele Stotterer sprechen hören, und ich habe mich stets bemüht, nicht zu lachen. Es gibt Komiker, die billig Lorbeeren ernten, indem sie Stotterer nachmachen. Ich habe es immer verabscheut. Aber ich habe noch nie einen Stotterer stottern hören: ›Glaube ich nicht, an den Himmel glaube ich nicht.‹ Es war entsetzlich komisch, entsetzlich und komisch. Wir begannen alle leise zu lachen.

›Los‹, sagte der Anführer und schlug im Laufschritt einen kleinen Seitenpfad ein. Wir folgten ihm stolpernd, wir liefen direkt unter den Bäumen, die Zweige schlugen uns um die Ohren. Da schrie er auf einmal auf. ›Aufpassen‹, rief er, wir duckten uns schnell, aber es war schon zu spät, die Spitze eines herabhängenden Zweiges hatte ihn ins Auge geschlagen. Er hielt seine Hand über sein rechtes Auge.

›Zeig her‹, sagte ich.

›Weiter‹, rief er mit wütender Stimme und lief davon, die Hand über dem Auge. Wir hinter ihm her. Wir kamen in die rechte obere Ecke des Friedhofes, am Fuße des Hügels, da lagen kleine Hügel, Kindergräber. Wir liefen auf sie zu, sprangen auf sie hinauf, rückten an den kleinen Grabtafeln, zogen die Pfähle heraus und warfen sie irgendwohin über das dunkle Feld. Zum Schluß war nur noch eine große ebene Sandfläche, auf der wir herumstampften.

Sand kam in unsere Schuhe, aber das störte uns nicht. Die Kindergräber waren eine gute Vorübung, wir kamen richtig in Stimmung und fühlten, daß wir gute Arbeit verrichteten, jeder steckte den anderen an, jeder gab sein Bestes, wir alle zusammen waren eine Einheit, die einträchtig ihr Werk vollbrachte. Unser Anführer hielt noch immer sein Auge bedeckt, er mußte gewaltige Schmerzen haben, er konnte nur noch mit einem Auge in die Dunkelheit sehen. Wirklich, jeder tat, was er konnte, und es schien, als ob die kleine Auseinandersetzung zu Beginn den Boden vorbereitet hätte für eine einzige Aktion. Wir taten es gut, aber dennoch ohne die echte Begeisterung. Wenn ich es vergleiche mit dem, was später noch geschah und wie wir es taten, muß ich sagen, wir taten es etwas lau.

Danach klopften wir unsere Hosen aus und schüttelten den Sand aus unseren Schuhen. Und dann ging es weiter. In der Nähe standen einige Erbbegräbnisse, große marmorne Steinplatten und viereckige Säulen, das Ganze von Eisengittern umgeben. Es waren alte, morsche Gitter, halbverrostet, und sie hingen nur noch lose in den Zapfen. Sie boten keinen großen Widerstand, wir zogen sie aus dem Grund und warfen sie auf die Gräber nebenan. Dann nahmen wir uns die Steinplatten vor, aber zuvor zogen wir erst alle Blumen heraus und warfen sie in die Richtung der Mauer, es waren zum Teil frische Blumen auf diesen alten Gräbern, oder wir zertrampelten sie auch auf dem Boden, je nachdem, dann versuchten wir es mit den Steinen, aber sie waren zu groß und zu massiv. Wir hätten eine Schaufel oder ein Stemmeisen mitbringen sollen. Als erster sprang der Turner gegen sie an, er kletterte an ihnen empor, als ob sie ein Turngerät wären. Der Stotterer zog von der hinteren Seite, während wir an den Flanken standen und drückten.

Aber sie fielen nicht um, sie waren eine große Enttäuschung für uns. Wir zogen zum nächsten. Hier wiederholten wir das gleiche. Zuerst die Gitter, dann die Blumen, dann die Hügel und zum Schluß die Steine, aber vergebens. Obwohl es tiefer in den Abend ging, hatten wir den Eindruck, daß es heller wurde, wir konnten einander besser unterscheiden. Der Anführer bedeckte sein Auge mit der Hand. Keiner sprach ein Wort. Langsam wurden wir warm, und trotz der Enttäuschung machte unsere Arbeit Fortschritte. Nur die Steine widerstrebten uns, und dies war der Anlaß, daß wir uns allmählich in eine Wut hineinsteigerten, die unserer Arbeit schließlich zugute kam. Solange die Steine standen, hatte jeder von uns das Gefühl, daß die Toten noch Widerstand leisteten, daß sie noch nicht tot waren und grimmig auf die Zerstörung niedersahen.

›Noch einmal‹, sagte der Anführer und trieb uns an. Er hatte seine Hand von dem Auge weggenommen, und wir sahen, daß das Lid dick über dem Augapfel hing. Wir stemmten uns mit aller Macht gegen einen Baum vor einem Stein, in dem in Goldschrift Worte und Zeichen hineingehauen waren. Vergebens.

›Jetzt an die anderen‹, sagte der Anführer. Wir liefen wie gehetzt den Pfad entlang zu den kleineren Grabsteinen. Jetzt sahen wir, daß sie alle noch aufrecht standen, drohend und uns zum Trotz. Es waren Arme oder Beine oder der Kopf, den die Gerippe aus ihren Erdlöchern herauswachsen ließen, ein Zeichen, daß sie noch immer eine Macht bildeten, mit der man rechnen mußte, daß sie die Erde noch nicht verlassen, sondern sich nur in ihren Leib zurückgezogen hatten, von wo aus sie ihr Unwesen treiben konnten. Wir liefen, als hetzten sie uns durch die Gänge und Pfade. Es fügte sich, daß wir zu zweit ein Grab vornahmen, der Stotterer und ich, der Turner lief mit dem Waisenjungen, der Anführer arbeitete für sich allein. Da lag der erste Stein, wir hatten ihn von hinten über das Grab geworfen, und jetzt sah es aus, als ob der Tote vornübergefallen daläge, nackt, mit blassem Bauch auf seinem eigenen Grab. Dann rückten wir dem Grab selbst zu Leibe. Es ist doch etwas anderes, ob man ein Kinder- oder ein Erwachsenengrab unter seinen Füßen hat. Auf der jungen Totenbrut trampelt man vielleicht etwas zarter herum als auf den Alten. Der folgende Stein ging wieder so. Dann der folgende, wir warfen ihn nach hinten. Da lag er, als wäre er an seinem Kopfende aus dem Grabe gekrochen und läge nun auf seinem Rücken, hilflos in der kühlen Septembernacht, und es war, als ob die Nacht und der Wald sie nicht länger mehr beschützten, als ob die Dunkelheit selbst in ihrem tiefsten Kern getroffen war und langsam über den Kirchhof auslief und die Bäume die Hügel hinaufflüchteten, hinein in den Wald. Weiter, wieder einer, den wir nicht umschmeißen konnten. Sollte er stehen bleiben und das Los seiner Brüder und Schwestern anschauen? Gut so, weiter. Manche Gräber hatten anscheinend auf uns gewartet und hatten von selbst angefangen sich zu verzehren, bis wir sie besprangen. Andere waren härter, durch die Zeit gegerbt, wir konnten uns nicht zu lange mit ihnen aufhalten. Auch einige frische Gräber fanden wir vor, denen noch kein Stein gesetzt war. Dafür waren sie übersät mit Blumen, die uns verrieten, wenn ein frisches Grab in der Nähe war. Wir steckten eine Blume ins Knopfloch, die anderen zertrampelten wir. Ich hatte die ganze Zeit die Angst, daß wir in die Nähe eines ausgehobenen Grabes kamen und ich in es hineinfiele. Aber ich gönnte den Toten diesen Spaß nicht und paßte in der Dunkelheit gut auf. Wir hatten in kurzer Zeit eine stattliche Anzahl Steine umgelegt und Gräber zertrampelt, der Friedhof wurde kahl und tot, ein ödes Bild in der Nacht. Wir waren erhitzt, die Toten ließen das Blut schneller in uns kreisen. Wir konnten zufrieden sein. Dann machten wir eine kleine Pause. Wir klopften unsere Hände ab und unsere Hosen.

Der Mädchenjunge sagte: ›Glaubst du, daß wir dafür gestraft werden?‹

Ich begriff ihn erst nicht recht, diese Frage hatte ich von ihm auch nicht erwartet, da er tüchtig mitgeholfen und besondere Sprünge in die Luft unternommen hatte, um mit noch größerer Gewalt auf den Gräbern landen zu können, und sagte: ›Gestraft, wofür und von wem?‹

›Daß wir es büßen müssen, meine ich.‹

›Unsinn, glaubst du das?‹ fragte ich.

›Ich glaube es auch nicht, aber ich muß fortwährend daran denken.‹

›Hast du etwa Angst vor der Hölle?‹ fragte ich.

›Ich glaube nicht an die Hölle‹, sagte er, ›aber ich muß fortwährend an sie denken.‹

›An was mußt du denken?‹ sagte ich.

›Daß wir etwas tun, was nicht recht ist‹, erwiderte er flüsternd. Die ganze Zeit hatte er nicht gestottert, jedoch als er zu flüstern begann, begann er auch wieder, über seine Worte zu stolpern. Er holte tief Atem.

›Warum ist es nicht recht?‹ fragte ich.

›Du kennst doch das Sprichwort.‹

›Welches?‹

›Es spukt mir fortwährend im Kopf herum.‹

›Welches?‹

›Du wirst es auch kennen!‹

›Nun?‹

›Ich kenne es nicht mehr genau, ich weiß nur so ungefähr die Bedeutung, es beginnt, meine Mutter hat es mich gelehrt: Was du nicht ...‹

›O ja‹, sagte ich, ›das kenne ich, meine Mutter hat es auch oft gepredigt, es hängt mir zum Halse heraus.‹

›Du kennst es also auch?‹

›Natürlich‹, sagte ich, ›es ist so alt wie Methusalem.‹

›Von wem stammt es eigentlich?‹

›Ich weiß es nicht, das mußt du bei Sprichwörtern nie fragen. Die entstehen von selbst.‹

›Wenn du hier begraben liegst, und irgend jemand würde auf deinem Grabe ...‹, fuhr er fort.

›Wenn ich tot bin, interessiert es mich nicht mehr. Du siehst Gespenster.‹

›Oder deine Eltern oder deine Schwester oder irgend jemand, der dir lieb ist?‹ Woher er wußte, daß ich eine kleine tote Schwester habe, ist mir nicht deutlich geworden. Vielleicht sagte er es nur so, um ein Beispiel zu geben. Aber es war eine schwierige Frage, und ich mußte nachdenken, während er sich umdrehte, um auszutreten und seinen Strahl auf die Inschrift einer Platte zu richten. Als er sich wieder umdrehte, er genierte sich anscheinend vor mir, der Mädchenjunge, sagte ich: ›Ich weiß es nicht, darüber habe ich noch nicht nachgedacht. Aber ich glaube, daß es mir nicht so angenehm wäre.‹«

»Von wem ist es eigentlich«, sagte Lisa plötzlich und wandte sich an ihren Bruder, die Erzählung unterbrechend.

Ich erschrak, als ich ihre Stimme hörte, denn ich hatte ihre Anwesenheit völlig vergessen. Nun war sie es selbst, die mich daran erinnerte. Der Bruder zuckte gelangweilt die Achseln. »Weiß ich nicht«, sagte er kurz.

»Von wem ist es eigentlich«, sagte der Finstere und drehte sich gleichmütig nach dem Athleten um. Die kleine Unterbrechung schien ihnen angenehm, sie reckten sich auf ihren Plätzen, das Mädchen strich sich übers Haar, der Athlet streckte seine Beine weit von sich, faltete die Hände und ließ seinen Kopf auf die Brust sinken. Er dachte nach.

»Ich weiß es auch nicht«, sagte er nach einer Weile, »wer wird es gewesen sein?«

»Irgend so ein alter anonymer Kacker.«

»Ein Grieche?«

»Nein, das glaube ich nicht, steht es nicht im Neuen Testament? In der Bergpredigt oder sonstwo? Meistens stehen diese Dinge in der Bergpredigt oder weiß ich wo.«

»Komisch«, sagte der Jüngste, »jeder kennt es, jeder führt es im Mund, niemand lebt danach, Gott sei Dank, und niemand weiß, wer es gesagt hat.«

»Gott sei Dank hat er gesagt«, sagte der Finstere belustigt und begann hart und schneidend zu lachen, »Gott sei Dank, niemand lebt danach, das ist der beste Witz, den du heute abend gerissen hast, Gott sei Dank.« Es klang, als wenn er fluchte.

»Es ist alt«, sagte ich auf einmal und versuchte, meine Stimme gleichgültig erklingen zu lassen. Ich fühlte, daß meine Beine zu zittern anfingen. Der Schweiß brach mir hervor.

»So«, sagte Lisa und lachte mich freundlich an.

»Ja, mein Vater hat es immer gesagt«, fuhr ich fort, ohne zu wissen, welche Folgen dieses Eingeständnis hatte.

»Wie alt ist Ihr Vater«, fragte der Athlet, und der Jüngste begann zu kichern.

»Nicht ganz so alt wie das Sprichwort«, entgegnete ich.

Jetzt lachten auch die anderen, aber es war ein anderes Lachen als zuvor, es lag eine gewisse Vertraulichkeit darin, eine Entspannung, eine Anerkennung. Ich hätte die Situation für mich noch retten können.

»Wer war es denn, heraus mit der Sprache«, sagte der Jüngste.

»Es war ... ich weiß es nicht genau, ich glaube Hillel oder so ähnlich.«

»Wer war denn das?« fragte der Finstere und sah mich überrascht an.

»Ach, so ein Alter«, sagte ich nur. Weiter nichts. Wenn er wollte, konnte er seinen Namen heute abend im Konversationslexikon nachschauen, wenn er ihn bis dahin nicht vergessen hatte.

Alter, guter Hillel, der du, mit deinem Barte, diese Welt gesagt und erklärt hast allen denen, die zweifelnd auf einem Beine stehen ... Alter Hillel!

»Erzähl weiter«, sagte der Bruder.

Der Jüngste fuhr fort. »Wir hatten ganze Arbeit geleistet, und auch die anderen hatten ihre Arbeit nicht halb getan. Wir hörten sie auf der anderen Seite hin und her schleichen, das Fallen der Steine, Getrampel der Füße, Stöhnen und Prusten und Jagen über raschelndes Laub. Sie waren um die gleiche Zeit fertig wie wir.

›Die Steine sind so schwer‹, sagte der Waisenjunge, als wir uns auf dem Mittelpfad trafen. Er wischte sich mit der Hand den Schweiß von der Stirn. Sein Gesicht glänzte in der Dunkelheit, er war müde und atmete schwer.

›Hast du viel umgelegt‹, fragte ich ihn, um ihn etwas aufzumuntern.

›Ich habe sie nicht gezählt‹, erwiderte er, er machte gar keinen frohen Eindruck, als sei er mit seinen Leistungen nicht zufrieden.

›Was habt ihr denn da gemacht‹, sagte er auf einmal und wies in die Richtung der Mauer hinter mir, ›ihr habt ja eine ganze Reihe stehenlassen.‹

Ich drehte mich um und erblickte in der Dunkelheit eine Reihe von Gräbern, die noch unberührt standen, die Hügel und Grabsteine standen unversehrt wie zu Anfang, wir hatten sie vergessen.

›Komm‹, stieß er hervor und stürmte den Seitenpfad hinein. Er lief wie besessen, es war ein tolles Schauspiel, das ich da sah, der Höhepunkt dieser Nacht, ich werde es nicht mehr vergessen. Er sprang wie ein dunkler Kobold mit großen Sprüngen von Grab zu Grab, sein schwarzer Körper wirbelte in der Luft. Die Arme hielt er weit von sich und bewegte sie, als ruderte er durch die Nacht. Er hatte eine unglaubliche Sprungkraft, selbst der tiefste Sand der Hügel vermochte sie nicht zu lähmen. Immer wieder federte er auf und weiter zum nächsten. Dabei stieß er gurgelnde Laute aus, er spuckte sie aus seinem Munde, als kämen sie tief herauf aus seinem Gedärm. Ich folgte ihm. Dann sah ich, wie er auf dem letzten Hügel nahe der Mauer herumtrampelte, immer schneller bewegten sich seine Beine auf der Stelle, eine irrsinnige Lust überkam ihn, und er ließ sich der Länge nach auf das Grab fallen, griff mit seinen Händen in die nasse, klamme Erde und begann zu buddeln und zu graben. Seine Finger fraßen die Erde und griffen immer tiefer hinein, als verspürte er das Verlangen, mit seinen Händen das Gebein herauszukratzen. Sein Kopf lag auf der Erde, und der Sand kam in seinen Mund. Er spuckte, gurgelte und kratzte in einem rasenden Tempo weiter. Dann hielt er plötzlich inne, blieb wie tot auf dem Hügel liegen, sprang auf und besprang das Nachbargrab. Hier wiederholte er das gleiche, zuerst das wütende Getrampel, er riß seine Knie in die Höhe, anscheinend ging ihm die Kraft aus, warf sich der Länge nach über das Grab und steckte seine Hände in die Erde. Aber er blieb länger liegen, als wollte er sich ausruhen und neue Kräfte sammeln für das nächste.

›Es ist gut‹, sagte ich und half ihm, als er aufstand. Seine Hände waren voll schwarzer Erde, sein Gesicht war schwarz, und sein Mantel war schwarz und voller Sand.

›Das hast du gut gemacht‹, sagte ich, aber er antwortete nicht und ließ sich schweigend von mir zu den anderen zurückbringen. Nur der Turner fehlte. Er stand ein paar Reihen weiter und studierte die Inschrift eines umgeworfenen Steines. Er mußte sich tief über ihn hinabbeugen, da es dunkel war, so daß er nichts entziffern konnte, er kniete neben ihm nieder und stützte seine Hände auf den Marmor.

›Gehen wir‹, sagte der Anführer, er war müde, und obwohl er zufrieden war, machte er einen abgekämpften, mißmutigen Eindruck. Sein Auge war noch geschlossen, aber er hatte weniger Schmerzen. Er war ein guter Anführer, und er ließ uns alles tun, aber es schien mir, als ob er zuwenig Begeisterung hatte. Wir mußten alles aus uns selber herausholen, er feuerte uns nicht an, am Anfang hatte er das Pech mit seinem

Auge. Vielleicht störte ihn, daß er nur auf ein Auge angewiesen war. Aber sonst war er ein guter Anführer.

Dann fand sich auch der Turner bei uns ein. ›Raus‹, sagte er, ›ich habe genug, ich gehe.‹ Und er wandte sich auf der Stelle um, um zu gehen.

›Hast du wieder Leibschmerzen‹, sagte der Mädchenjunge.

Dieser Abend hatte ihm Selbstvertrauen gegeben, und er begann, den anderen zu frotzeln.

›Scheiß dich ruhig aus!‹

›Halt deine Schnauze‹, erwiderte er, ›ich könnte in einem fort kotzen.‹

›Na, dann kotze dich aus‹, sagte der Anführer und klopfte den Sand aus seinem Mantel.

›Ich kann nicht soviel fressen, wie ich kotzen möchte‹, sagte er, ›ich gehe.‹

›Du bleibst!‹ sagte der Anführer in scharfem Ton, ›du bleibst!‹

Wir alle hatten übrigens den Flüsterton aufgegeben und sprachen gewöhnlich, nicht besonders laut, aber auch nicht besonders leise. Es gab keine Stille mehr und auch keine Nacht, auch der Wald hatte es nicht verhindern können.

›Keine Dummheiten‹, fuhr der Anführer fort, ›in dem Aufzuge kannst du doch nicht nach Hause fahren, Idiot!‹

Der Turner trat an ihn heran, als wollte er sich mit ihm messen. Sein Gesicht war ganz beschmiert mit Sand, an seinen Händen klebte die Erde, er hob langsam seinen rechten Arm, sein Körper spannte sich, und er sah den Anführer mit einem drohenden, haßerfüllten Blick an.

›Mensch‹, sagte der Stotterer und trat auf ihn zu. ›Du bist wohl …‹

Der andere drehte sich mit einem Ruck um. Sie standen so dicht beieinander, daß jeder seinen Kopf, wenn er wollte, auf die Schultern des anderen legen konnte. Der Turner war überrascht und zögerte. Seine Arme baumelten an seinem Körper, er hielt ihn ganz entspannt und nachlässig, ein Zeichen, daß er vor ihm keine Angst hatte. Aber auch der Stotterer hatte keine Angst mehr.

Und dann begannen die beiden sich auf unflätige Weise zu beschimpfen, es war völlig sinnlos, und niemand hatte gedacht, daß es soweit zwischen ihnen käme, obwohl es zuweilen aussah, als wenn sie auch ihre Fäuste gebrauchen würden. Aber soweit ist es zum Glück nicht gekommen, es blieb einfach ein wüstes Geschimpfe und Gepöbel, die gemeinsten Flüche kamen über ihre Lippen, so gemein, daß ich sie hier nicht wiederholen kann, und ich bin selbst kein Heiliger«, sagte der Jüngste und sah das Mädchen an. »Sie badeten beide gleichsam in ihren Worten, sie hatten beide ein großes Repertoire, und niemand blieb dem anderen etwas schuldig. Wir alle waren gereizt und unruhig, und es war nur gut, daß dies zuletzt geschah, denn wenn es am Anfang passiert wäre, hätten wir nicht eine so einmütige Aktion ausführen können. Wirklich, es war toll, was sie einander ins Gesicht schleuderten, ich bin gewiß nicht zimperlich, wir alle nicht, aber dieses Fluchen ging uns anderen über die Hutschnur. Dabei wunderte ich mich am meisten darüber, daß sie sich auf einmal so feindlich gegenüberstanden, während ich dachte, daß dieser Abend uns fester zusammengeschweißt hätte.

›Ich muß mir meine Hände waschen‹, sagte der Waisenjunge. Und sie hörten plötzlich wieder auf.

›Irgendwo muß es hier doch Wasser geben‹, sagte der Anführer.

Wir suchten und fanden in der Ecke neben dem Portal ein kleines Häuschen, an dessen Außenmauer ein Wasserhahn war. Erst schlugen wir noch die Fensterscheiben ein, daß das Glas mit einem hellen Klang innen auf den steinernen Boden fiel. Dann wuschen wir uns, einer nach dem andern, und da niemand Seife bei sich hatte, etwas oberflächlich, zuerst den Schmutz von den Händen, dann das Gesicht, den Hals, und schütteten den Sand aus den Schuhen und säuberten unsere Hosen, die wir auszogen, denn so, wie sie aussahen, konnten wir uns nicht blicken lassen. Wir taten es schweigend. Hinter uns lag der Friedhof, da stand der Wald, und noch immer war es Nacht. Wir hatten nur den einen Wunsch, so schnell wie möglich hier wegzukommen. Wir kletterten über die Mauer, die Einzelheiten dieser Kletterei will ich euch ersparen, aber es war viel schwieriger als der Sprung von der Mauer hinab, und es ging nicht ohne Schrammen und Wunden ab. Ich zerriß meine Hosen. Dann schlichen wir getrennt durch die Stadt zurück und fuhren mit dem nächsten Zug nach Hause. Man sah uns die Spuren des

Abends noch an, der Waisenjunge hatte noch immer seine dreckigen Hände, er sah aus wie ein Gärtner, und unsere Mäntel waren auch schmutzig. Aber da wir nicht in demselben Wagen fuhren, fiel es nicht weiter auf. Aber alles in allem war es ein schöner Abend gewesen«, sagte der Jüngste, »und ich bin froh, daß ich ihn so gut hinter mich gebracht habe.«

»Schön«, sagte der Finstere, als er geendet hatte, und nickte ihm verständnisvoll zu.

»Noch einen Whisky?« sagte der Athlet. Der Jüngste nickte. Er war müde und still geworden.

Der Bruder erhob sich, griff nach der Flasche und ging reihum. »Ich nicht«, sagte der Athlet.

Ich trank, und dann sah ich mir einen jeden noch einmal an, denn ich wußte, daß ich sie nie mehr sehen würde, ich trank in großen Zügen, und bei jedem Schluck, den ich nahm, sah ich mir einen von ihnen genau an, den Jüngsten, der anscheinend zufrieden auf seinem Stuhl saß, nachdem er seine Geschichte erzählt hatte und nach dem Dienst eine Woche lang trinken mußte, den Finsteren, der sich so gegen die Geschichte gesträubt hatte und sie mit seinen vielen Fragen unterbrach, den Athleten, der so gutmütig dreinschaute und der größte Schuft von allen war, und schließlich Bruder und Schwester, die so verschieden waren, daß ich zweifelte, ob sie überhaupt verwandt waren. Ich trank und dachte bei mir, daß sie beides waren, gutmütig und freundlich, grausam und schlecht. Wenn sie fühlten, daß es gut war, grausam zu sein, dann waren sie es, und wenn sie gutmütig sein konnten, dann waren sie es auch. Aber jetzt hatte man ihnen erzählt, daß es gut war, grausam und hart zu sein, man hatte ihnen die Grausamkeit als eine gerechte und edle Sache vorgestellt, und also waren sie grausam. Sie waren wie die Wölfe, überfielen nachts Kirchhöfe und verwüsteten sie. Aber sosehr sie sich auch bemühten, wie Wölfe zu erscheinen, sie waren doch keine Tiere. Denn es ging nicht nur darum, was sie taten und sagten, sondern auch um das, was sie verschweigen mußten. Es wäre alles viel einfacher gewesen, wenn sie nichts zu verschweigen brauchten, wenn sie nur grausam sein konnten und weiter nichts als grausam, man wäre schneller mit ihnen fertiggeworden und hätte sich nicht seinen Kopf zerbrechen müssen über Dinge, mit denen man doch nicht zu Rande kam.

Wir blieben noch eine Weile zusammen um den kleinen Tisch, ich wußte, daß es das letzte Mal sein würde, und darum verspürte ich auch gar kein Verlangen in mir, sie allein zu lassen und wegzugehen. Man kann viele Dinge tun auf dieser Erde, die nicht recht sind, dachte ich, man kann morden, plündern, betrügen und seinen Mitmenschen auf jede Art das Leben sauer machen, und man kann noch mehr Dinge tun, wenn man sie einem anderen zuliebe tut, dem man mit diesen Taten beweisen will, wie sehr man ihn liebt. Aber um Leichen zu schänden und um Friedhöfe in der Nacht zu verwüsten, muß es schon sehr schlimm um die Liebe stehen, wenn sie dieses fordert und zuläßt. Keinem einzigen meiner Kumpane werde ich erzählen können, was ich heute hier erlebt habe, niemand wird begreifen, daß ich nicht zur rechten Zeit aufgestanden und weggelaufen bin, sie werden mein Verhalten als schlapp, feige und ehrlos beschimpfen, und vielleicht haben sie auch ein wenig recht mit ihrem Vorwurf. Aber niemand von ihnen kann ermessen, wie schlimm es um die Liebe steht. Mag auch der Jüngste und mit ihm die anderen denken, daß er ein Kerl ist, der vor nichts zurückschreckt und eine Heldentat verrichtet hat, mögen auch die anderen denken, daß es gut und notwendig ist, diese Heldentaten und vielleicht noch viele andere in Zukunft zu verrichten, sie vollbringen sie alle sozusagen auf einem Bein, und im Grunde weiß jeder, wie schlimm es um die Liebe steht. Und ich dachte weiter, es geht nicht um Grabhügel, die sie bespringen, und Steine, die sie umlegen, man kann, wenn man will, auch auf andere Weise des Todes gedenken. Ein Stern, der sprühend fällt, kann es sein, der Ruf eines Vogels oder die spiegelglatte See. Sand und Gestein sind an sich keine heiligen Dinge, die man besänftigen muß, es sei denn, daß es die Angst ist, die sich an ihnen entzündet. Vielleicht dachten sie wirklich, die Don Quichottes, daß sie den Tod zertrampeln konnten, wenn sie seine Wahrzeichen besprangen, den Tod, der in ihnen schon so groß ist, daß sie ihn des Nachts voller Haß und Angst heraustrampeln müssen. Auch um ihren Haß steht es schlimm, viel schlimmer, als sie wissen. Denn selbst der Haß kann nicht ohne einen Tropfen Liebe existieren, sonst ist er kein Haß mehr, sondern eine kalte Verwüstung, ein dummer Untergang, ein dicker Nebel über den Feldern, der die Pfade verhängt, ungetane Schöpfung. Wenn sie es könnten, sie würden ihn ungetan machen, den Tod, mit ihrem Haß und ihren Heldentaten würden sie ihn ausrotten und dabei wähnen, daß ihr Leben stärker emporwachse, je mehr sie gegen den Tod wüten. Aber nicht mit dem Haß, mit dem Leben mußt du den Tod bestreiten. Solange du hassest, und es sind Grabhügel und Steine, die du verwüstest, mußt du wissen, daß dies ein schlechter Haß ist, da er den Tod, aber nicht das Leben meint. Dieser Haß ist dein Feind, und du mußt auf ihn achten, denn er ist ein gefährlicher Feind. Darum muß man auch den Haß lernen. Heute ist er eine Schwäche, morgen kann er eine Stärke sein, immer ist er eine Kraft, die erst in der Verwandlung glüht. Und wenn du das Leben nur ein wenig lieb hast, wirst du ihn in dir verwandeln, dort, wo du dir selbst Feind und Widersacher bist, und zugleich bin ich es auch dir, dort wirst du ihn verwandeln. Auch wenn du es denkst, aber es ist nicht so, du streitest nicht gegen mich, weil ich eine andere Meinung habe oder eine andere Haarfarbe oder weil meine Nase anders im Gesicht sitzt als die deine, es ist alles dein Eigenes, wogegen du streitest, und je mehr du es vor dir selbst verschweigst und nicht wahrhaben willst und es nicht fassen kannst und mogelst, desto heftiger bestreitest du es in mir, mit einem Haß, der nicht mehr dem Leben zugetan ist. Aber dort, wo du selbst mit dir haderst, dort in diesem Urgrund will ich dich fassen und von dir ergriffen werden, dort stehe ich bei dir. Und, dachte ich weiter, solange du und ich diesen Haß, der aus einem guten und vollen Herzen kommt, das dem Leben zugetan ist, nicht gelernt haben und jenen Tropfen Liebe in ihn mit hinüberretten, sind wir schlechte Widersacher auf dieser Erde und nicht wert, daß wir uns begegnen. Aber auch mein Haß ist noch ein feiger, schlapper und ehrloser Haß, er erhält noch immer zuviel Angst vor seinen eigenen kalten Möglichkeiten, vor der eigenen Grausamkeit und der eigenen Verwüstung. Und darum sitze ich auch hier und konnte ihre Heldengeschichte mit anhören, weil mein eigener Haß noch ein schlapper und feiger und ehrloser Haß ist. Ich werde ihn noch lernen müssen.

Der Bruder hatte wieder lässig seinen Platz eingenommen in dem niederen Lehnstuhl, seine Beine hingen über die Seitenlehne, das Gespräch plätscherte weiter, ohne daß ich noch darauf achtete. Da hörte ich, wie das Mädchen sich zu ihm herüberbog und ihn halblaut fragte: »Bist du auch schon einmal dabeigewesen?«

»Leider nicht«, sagte er und griff nach seinem Glas.

Ich sah ihr Gesicht, das unverändert blieb, freundlich und voller Zuneigung. Sie lachte ihm zu.

Kurz darauf stand ich auf, und die anderen gingen zugleich mit mir weg. So leicht muß die Liebe sein, daß man wie auf einer Wolke, so luftig und hoch, in sie hineinsegelt? Leider nicht, Lisa.

Und nun weiß ich auch, warum ich deinen Namen vergessen habe.

XI

Dies schreibe ich nieder auf den Rand einer Zeitung. Sie trägt sein Bildnis von dem Tage, da er den ersten Schritt zur Macht setzte, zur Höhe seines Ruhmes.

Wie hat sich sein Gesicht verändert. So sieht ein Sieger aus! Ich habe die Zeitung gefunden, versteckt unter unzähligen anderen auf dem Boden eines Hauses, in einer anderen Stadt, in einem anderen Land, in dem ich mich verborgen halte. Ich bin aus dem Hause geflüchtet, in dem ich zur Welt kam, weg von den Eltern, alles habe ich zurückgelassen. Schon die letzten Nächte schlief ich außerhalb, mal hier, mal dort, bei Menschen, die mir freundlich gesinnt waren und mich für eine Nacht bei sich aufnahmen. Die Eltern blieben in dem Haus zurück, obschon auch sie gewarnt waren. Meine Mutter war kränklich und konnte sich schwer trennen.

»Was kann uns geschehen«, sagten sie, »wir sind alt. Geh du!«

Ich war gegangen und hatte sie im Stich gelassen.

Als ich sie im Stich ließ, tröstete ich mich mit dem Gedanken, daß sie alt und kränklich waren. Was konnte ihnen geschehen? Aber ich wußte, daß mein Vater vor vielen Wochen schon heimlich seinen Rucksack gepackt hatte, um ihn mitzunehmen, falls man ihn holen sollte. Ich jedoch ließ sie im Stich!

Eines Tages schon gegen Abend fuhr in der Dämmerung ein Auto vor ihr Haus, ein Personenwagen mit sechs Sitzen. Man hat es mir später berichtet. Zwei Mann, bewaffnet, sprangen heraus und gingen nach oben, der Chauffeur und ein anderer neben ihm auf dem Sitz, ebenfalls bewaffnet, warteten unten. Es war etwas Besonderes, ja, es war ein Vorzug, beinahe eine Freundlichkeit, daß sie mit einem Personenwagen kamen. Sonst gebrauchten sie einfach Lastwagen. Es dauerte nicht lange.

Sie nahmen die alten Leute mit.

Mein Vater trug seinen Rucksack auf dem Rücken. Die Mutter weinte. Ich werde sie nie wiedersehen. Ich kann dieses Gesicht nicht länger mehr anschauen.

XII

Ich habe die Zeitung wieder hervorgesucht und ihn mir noch einmal betrachtet, das Gesicht ließ mich nicht los. Es hat sich verändert, seit ich, ein Kind, mich zum ersten Mal über ihn beugte, seit den Tagen, da auf der Schule das Blatt zu Boden fiel und ich, als ich mich diensteifrig bückte, hinter ein Geheimnis kam. So sieht ein Sieger aus!

Das asketische Feuer aus der Zeit seines Kampfes ist verschwunden. Das Antlitz eines Mannes, der im Begriff ist, sich an eine reichgedeckte Tafel zu setzen und nach Jahren der Entbehrung endlich seinen Hunger zu stillen! Ich hasse ihn. Ist er es noch? Mein Widersacher sah anders aus. Man hätte ihn vielleicht doch totschlagen müssen – einfach totschlagen? In diesem Angesicht ist alles entschieden. Alles, was er in den Jahren zuvor versprochen hatte zu tun und von dem man nicht recht wußte, ob man es als leere Drohung oder als bare Münze nehmen sollte – denn noch hatte er nicht gewählt –, wird er wahrmachen. Ach, wie schrecklich hat er es wahrgemacht. Es war eine Wahrheit, die man am Leibe erfahren muß, um zu wissen, wie wahr sie ist.

Er hatte schon gewählt, ich gebe zu, daß ich mich geirrt habe, denn er hatte schon lange gewählt. Ich konnte es nicht verhindern. Vielleicht hatte er nur diese eine Möglichkeit, vielleicht auch habe ich meine Aufgabe schlecht gelöst.

In der Zeit, als er von Stadt zu Stadt seine Gedanken verbreitete, von Land zu Land, die Menschen zuerst insgeheim und dann immer unverhüllter aufwiegelte, indem er ihnen einen – seinen – Widersacher gab als Gegenbild ihrer selbst, daß sie sich selbst besser erkannten und nachstrebten, in dieser Zeit hätte ich sehen können, daß es ein Wahn war.

Sah niemand, daß es ein Wahn war, konnte kein anderer ihn von seinem Wahn heilen? Und war auch ich vielleicht von einem Wahn befangen? Von dem Wahn, daß er ein Positivum sei? Man muß ihn totschlagen, einfach totschlagen. Aber niemand tat es, niemand! Niemand? Einen Menschen gibt es, ja, das ist gewiß, einen Menschen gibt es auf dieser Erde, einen unter Millionen, dem es gelingen wird, ihn zur Strecke zu bringen. Er selbst wird, was keinem anderen gelang, vollenden und sich selbst vernichten, totschlagen, auslöschen. Aber bis dahin …

Sie haben die alten Leute mitgenommen. Es waren seine Häscher, sie kamen von ihm, und in seinem Auftrag werden sie …

Ich werde sie nicht mehr wiedersehen. Die Mutter weinte, und der Vater trug einen Rucksack.

Der du, bevor du ihn trugst, Vater, mit dem deinen, um ihn zu tragen, alle Rucksäcke der Welt gefüllt hast mit den letzten Habseligkeiten eines Lebens, das man auf den Rücken nimmt, der du vorher viele andere, fröhlich-leichtere Rucksäcke den Kindern zu Wanderungen, von denen man zurückkommt, gepackt hast, bevor du diesen einen, den letzten, deinen letzten, der nur einmal zum Ranzen schwer geschnürt wird, packtest und immer noch packst mit Überlegung und Sorgfalt, daß man ja nicht vergesse das Nötige, das Wenige, das, was nötig ist für diese letzte Wanderung, damit er nicht zu schwer sei und man ihn tragen kann, wenn es nötig ist, nicht wie eine Last auf dem Rücken, denn man darf nicht fühlen, daß man ihn trägt; und der du, den kleinsten Platz erwägend, bis an den Rand und die Ecken, mit den Haken draußen, wo man ihn trägt, verstaut und gerückt und ineinandergefügt hast die Siebensachen deines Lebens mit der Kunstfertigkeit packender Hände, die das Leben packten wie den Schulterriemen und mit kräftigem Schwung über die Schulter warfen und den losen Gurt rechts an dem Haken befestigten und noch einmal prüften im Kreuz, ob er auch saß und das Gewicht verteilt war, wie es sich gehört – und dann gingst.

Es war ein großer, alter und von vielen Regengüssen verwitterter Rucksack, der sein Leben lang schon oft ein- und ausgepackt worden war, und er stand oben in der Bodenkammer in einer Ecke neben dem Fenster, die Schulterriemen prall. So vollgepackt war er, als ich ihn fand, und ich nahm ihn auf und wog ihn in den Händen.

Es gibt viele Rucksäcke auf dieser Erde, große und kleine, gerade gut genug, um ein paar Butterbrote hineinzuverstauen und ein wenig Tabak und Schokolade. Man trägt sie an kurzgeschnallten Riemen, und sie sitzen hoch oben auf dem Rücken, unterhalb des Nackens, man fühlt sie beinahe nicht, und aus der Ferne sehen sie aus, als ob man einen Höcker mit sich herumtrüge, einen Buckel, der etwas hinaufgerutscht ist. Man kann sie abnehmen und an zwei Fingern der ausgestreckten Hand hin- und herschaukeln, ein Luftballon, gefüllt mit Brot, Butter und Zucker, den der Wind bewegt. Und mittelgroße Rucksäcke für die längeren Wanderungen, wenn man eine Nacht oder zwei von zu Hause fortbleibt, mit etwas Nachtzeug und ein paar Strümpfen und vielleicht noch einem sauberen Oberhemd, wenn man unter die Leute geht, abends, um ein Glas Bier zu trinken oder Karten zu spielen. Man muß sie schon mit einem leichten Schwung über die Schulter werfen, aber es ist immer noch kein Gewicht. Und dann die großen Rucksäcke, mit denen man auf die Berge steigt und wieder hinunter und wieder hinauf, tagelang, mit denen man auf Wanderschaft geht und zu denen man Abschied nimmt, möge man gesund bleiben und wieder zurückkommen, gebräunt und erholt, und aus dem Rucksack ist alles aufgegessen, nur die Krümel sind übriggeblieben, und die Wäsche ist durchgeschwitzt und staubig, man sieht es ihm von außen an, daß er lange getragen wurde und nun müde ist von dem vielen, das er erlebt hat. Und dann steht er, wieder zu Hause in irgendeiner Ecke, man bürstet ihn ab und bewahrt ihn auf für das nächste Mal, ein Haken, der locker sitzt, wird fest angenäht, und ein Riemen, eine Schnalle erneuert, alles bis zum nächsten Mal. Es ist ein kleiner Globus, solange man ihn fröhlich auf seinem Rücken in die schöne Welt trägt, schon etwas alt und abgenützt, aber noch immer kann man ihn gebrauchen.

Dieser hier war so eine alte Erdkugel, der man immer wieder neues Leben eingeblasen hatte für eine Wanderung. Er besaß kein Traggestell aus Eisen und war schon unzählige Male geflickt und gestopft, und Haken und Gurte waren erneuert. Der Sack war alt wie Methusalem, und mein Vater hatte nur eine neue Schnur gekauft, eine kräftige, dunkelbraune Schnur aus geflochtenem Hanf, um ihn gut zuschnüren zu können. So war er wieder reisetüchtig, und noch unzählige Male hätte man mit ihm wieder nach Hause kommen können.

Wenn man ihn nur richtig zu packen versteht! Darauf kommt es an, und es ist eine verteufelte Angelegenheit, einen Rucksack zu packen, gut und fest zu packen und nicht einfach alle Sachen wie in einen Kartoffelsack hineinzuwerfen und mit den Händen so ein bißchen darin herumzugrabbeln wie in einem Lotteriesack, bis man das Große Los herausgezogen hat. Auf den Rücken kommt es an, man fühlt es sofort auf dem Rücken, daß etwas nicht in Ordnung ist mit der Packerei, und man sieht es an der Form. Das hängt nach unten, wie in einer Suppe sind die schweren Stücke auf den Grund gerutscht. Man trägt ihn und schwitzt, die Riemen schneiden in die Schultern, und man stöhnt wie Atlas. Da ist etwas Hartes auf dem Rücken, und das bohrt und sticht und drückt, bei jedem Schritt stößt es tiefer ins Fleisch und gegen die Rippen. Erst versucht man es mit den Händen ein wenig wegzudrücken, so, ein bißchen auf die Seite und nach vorne, man faltet die Hände auf dem Rücken und hebt den Boden ein wenig in die Höhe und vom Körper ab, dann läßt man ihn wieder auf die Schultern zurückfallen, man läuft noch eine Viertelstunde und beißt die Zähne aufeinander, vielleicht wird es besser, es wäre sonst eine Schande. Aber es bleibt einem nichts anderes übrig, man muß ihn umpacken.

Mein Vater hatte ihn also gepackt, weiß der Himmel, wann er es getan hatte, die Mutter kam selten auf den Boden, sonst hätte sie ihn dabei entdeckt.

»Du hast den Rucksack gepackt«, sagte ich zu ihm und tat, als ob dies die gewöhnlichste Sache der Welt wäre.

»Ja«, antwortete er und sah mich kurz an.

»Hm.« Auch ich sah ihn an und wußte nicht recht, was ich im Augenblick noch sagen sollte.

»Ja, ich habe ihn gepackt«, wiederholte er, nur um das Schweigen zwischen uns zu brechen. »Man kann nie wissen«, fügte er hinzu.

Es war eine ernsthafte Sache, das fühlten wir beide, auch wenn er es jetzt so hinstellen wollte, als hätte er mehr zum Zeitvertreib und weil er im Moment nichts Besseres zu tun wußte, den Rucksack gepackt. Das machte er immer so.

»Du hättest für mich auch einen packen können«, sagte ich. »Du kannst es besser als ich.«

»Du brauchst keinen«, sagte er gelassen, »du hast einen Koffer nötig!«

Einen Koffer? Einen Koffer hat man nötig, wenn man auf Reisen geht, mit dem Auto oder mit dem Zug, und den Koffer ins Gepäcknetz stellt, fein säuberlich mit einer bezahlten Fahrkarte und einem Ziel, wo man hinreist, das man sich selbst gewählt hat, und Anzüge im Koffer und Hemden, gut ausgebreitet und geglättet, um die Bügelfalten nicht zu verdrücken.

»Was hast du eigentlich alles mitgenommen?« fragte ich weiter. Es war keine Neugierde und auch keine Angst, daß er etwas vergessen könnte. Ich wußte so gut wie er, was auf dem Spiel stand, und wollte nur wissen, was man so mitnimmt.

»Was ich mitgenommen habe? Nun, was man so braucht für zwei Menschen, von denen der eine noch krank ist, Seife zum Beispiel«, sagte er.

Seife also hat er als erstes mitgenommen, als ob es nichts Wichtigeres auf der ganzen Welt gäbe als Seife, um auf eine solche Reise mitgenommen zu werden, und unser Herrgott am ersten Tage Seife mit erschaffen hätte. Es müßte also heißen: Am ersten Tag schuf Gott Himmel und Erde und Seife, daß man sie in einem Rucksack mitnehme. Also gut, Seife, natürlich hat er recht, man muß sich waschen können, man muß sauber sein, wenn man schon mit einem Rucksack in die Ferne zieht. Hört man damit erst einmal auf, ist alles verloren, dann kommen die Krankheiten, und man kann nicht mehr sagen: ›Nun werde ich mich erst einmal gründlich waschen‹, schließlich, wenn es einem dreckig geht, muß man sich erst recht waschen. Also, das war die Seife ...

»Seife«, wiederholte ich.

»Und zwei Frottiertücher«, sagte er.

Natürlich Handtücher, das gehört zur Seife und zum Sichwaschen-, Sichabtrocknenkönnen. Das Schönste am Waschen ist erst das Abtrocknen, wenn die Haut dampft, dann das Handtuch nehmen und reiben, singend reiben, über den Rücken, den Nacken, und dabei leicht in den Hüften mitgehen, bis die Haut sich rötet und sich in kleinen Stäubchen abschält und glänzt wie bei Neugeborenen, und das Gefühl von Wärme und Sauberkeit, von warmer Sauberkeit, die durch den Körper zieht.

»Und Eau de Cologne«, fuhr er fort, »für die Mutter.«

Ich begriff. Sie taumelt in letzter Zeit oft, es wird ihr schlecht, alles dreht sich vor ihren Augen, und sie wird bleich und fällt zusammen, und dann ein paar Tropfen Eau de Cologne auf die Schläfen gespritzt und sanft überhinblasen, das kühlt so erfrischend. Und ein paar Tropfen ins Taschentuch und tief einatmen …

»Ja«, sagte ich. »Und was noch?«

»Warme Sachen zum Anziehen, Unterwäsche, Strümpfe, Hosen, wollene Hemden, nur das Nötigste gegen die Kälte, warme Mützen und Handschuhe, vor allem Handschuhe«, sagte er. »Und etwas Glyzerin gegen aufgesprungene Hände, sie hat so aufgesprungene Hände in der letzten Zeit, das Blut zirkuliert nicht mehr so gut. Aber vor allem warme Sachen, das ist die Hauptsache.«

Ja, warme Sachen, Wolle gegen die Kälte, das ist eigentlich das ganze Leben. Wenn man es nur warm hat, nur warm! Daß man sich einkuscheln kann und in seiner eigenen Wärme behaglich zu Hause ist, mag es draußen kalt sein, Winter, und vielleicht kein Ofen, oder wohl ein Ofen, aber keine Feuerung, oder wohl Feuerung, aber kein Feuer im Winter. Nichts ist ärger als Kälte, ohne Liebe ist es kalt, der Tod ist kalt.

Und vielleicht auch kein Essen.

»Hast du auch was zu essen mitgenommen?« fragte ich beklommen.

»Selbstverständlich«, sagte er, »mit Maßen, Schokolade, Bonbons und Zuckerwürfel. Man kann ja nicht die Lebensmittelabteilung eines Warenhauses mitnehmen. Ein paar Bouillonwürfel und Kaffeepulver, zwei kleine Dosen. Es ist nicht die Mühe wert, sich damit abzuschleppen. Aber du weißt, wie Frauen sind, allein schon der Gedanke, sich selbst einmal etwas kochen zu können, eine Suppe oder Kaffee, beruhigt sie.«

»Sie haben recht«, sagte ich.

»Ich muß es tragen«, erwiderte er und sah störrisch drein. Er war verstimmt. Er sah hinunter zu dem Rucksack, der wartend auf der Erde stand, als würde jeden Augenblick zum Abmarsch geblasen.

»Tabak für dich?« fragte ich, um es gutzumachen.

»Ich habe es mir abgewöhnt«, sagte er. »In der letzten Zeit rauche ich gar nicht mehr.«

»Ich würde ihn doch mitnehmen«, erwiderte ich, »mit Tabak kann man immer etwas erreichen, man kann ihn gegen andere Dinge tauschen.«

»Du hast recht«, sagte er und überlegte.

»Kriegst du ihn noch hinein?«

»Was meinst du, was da noch alles hineingeht«, sagte er stolz.

»Vielleicht auch etwas Schnaps oder Cognac, eine kleine Flasche?«

»Habe ich schon.«

»Und Tabletten für den Schlaf oder gegen Kopfschmerzen.«

»Natürlich, das ist alles schon dabei, eine kleine Apotheke mit Verband und Pflaster, das ist selbstverständlich, darüber rede ich gar nicht mehr.«

»Streichhölzer?«

Er nickte. »Auch.«

Darüber redete er also gar nicht mehr. Es waren noch mehr Sachen dabei, über die er nicht mehr sprach: ein paar Fotos, und dann noch ein kleines Röhrchen extra starke Tabletten.

Wofür? Zum Schlafen, zum Einschlafen? Und Wiederaufwachen? Frag nicht, du fragst zuviel, darüber spreche ich nicht mehr.

»Willst du nicht auch ein Buch mitnehmen?« fragte ich plötzlich, aber ich wagte nicht, ihn anzusehen. Ich fand die Frage selbst unmöglich und schämte mich wegen des borniertem Aberglaubens, daß man ein Buch mitnehmen müsse.

Er wartete. Er sah meine Verlegenheit. Dann sagte er ruhig: »Ein Buch? Also du meinst, ich sollte auch ein Buch mitnehmen. Nun, Platz dafür hätte ich noch in der Außentasche. Aber welches Buch, kannst du ein Buch empfehlen?«

Während er sprach, glitt ein leises, spöttisches Lachen über sein Gesicht.

Mit seiner letzten Frage hatte er ins Schwarze geschossen, mitten hinein, es gab kein Entkommen, und ich mußte Farbe bekennen. Als Schüler hatte ich an einem großen Preisausschreiben teilgenommen über die Frage: ›Kannst du ein Buch empfehlen?‹ In meiner Antwort hatte ich mit hochtrabenden Worten fünf Bücher aufgezählt, die ich mitnehmen würde, wenn ... Ich hatte damals einen Preis gewonnen und durfte mir auf Kosten des Buchhandels für dreißig Mark Bücher aussuchen. Jetzt fragte mich mein Vater, ob ich ihm ein Buch empfehlen könnte zum Mitnehmen.

»Ich weiß keines«, sagte ich hastig. »Es ist auch nicht so wichtig.«

»Ich werde mir ein Rezept abschreiben, wie man Baumrinde zubereitet«, sagte er, »es muß ein chinesisches Rezept sein und gilt in China unter bestimmten Umständen als Delikatesse«, fuhr er gelassen fort.

Die Adern an seinen Schläfen standen prall, und er sagte weiter: »Und dazu noch ein Spezialmesser, um die Bäume gut entrinden zu können!«

Er denkt nur an den Hunger, dachte ich, er hat Angst, daß sie hungern müssen, und auf einmal durchfuhr mich die Angst, daß sie Hunger leiden müßten. Und ich begriff, daß der Stolz, mit dem er erzählt hatte, was er alles in dem Rucksack verstaut hatte, nur dazu diente, die Angst zu verbergen und niederzuhalten vor dem, was kam.

Während des Gesprächs hatte er mich nur hin und wieder angesehen, meistens schaute er irgendwie in eine leere Ferne und zuckte mit seinen Achseln, als wollte er sagen: Eigentlich ist alles unnütz, und wer weiß, ob wir je den Rucksack auspacken werden und etwas aus ihm gebrauchen, aber spielen wir ruhig das Spiel mit dem Rucksack. Denn wenn er es nicht tat, so nahm er sich selbst jegliche Hoffnung, und dann konnte er die starken Schlaftabletten besser jetzt schon nehmen.

Wir schwiegen, und dann sagte ich in meiner Verlegenheit, daß es vernünftig von ihm sei, sich vorzubereiten und zu packen, denn überstürzt könne man doch nicht einen solchen Rucksack packen.

»Ist er nicht zu schwer?« sagte ich und nahm ihn vom Boden.

Er lachte. »Ich habe wochenlang überlegt, was ich am besten mitnehmen könnte, und langsam alles hier heraufgeschafft, damit die Mutter es nicht merkt.«

»Seit Wochen also?«

Er nickte.

»Und meinst du nicht, daß sie es gemerkt hat?«

»Nein, ich glaube nicht.«

»Vielleicht würde es sie beruhigen, wenn sie es wüßte, daß du alles vorbereitet hast für den Fall ...«

Jetzt spielten wir wieder das alte Spiel, nämlich daß alles nur geschah für den Fall, wenn und falls der Umstand eintreten sollte, von dem wir überzeugt waren, daß er nicht eintrat, aber daß, wenn er je eintrat, er doch anders und bei weitem nicht so ernst eintreten würde, wie man glaubte sich vorbereiten zu müssen.

»Es ist besser so«, sagte er und ging vor mir die Treppe hinab.

Einige Tage später fragte mich die Mutter: »Bist du schon oben in der Kammer gewesen?«

»Ja«, erwiderte ich zögernd.

Sie sagte kein Wort und umspannte mit ihrer Hand ihren Hals.

»Erst bin ich erschrocken«, sagte sie, »er tut alles so heimlich und bespricht nichts. Ich weiß, er will mich schonen«, fuhr sie fort, als sie sah, daß ich es ihr erklären wollte.

»Ich kann auch noch einen Rucksack tragen«, sagte sie weiter, »so schwach bin ich nicht. Keinen großen, aber einen kleinen, wie ihn die Kinder tragen. Ich möchte verschiedene Sachen mitnehmen, die man gebrauchen kann.«

»Was?«

»Taschentücher«, sagte sie, »ich fürchte, er hat zuwenig Taschentücher eingepackt. Seife und Taschentücher, man muß sich doch waschen können. Bei einem Mann kommt es nicht so darauf an, wenn er schmutzig herumläuft.«

»Ich glaube, daß er alles eingepackt hat«, entgegnete ich.

»Aber ich möchte es doch lieber für mich mitnehmen«, sagte sie mit kläglicher Stimme, »und eine Frostsalbe für ihn. In den letzten Jahren hat er so oft Frostbeulen, das Blut zirkuliert nicht mehr so gut, er ist nicht mehr der Jüngste. Und dann hat er Decken vergessen. Ich möchte gerne meine Decken mitnehmen, ich kann sie gut tragen.«

»Hast du nicht wollene Decken vergessen?« fragte ich ihn später.

»Vergessen«, sagte er lächelnd, »glaubst du, daß ich wollene Decken vergesse? Ein Griff, und sie sind zusammengerollt und hinten auf den Rucksack geschnallt. Ich habe neue Lederriemen gekauft.«

»Und wenn du sie jetzt schon zusammenrollst?«

»Dann merkt sie es doch, und vorläufig haben wir sie hier noch für uns nötig.«

»Vielleicht solltest du doch mehr mit ihr besprechen, Vater«, sagte ich zaghaft, »sie ahnt oder weiß vielleicht doch mehr.«

»Vielleicht«, sagte er, drehte sich ab und stieß leicht mit der Spitze seines Fußes gegen den gepackten Rucksack, als wäre es ein Fußball.

»Deinen Koffer habe ich auch schon gepackt«, sagte er.

Ich erschrak. »Meinen Koffer?« sagte ich, »willst du nicht lieber ...«

»Wir werden ihn in den nächsten Tagen wegschicken«, fuhr er unbeirrt fort, »nach A., du kannst ihn dort holen und weiterreisen.«

»Es ist gut«, sagte ich.

Es war nicht gut. Ich hätte sie nicht gehen lassen sollen, aber ich konnte nicht verhindern, daß sie gingen, daß sie sich vorbereiteten. Es war gut, daß sie sich vorbereiteten, aber es war nicht gut, daß ich sie gehen ließ. Aus diesem Wirbel finde ich nicht mehr heraus. Was hätte ich tun müssen? Ich hätte ihn totschlagen sollen, einfach totschlagen. Aber auch das konnte ich nicht. Ich hasse ihn. Mein Haß ist erfüllt von der Begierde, ihn totzuschlagen. Ich hasse ihn zugleich, weil ich ihn nicht totschlagen konnte. Die Begierde durchdringt mich mit ihrem aufreizenden Stoff und zugleich zeigt sie mir meine Ohnmacht an, sie ist das Echo meiner Niederlage. So schwach bin ich, so ohnmächtig. Ich hasse mich selbst, meine Ohnmacht. Sie läßt mich erzittern. Ich fürchte ihn, ja, ich habe Angst, sein Name genügt, mich erzittern zu lassen. Ich habe nicht gewußt, daß es die Angst war, die mich blind machte und lähmte. Und doch ...

O mein Gott, in der Sterbestunde dessen, den Du mir als Feind geschickt hast, frage ich Dich aus einem geprüften Herzen, warum hast

Du Rucksäcke geschaffen, mit denen Du alte Leute auf Reisen schickst in Deine schöne Welt zu einem schrecklichen Ende? Warum ließest Du sie gehen und warum ließest Du zu, daß man sie gehen ließ? Du hast mir einen Widersacher geschaffen, und ich begreife sein Schicksal tiefer, seit er das meine wurde, größer als ich je gedacht, warum? Soll ich ihn totschlagen, um nicht von ihm totgeschlagen zu werden? Aber ich zweifle, ob er nicht doch nur eine Geißel in Deiner Hand ist, die Du geschickt hast. Warum? Ach, mit dem Haß und der Rache und ach, auch mit der Liebe ist hier gar nichts getan. Merkst Du denn nicht, daß Du Dich selber zum Widersacher geschaffen hast all derer, die Du ihre Rucksäcke packen ließest, und all derer, die zweifelten? Merkst Du nicht, daß man nicht umhinkann, auch Dich totzuschlagen, einfach totzuschlagen wie den anderen, den Widersacher, um nicht von ihm totgeschlagen zu werden, merkst Du es nicht?

XIII

Eines Tages rief Wolf mich an.

Die Dinge hatten sich so weiterentwickelt, wie ich es befürchtet und doch zu leugnen versucht hatte. Die ersten kleinen Plagereien, aus denen wie von selbst die größeren entstanden, Zusammenstöße hie und da, die ersten Verbote und Verordnungen gegen uns. Noch blieb eine Hoffnung, eine wahnwitzige Hoffnung, daß er den letzten entscheidenden Schritt nicht wagen würde.

»Hallo«, sagte er, »du bist doch Fotograf?«

»Nein«, erwiderte ich.

»Hast du es mir nicht erzählt?«

»Mein Vater ist es«, sagte ich.

»Ach so«, erwiderte er und schwieg. Nach einer kurzen Pause fuhr er fort: »Aber du verstehst doch sicher auch etwas davon?«

»Ja, ein wenig.«

»Hast du einen Apparat?«

»Ja. Und ich entwickle auch.«

»Willst du mir einen Gefallen tun?«

Was hat seine Bitte mit der Tatsache zu schaffen, daß mein Vater ein Fotograf ist, dachte ich bei mir. Welchen Gefallen soll ich ihm erweisen?

»Komm morgen mit deinem Apparat zu mir, ich werde dir alles erklären. Ich erwarte dich um drei Uhr«, und er gab mir eine Adresse, die ich nicht kannte.

Am nächsten Tag fuhr ich zu ihm zu der angegebenen Adresse, einem Haus mit Mietwohnungen, mitten in der Stadt.

»Hast du deinen Apparat bei dir?« fragte er sofort nach der Begrüßung.

»Hier«, sagte ich.

»Laß ihn in der Tasche«, sagte er, »es ist besser so, wenn niemand sieht, daß du mit einem Apparat herumläufst.«

»Warum?« fragte ich verwundert.

»Du mußt ein paar Aufnahmen für uns machen«, sagte er.

»Was für Aufnahmen?«

»Du wirst schon sehen!«

»Aber ich möchte doch gerne wissen«, sagte ich, »was es für Aufnahmen sind.«

»Es ist besser, daß du es noch nicht weißt«, erwiderte er.

Er war erregt, sein Gesicht fieberte und wurde hin und wieder von kleinen Muskelzuckungen erschüttert. Er trug eines seiner farbigen Hemden, das, wie auch sein Anzug, völlig zerknittert war, als sei er seit Tagen nicht aus den Kleidern gekommen. Mir war unbehaglich zumute. Irgendeine geheimnisvolle Sache, dachte ich, mir schwante nichts Gutes, warum tut er so geheimnisvoll?

»Ich möchte nur wissen, worum es sich handelt«, sagte ich, »vielleicht kann ich es gar nicht, ich bin kein Fotograf.«

»Gruppenaufnahme«, sagte er kurz.

»Das ist schwer«, sagte ich, »eine anständige Gruppenaufnahme ist eine verteufelte Angelegenheit.«

Wir stiegen in einen Autobus und fuhren an den Rand der Stadt zu Wolfs Wohnung. Dort verließen wir den Autobus, liefen die Straße entlang und durchquerten den Vorgarten.

»Nein, nicht hier«, sagte er, als ich auf sein Wohnhaus zuging, und er wies auf einen Holzschuppen im Hintergrund, der zum Nachbargelände gehörte. Er stand seit einiger Zeit leer, früher war dort eine Tischlerei. Er hatte einen großen, überdachten offenen Vorbau, der direkt ins Freie führte. Vor den Nachbarhäusern stand er gut verdeckt. Ich hörte, als wir näher kamen, Stimmen, Lachen und Gelaufe, anscheinend waren hier schon mehrere Personen anwesend, am Werk oder beim Spiel, um sich die Zeit zu vertreiben.

»Man erwartet uns«, sagte ich.

Wolf nickte. »Komm.« Wir liefen über das Grasfeld, bogen um die Ecke und konnten direkt in den offenen Vorbau sehen, in dem, wie ich mich erinnerte, früher Bretter und halbfertiggestellte Stücke einer Tischlerwerkstatt standen. Es ging fröhlich zu, obwohl hier anscheinend Verwundete und Verletzte herumliefen, wenn man nach den Verbänden urteilte, die die verschiedenen Personen trugen. Das Ganze machte den Eindruck einer Unfallstation, auf der eben die Verletzten zur Ersten Hilfe eingeliefert wurden. Ungefähr acht Menschen waren hier, sechs von ihnen trugen Verbände. Vorn neben dem hölzernen Pfosten, der den Vorbau stützte, saß einer mit einem dicken Kopfverband, der unter dem Kinn noch weiterlief, so daß es aussah, als trüge er einen weißen Bart. Er rauchte eine Zigarette, während er zugleich in ein ernstes Gespräch verwickelt zu sein schien mit einem, der seinen rechten Arm im Verband hielt. Weiter hinten lag ein anderer auf einer Tragbahre, während zwei andere ihm einen dicken Verband um Bauch und Brust wickelten. Im Hintergrund saßen zwei Verwundete auf einer Bank und erzählten sich, die Beine lang ausgestreckt, Witze, bei denen sie von Zeit zu Zeit in Gelächter ausbrachen. Auch der Mann auf der Tragbahre lachte mit, so daß sein umwickelter Bauch mächtig auf- und abwogte.

»Halt deinen Bauch steif«, rief der andere, der den Verband anlegte, und schlug mit seiner platten Hand auf die Gaze.

»Au«, rief der Verwundete.

»Du fühlst doch nichts, Mensch«, erwiderte der andere, »zehn Meter Verband hast du auf deinem Bauch.«

Einer von denen, die im Hintergrund saßen, hatte einen umwickelten Fuß, der so unförmig geworden war durch den Verband, daß er einer riesengroßen weißen Kartoffel glich. Der andere trug einen Tornisterverband.

Als wir näher kamen, hörte ich das Gespräch der beiden, die im Vordergrund saßen.

»Gib mir eine Zigarette«, sagte der eine und nahm seinen Arm aus der Binde.

»Da kommt Wolf«, sagte der andere und holte seine Zigaretten aus der Tasche.

Der erste streckte und beugte seinen Arm, dann ließ er ihn durch die Luft kreisen.

»Ja«, sagte er, schaute nach uns und fuhr fort: »Wenn ich den Arm zu lange in der Binde trage, wird er mir wirklich noch steif.«

Er lachte. Dann nahm er die Zigarette mit der rechten Hand, zündete ein Streichholz an und begann zu rauchen.

»So«, sagte er und steckte den Arm wieder in die Binde. Er gebrauchte weiter seine linke Hand.

Im Hintergrund erhob sich der Junge mit dem dicken Fußverband, der einer Kartoffel glich, und kam uns auf einem Bein entgegengesprungen.

»Hallo, Wolf«, rief er. Er setzte sich mit seinem gesunden Bein kräftig vom Boden ab und sprang mit schnellen, kurzen Sprüngen durch die Luft, beim letzten Sprung drehte er sich einmal um seine Achse und kam auf seinem verbundenen Fuß auf. Er fiel um, er stand auf und humpelte zurück auf seinen Platz.

»Mein Fuß«, sagte er mit jämmerlichem Ton und tanzte vor uns auf und ab. Zwei andere Helfer liefen hinzu, er legte seinen Arm um ihre Schulter, so daß er in der Mitte zwischen ihnen hing, nur auf einem Bein stehend. Die Helfer fühlten die Last und bäumten sich, um ihn tragen zu können. Es hätte echt sein können.

»Bleibt«, sagte Wolf, »wir können gleich beginnen.«

»Soll ich sie aufnehmen?« fragte ich bestürzt und holte meine Kamera aus der Tasche. Wolf schaute im Kreis herum, sein Gesicht war ernst.

»Macht schnell«, sagte er.

»Bitte recht freundlich«, sagte der Einbeinige.

»Nicht bewegen«, sagte der eine der Helfer.

Ich prüfte die Einstellung. Das also sind die Aufnahmen, sagte ich bei mir, darum hat er mich mitgenommen, und alles nur darum, weil mein Vater ein Fotograf war. Er hätte keinen Besseren finden können. Mein Vater würde ein Kabinettstück davon gemacht haben, das man in den Salon hängen kann, ich mache nur eine einfache Fotografie.

»Bleibt stehn«, sagte ich.

Ich hatte schon lange begriffen. Das Ganze war eine Komödie, eine Komödie in Moll. Morgen würde es echt und eine Tragödie sein. Ich werde die Aufnahmen machen, dachte ich bei mir. Und wer es bis dahin noch nicht geglaubt hat, wie man uns zusetzt, dem werden diese Aufnahmen die Augen öffnen.

Als Kind habe ich Briefmarken gefälscht, und ein jeder konnte sehen, daß sie falsch waren, nur Fabian sah es nicht, aber trotzdem waren sie falsch.

Auch diese Aufnahmen sind falsch, aber ob sie falsch sind oder nicht, ob man es ihnen ansieht oder nicht, im Grunde sind sie doch wahr und echt, auch wenn sie gestellt sind, und es ist eine gute Idee von Wolf. Denn wenn man sie echt aufnehmen will, dann gelingt es nicht, eben weil sie zu echt sind. Aber vielleicht ist es doch nicht recht, daß ich es tue. Ich knipste. Der Einbeinige nahm seine Hände von den Schultern seiner Helfer und begann auf dem Platz hin- und herzuhumpeln.

»Hör auf«, sagte einer der Helfer.

»Es gefällt mir aber«, erwiderte er und sprang weiter.

»Es ist nicht mehr nötig«, sagte der Helfer. »Man soll nicht damit spaßen!«

»Du bist wohl«, sagte der Einbeinige und wies auf seinen Kopf.

»Und jetzt ihr«, rief Wolf und winkte den beiden, die im Vordergrund saßen.

Sie kamen auf uns zu. Ich nahm sie auf.

Einer der beiden Helfer kam herbeigelaufen und überreichte Wolf eine Flasche. »Das habt ihr vergessen«, sagte er.

»Was ist das?« sagte Wolf.

»Willst du kosten?« fragte der Helfer und entkorkte die Flasche.

Dann goß er Wolf eine rote Flüssigkeit in die Hand, die Wolf vorsichtig schlürfte. »Himbeersaft«, sagte er voller Behagen. »Hm, lecker.« Der Helfer nahm die Flasche, holte mit seinem Arm aus und spritzte den

Inhalt über den Kopfverband, so daß es aussah, als wäre Blut durchgesickert. Ich wiederholte die Aufnahme mit dem bespritzten Verband.

»Ich auch«, sagte der Einbeinige und streckte ihm seinen klumpigen Fuß entgegen.

»Weiter«, rief Wolf.

Die Träger kamen mit der Bahre mit feierlichem Schritt auf uns zu, der Junge lag bewegungslos auf der Bahre. Sein Gesicht war bleich und ernst, und ich sah, daß er litt. Ich wußte, warum er so ernst aussah und warum er litt. Kurz zuvor hatte er noch gelacht, so daß sein dickumwickelter Leib auf- und abwogte. Einer der Helfer hatte ihm einen Schlag auf den Bauch gegeben, aber er hatte ihn unter der dicken Gaze nicht gefühlt. Jetzt lag er ernst und bleich da und bildete sich ein, daß er einen Bauchschuß hätte, und dachte an den Tod. Heute spiele ich, daß ich einen Bauchschuß habe, und ich werde fotografiert, muß er gedacht haben. Morgen werde ich vielleicht mit einem Bauchschuß liegen, und dann werde ich mich erinnern, daß ich gestern fotografiert wurde, als ich spielte. Vielleicht ist es auch Unrecht, daß ich es spiele, aber morgen wird es dann kein Unrecht mehr sein.

»Sollen wir ihn tragen?« fragte einer der Helfer und packte die Handgriffe fester, daß der Riemen von der Schulter fiel.

»Wir können ihn auch auf die Erde stellen«, sagte der andere.

»Dann liegt er zu tief«, sagte Wolf, »was meinst du?«

»Ich kann ihn auch von oben aufnehmen«, sagte ich, »ich weiß aber nicht, ob die Aufnahme gelingt.«

»Warum?« fragte Wolf.

»Er liegt mir zu platt.«

»Es wird eine gute Aufnahme«, sagte einer der Helfer. Ich sah ihn an. »Ich fühle, daß es die beste Aufnahme wird«, sagte er.

»So, fühlen Sie das?«

»Es ist beinahe echt!« sagte der andere.

»Und wird es deshalb eine gute Aufnahme?«

»Ja, deshalb wird es eine gute Aufnahme!«

»Tragt ihn«, sagte Wolf. Er wandte sich an mich. »Und du nimmst sie auf, wenn sie ihn tragen. Es ist genug, wenn man sieht, daß zwei einen auf einer Bahre wegtragen.«

Der auf der Bahre legte seine Arme verschränkt unter seinen Kopf und sah mich von der Seite an. »Ist es gut so?« sagte er.

»Ja.«

»Wird man mein Gesicht sehen?«

»Das weiß ich nicht«, erwiderte ich, »das hängt von dem Abzug ab. Aber wenn Sie wollen …«

»Ich möchte nicht, daß man mein Gesicht sieht.«

Auch die übrigen kamen herbei und stellten sich um die Bahre auf. Der Einbeinige hatte seinen Verband abgewickelt und stand gesund und munter am Fußende der Bahre und sah hinunter auf den Liegenden. Der andere hatte seine Armbinde abgelegt und stand mit gesunden Gliedern neben Wolf. Hin und wieder kam ein leichtes Zucken in seinen Arm, und dann bewegte er ihn in seinem Ellbogen, er beugte und streckte ihn abwechselnd, wie ein Kind sein Spielzeug, das es eben neu erhalten hat, immer wieder ausprobiert, ob es noch funktioniert. Nur der Junge mit dem Kopfverband lief noch mit seinem rotbefleckten Turban herum. Er fühlte sich anscheinend behaglich in seiner Vermummung. Alle anderen standen voller Ernst um die Bahre geschart, ihre Gesichter hatten im Gegensatz zu vorher, da sie ein trauriges Stück mit großem Vergnügen darstellten, jetzt, da sie wiederum gewöhnlich und gesund waren und ihre alltäglichen Gesichter zeigten, einen ernsten, zum Teil bekümmerten Ausdruck. Der traurige Mummenschanz hatte ihre Lachlust gesteigert, während sie ohne Verstellung ernst und sorgenvoll aussahen.

»Hast du Angst, daß man dich an deinem Gesicht erkennt?« sagte der Einbeinige.

»Nein«, erwiderte der auf der Bahre.

»Dann bist du vielleicht abergläubisch«, sagte einer der Träger.

Er schüttelte seinen Kopf, der auf seinen Armen lag, und sagte ruhig: »Nein, auch abergläubisch bin ich nicht. Aber ich möchte mich selbst nicht mit einem Bauchschuß, den ich nicht habe, und auf einer Bahre fotografiert sehen.«

Alle schwiegen und sahen ihn an oder blickten zu Boden. Selbst Wolf schienen seine Worte unangenehm zu sein. Er sagte nach einer Weile, während er mit seiner Hand an die Seitenstange der Bahre packte: »Ich kann mir gut vorstellen, warum du dich nicht sehen willst.« Dann schwieg er wieder.

»Aber, aber«, sagte der mit dem Kopfverband, »nicht so schwerfällig, es ist doch nichts weiter als eine Filmaufnahme mit allem möglichen Hokuspokus.«

»Doch«, sagte der Einarmige, »es ist etwas ganz anderes als eine Filmaufnahme.«

»Sollen wir ihn tragen?« fragte einer der Träger.

»Ja, es ist etwas anderes als eine Filmaufnahme«, wiederholte der auf der Bahre.

»Kann uns hier niemand sehen?« sagte der Einarmige plötzlich.

»Nein«, erwiderte Wolf ruhig, »hier kann uns niemand sehen. Wir müssen uns beeilen.«

»Ich finde es nicht schlimm, daß wir uns fotografieren lassen«, fuhr der andere fort und richtete seinen Oberkörper auf, so daß der Verband über seinem Leib in Unordnung geriet. »Du mußt liegenbleiben«, sagte einer der Träger. Er legte sich wieder zurück.

»Ich bin nur traurig, daß es schon so weit gekommen ist«, fuhr er fort, »mit allem und mit uns, daß wir uns hier fotografieren lassen müssen.«

»Laß das«, sagte der Junge mit dem rotbefleckten Turban. Von seinem Gesicht waren nur die Augen, die Nase und der Mund zu sehen. Auf seinem Nasenrücken stand der Schweiß, seine Augen standen wie im Fieber. Vielleicht hatte er es zu warm unter seinem Verband.

Alle schwiegen, und ich hätte am liebsten meine Kamera in die Tasche gesteckt und wäre nach Hause gefahren.

»Komm«, sagte der Junge auf der Bahre zu Wolf, »kein Geschwätz mehr. Es ist mir gleichgültig, ob man mein Gesicht erkennen kann oder nicht. Komm!«

»Wie willst du ihn aufnehmen?« fragte Wolf.

Ich zuckte die Achseln und sagte nur, daß es mir einerlei sei.

»Ihr müßt zurücktreten, Jungens«, sagte einer der Träger. Die anderen trotteten langsam von der Bahre weg und umstanden mich im Halbkreis. Während die Träger die Bahre fester packten und der Junge seine verschränkten Arme unter seinem Kopf löste und sie neben sich auf der Bahre ausstreckte, standen die anderen und schauten, als ob sie

Zeugen einer Exekution wären. Doch zuvor setzten die Träger die Bahre noch einmal auf den Boden, rückten die Schulterriemen zurecht und nahmen die Bahre wieder auf.

»Bist du soweit?« fragte Wolf.

»Ja.«

Ich trat noch einen Schritt zurück, die Kamera vor meinem linken Auge, und drückte ab. Der Junge lag still, mit geschlossenen Augen und gestreckten Armen ließ er die Aufnahme geschehen. Um seinen Mund lag ein schmerzlicher Zug, er hatte ein altes, vergrämtes Gesicht. Sein umwickelter Leib bewegte sich beim Atmen auf und ab. Ich wußte, daß alles nur ein Ulk war, nein, kein Ulk, es war Ernst, aber man konnte vergessen, daß es Ernst war, und trotzdem kam eine große Traurigkeit über mich.

»So«, sagten die Träger und setzten die Bahre auf den Boden. Der Junge erhob sich und begann sogleich, seinen Verband säuberlich abzuwickeln. Er wickelte ihn gemächlich mit großen, kreisenden Bewegungen ab, hinter seinem Rücken nahm er ihn in die andere Hand, rollte ihn mit einer energischen halben Wendung vom Körper und drehte ihn mit beiden Händen gesteckt vor seinem Körper zu einem Knäuel. Alle sahen zu, wie er es tat.

»Wann hast du die Aufnahmen entwickelt?« fragte Wolf.

»Ich habe noch drei Aufnahmen auf dem Film«, erwiderte ich.

»Dann kannst du uns alle noch einmal aufnehmen«, sagte Wolf.

Er rief sie zusammen. Sie alle hatten sich inzwischen wieder umgezogen und bildeten umschlungen einen Halbkreis. Die Arme über die Schultern oder unter die Achseln des Nebenmannes gelegt, standen sie eng aneinander. So nahm ich sie auf. Beim letzten Bild nahm der Junge von der Bahre die Kamera, und ich stellte mich auf seinen Platz. Neben mir stand Wolf und an der anderen Seite der Einarmige, ich legte die Arme um sie.

In Gruppen fuhren wir dann nach Hause. Zwei Tage später übergab ich Wolf den Film und die Abzüge.

»Danke«, sagte er und betrachtete schweigend die einzelnen Bildchen.

»Es war deine Idee, Wolf?« fragte ich.

»Ja.« Er lachte hilflos, und ich bereute meine Frage. Ich befürchte das Schlimmste, hatte er einmal zu mir gesagt. Und als es schlimmer wurde, kam ihm die Idee mit den Bildchen. Anscheinend erinnerte er sich an unser Gespräch und konnte nichts anderes tun als hilflos lachen.

»Glaubst du wirklich, daß du mit ihnen etwas ausrichtest?« fragte ich.

Er zögerte mit seiner Antwort, und ich sah ihm an, daß er selbst zweifelte. »Vielleicht«, erwiderte er. »Auf jeden Fall ist es ein Versuch, um Dinge, die geschehen, allgemein bekannt werden zu lassen.«

Er wollte sie an bestimmte Zeitungen senden, die uns gutgesinnt waren, und auf diese Weise versuchen, die Aufmerksamkeit auf die Geschehnisse zu lenken, so lange es noch möglich war.

»Glaubst du es wirklich?« sagte ich noch einmal. Er schwieg.

Was sind schon Fotografien, dachte ich, ob sie echt oder falsch sind. Um Glauben zu erwecken, bedarf es ganz anderer Dinge, als Fotografien es sind.

XIV

Wie lange noch, wie lange noch?

Von Zeit zu Zeit erhalte ich Besuch, und ein Bekannter kommt zu mir. Schon von weitem sieht man ihm an, daß er zuversichtlich gestimmt ist. Mit großen Schritten geht er auf mich zu und streckt mir seine Hände entgegen. Freude spricht aus seinem Gesicht, aus seiner ganzen Haltung.

»Gute Berichte«, ruft er mir entgegen, »ich bringe gute Berichte!«

Er hat es eilig, nicht einmal seinen Mantel will er aufknöpfen. Er muß weiter zum nächsten, um auch ihn an den guten Berichten teilnehmen zu lassen. »Es dauert nicht mehr lange«, ruft er erregt, »glauben Sie mir, lassen Sie den Mut nicht sinken. Er ist geschlagen, wer hätte das gedacht! Jetzt geht es ihm an den Kragen. Noch wenige Wochen, wer weiß! Aber nicht mehr lange, das ist gewiß, und dann werden wir feiern.«

Er steht vor mir und atmet schwer. Das viele Herumlaufen strengt ihn an, und die Freude über die guten Berichte verzehrt ihn. Schon seit vielen Monaten läuft er von Haus zu Haus, bald sind es zwei Jahre, und verkündet seine Zuversicht auf ein nahes Ende. Auch er wartet auf seinen Tod. Aber es ist ein anderes Warten. Es hält ihn aufrecht und bringt ihn über jeden Rückschlag hinweg. Einmal wird seine Zuversicht belohnt werden. Und dann wird er feiern. Aber auch diese Feier wird anders sein. Er sieht mich an und prüft, welche Wirkung seine Nachricht in mir hervorruft. Wir kennen einander lange, seit ich mich in dieser Stadt hier verborgen halte. Er kennt meine Geschichte und ich die seine.

»Sie glauben mir nicht«, sagt er schließlich und schweigt bedrückt. Er ist enttäuscht, daß sein Enthusiasmus kein Echo weckt. Und da ich nichts erwidere, beginnt er von neuem:

»Sie gehören also auch zu den Pessimisten«, sagt er traurig, »vielleicht glauben Sie auch, daß er unüberwindlich, ja sogar unsterblich ist.«

»Das glaube ich nicht«, erwidere ich kurz.

»Sind Sie dann nicht mit mir überzeugt, daß sein Ende nahe ist?«

»Davon bin ich überzeugt«, sage ich.

Er betrachtet mich nachdenklich. Aber meine Antwort tut ihm gut, er fühlt sich erleichtert.

»Dann freuen Sie sich doch«, sagt er und legt mir beide Hände auf die Schultern, »dann freuen Sie sich doch! Oder sind Sie abergläubisch?«

Er hält erschrocken inne, irgend etwas ist ihm eingefallen. Eine Weile schweigt er, dann fährt er verhalten fort:

»Viele können den Gedanken überhaupt nicht fassen, daß es zu Ende geht, daß es aus ist mit ihm und mit allem, allem, sage ich, sie haben einfach Angst, sich mit diesem Gedanken vertraut zu machen. Sie fürchten, sie könnten auf diese Weise das Geschehen beeinflussen und das Ende hinausschieben und sich so selbst bestrafen. Weil sie sich insgeheim das Ende zu oft vorgegaukelt haben? Vielleicht gehören auch Sie zu denen?«

Nein, zu denen gehöre ich nicht.

»Sie haben zuviel erlebt«, sagt er, »ich weiß, Sie können sich nicht mehr freuen, auch wenn Sie wollten. Ich vergaß, daß Sie eines seiner ersten Opfer waren, an Ihnen hat er sich sozusagen geübt für die folgenden, für uns, aber Sie waren es in erster Hinsicht. In meinem Eifer habe ich es vergessen. Entschuldigen Sie.«

»Bitte«, sage ich verwirrt und bringe kein Wort weiter hervor.

Aber er ist noch nicht zu Ende, seine Gedanken haben ihn noch fest in ihrer Macht. Er fährt fort: »Und gerade Sie können am wenigsten gegen ihn tun. Sie haben der Welt ein warnendes Beispiel gegeben, das ist viel, das ist sehr viel, ich unterschätze es gewiß nicht. Aber was konnten Sie persönlich gegen ihn tun, besonders in Ihrer Lage?«

»Das ist richtig«, erwidere ich gefaßter, »Sie haben in der Tat recht. Ich habe nicht viel getan. Ich habe zum Beispiel keine Bomben geworfen.«

»Das habe ich auch nicht getan«, begütigt er lächelnd. »Sie werden auch keine Gelegenheit dazu gehabt haben. Ich gehe nur herum und bringe den Menschen Berichte und spreche ihnen Mut zu. Das ist meine Aufgabe. Es ist nicht viel. Ein jeder tut auf seinem Platz, was ihm gegeben ist. So werden auch Sie die Ihre haben.«

Diese platte Allgemeinheit sagt er, um mich zu trösten. Vielleicht ist er auch von ihr durchdrungen.

»Ich wünschte, ich hätte mehr getan«, erwidere ich bitter.

»Das sagt ein jeder von sich«, antwortet er und nickt mir ermutigend zu, »ein jeder, gewiß. Aber jetzt ist es bald soweit, und ich freue mich auf seinen Tod. Es ist vielleicht nicht edel gedacht, aber es ist die Wahrheit. Und dann werden wir feiern«, sagt er und hebt seinen Zeigefinger, zum Zeichen, daß es ihm ernst ist. »Und Sie mit«, fügt er hinzu.

Und dann geht er. Ich bleibe zurück.

Was habe ich noch aufzuschreiben? Er wird fallen, man wird seinen Tod feiern, und jeder wird sagen, daß er es von Anfang an gewußt hat. Mir verbleibt nur, zu erzählen, wie es war, vor vielen Jahren, als ich ihn eines Tages von Angesicht sah.

Ich stand in einer Straße unter vielen fremden Menschen und lehnte an der Mauer eines Hauses und wartete auf ihn. Und als er kam, trat ich an den Rand des Bürgersteiges, um ihn besser sehen zu können, und betrachtete ihn unverwandt. Er stand in seinem Auto und fuhr langsam die Straße hinunter. Er fuhr so langsam, daß man neben seinem Wagen im Schritt hätte herlaufen können.

Zweimal habe ich ihn gesehen, aus der Nähe gesehen, zweimal. Welche Gelegenheit für einen Mann der Tat! Dort stand er, und hier stand ich. Das zweite Mal war es in der Oper. Vor der Ouvertüre, die Lichter im Saal waren gelöscht, und alles verstummte, der Kapellmeister stand bereits vor dem Orchester, und man wartete, daß er das Zeichen zum Einsatz gebe, da ging ein Rauschen durch den Saal. Die Menschen auf dem ersten Rang erhoben sich und blickten zur Mittelloge, langsam folgten das Parkett und die übrigen Ränge. Ich saß unten und stand auch auf, ohne zu wissen, warum. Ich sah mich um und verharrte schweigend auf meinem Platz, während die anderen grüßten. Das Orchester spielte die Hymne, seine Hymne. Die Vorstellung war mir verleidet. Aber ich blieb dennoch.

In der Pause stieg ich hinauf ins Foyer und sah ihn lässig an den Pfosten seiner Logentür gelehnt, umgeben von seinen Trabanten und einer aufgeregten Schar neugieriger Bewunderer, die sich überall um ihn einfanden, und er führte mit diesem und jenem ein Gespräch, er lachte dabei, anscheinend war er gutgelaunt, und er trank wie jedermann eine Tasse Kaffee. Die Oper – es war der ›Tristan‹ – hatte ihn sicher in eine gute Stimmung versetzt, leutselig stand er da und trank seinen Kaffee, und in einem Halbkreis um ihn herum, in einem gesetzten Abstand von ihm, dem Mittelpunkt, standen die Leute, und ich stand noch hinter der letzten Reihe, viele Gedanken jagten durch meinen Kopf, und ich sah ihn unverwandt an. Er trug einen Frack, sein Haar war glatt gebürstet, seine wuscheligen Augenbrauen, die gesunde Farbe seiner Wangen und überhaupt sein ganzes gelöstes Betragen, das gleiche wie damals, als …

Doch nicht davon will ich erzählen, vielmehr von dem ersten Mal, als er auf der Straße in seinem Auto an mir vorbeifuhr. Ich habe diesen Tag nicht vergessen. Manchmal wünschte ich, daß ich ihn vergessen könnte. Sosehr ich mich auch bemühte, ihn aus meinem Gedächtnis zu brennen, ihn als nichtswürdig und belanglos vorzustellen. Ich verdanke dieser Begegnung alles.

Es war im September, ich kam aus dem Institut und schlenderte in gerader Fortsetzung meines Weges über den Boulevard. Es war am Ende des Vormittags, ich hatte ein Examen abgelegt in der Gruppe der Examina, mit denen ich mein Studium zu beenden trachtete. Meine Gedanken waren anderswo, und im Grunde war diese Prüfung nur eine Unsinnigkeit mehr in der Reihe der Unsinnigkeiten, mit denen man sich schon seit Wochen wie mit etwas Ernsthaftem befassen mußte. Die Ereignisse hatten alles, auch mein Studium, überholt und das, was zu Beginn noch einen Sinn hatte, zu einem Sinnlosen umgeschaffen und entwertet. Ich schlenderte also den Boulevard entlang. Die Stimmung, in der ich mich befand, war ganz der Jahreszeit angemessen. Was noch nicht seine Reife erreicht hatte, wurde mit den ersten Herbststürmen zu Boden geschüttelt und verging im Straßenkot. Niemand, der sich bückte und es auflas. Zuweilen stieß die Sonne durch das Gewölk, und man wähnte sich zurückversetzt in den Sommer, irgendeine dumme Fröhlichkeit brach sich Bahn, und aus den Cafés hörte man Musik. Vielleicht gab es doch noch irgendeine Verheißung und war noch nicht alles verloren.

Viele Menschen waren unterwegs, von allen Seiten kamen Autos, Motorräder, dazwischen auch Pferdegespanne, in der Mitte des Fahrdammes lief eine Allee alter Linden. Es war nichts Besonderes, daß man zu dieser Stunde des Tages ein solches Treiben hier antraf, die Kontore und Schulen schlossen zu dieser Zeit, ich war hier oft gegangen, und immer hatte ich das nämliche Bild vorgefunden. Doch dieses Mal hatte ich den Eindruck, daß etwas Ungewöhnliches zu erwarten sei. Die anscheinend ungeordnet-geordnete Bewegung der Großstadt schien auf ein bestimmtes Ziel gerichtet zu sein. Ich bog in eine große, breite Seitenstraße ein, in die der Strom mündete. Bis an die Grenze des Fahrdammes standen die Menschen unter der energischen Wache mit Knüppeln bewaffneter Polizisten. Man kam nur noch schrittweise voran, überall stieß man gegen Menschen, sie bildeten Inseln in dem großen Strome, Wellenbrecher, und nicht geneigt, sich von der aufkommenden Flut überspülen zu lassen. Der Fluß stockte und verzweigte sich in endlosen kleinen Betten, bis er an einer Hauswand oder rings um einen Laternenpfahl zum Stillstand kam.

Durch die Berührung mit der Masse war meine Stimmung unmerklich gesunken, und in einer plötzlichen Aufwallung wollte ich wieder zurück und durch eine Seitenstraße entschlüpfen, als ich dem Gespräch zweier Frauen entnahm, welcher großartiger Möglichkeiten ich mich durch diese Flucht berauben würde.

»Seit elf Uhr stehe ich hier und warte«, sagte die eine, »aber ich bin noch nicht müde.«

»Seit elf Uhr«, sagte die andere, »das könnte ich nicht. Ich habe nämlich dicke Beine.«

»Zweimal habe ich ihn schon gesehen«, fuhr die erste fort, »heute ist es das dritte Mal.«

»Und ich habe ihn noch nie gesehen«, erwiderte die zweite, »kommt er wirklich hier mit seinem Auto vorbei?«

»Denken Sie, daß ich sonst hier stehen würde, wenn ich es nicht genau wüßte? Die Autos sind schon vorgefahren.«

»Ich würde ihn auch gerne einmal sehen«, sagte die andere wieder, »hat es in der Zeitung gestanden?«

»Nein«, antwortete die erste, »das Radio hat es heute morgen bekanntgegeben.«

»Ich höre in der Frühe kein Radio, da gehen alle Staubsauger bei uns in dem Viertel. Wann kommt er denn?«

»Um zwei Uhr.«

»So lange kann ich nicht warten«, sagte die andere traurig, »ich habe nämlich ... Und dann muß ich zu meiner Tochter ins Krankenhaus.«

»Um zwei Uhr muß er in den S.-Werken sein«, sagte ein älterer Mann, der neben ihnen stand, »und er muß durch die ganze Stadt fahren, das dauert eine Dreiviertelstunde. In einer halben Stunde können Sie ihn sehen, dann wird er kommen.«

»In einer halben Stunde«, wiederholte die Frau erleichtert, »so lange bleibe ich.«

Ich hatte das Gespräch der Frauen gehört und wußte schon zu Anfang, von wem sie sprachen. Erregung ergriff mich, ich fürchtete, daß sie mich ansahen und wüßten, wer ich sei. Mein geheimster Wunsch sollte in Erfüllung gehen, ich schloß die Augen, jetzt sollte er in Erfüllung gehen, wo ich schon lange auf ihn verzichtet hatte, und ich schloß die Augen, da ich nicht mehr sehen wollte, wie er sich erfüllte. Wenn es einen Zufall gibt, dies hier war ein grimmiger Zufall, ich befand mich, ohne daß ich mir Rechenschaft gegeben hätte, in der Straße, in der sein Palast stand. Oben auf dem Dach flatterte seine Standarte, er war Präsident geworden und hatte das Haus bezogen, in dem die Präsidenten wohnten. In einer halben Stunde würde er sein Haus verlassen und sich im Triumphzug durch die Stadt nach den S.-Werken begeben. Im Triumphzug, das versteht sich von selbst. Überall am Wege standen Menschen, um ihm zuzujubeln, und ich stand inmitten dieses Jubels und konnte mit einstimmen oder schweigen, gleichviel, er würde nur den Jubel hören und nicht das Schweigen.

Motorräder mit Beiwagen, bemannt mit Polizisten mit heruntergelassenen Sturmriemen über entschlossenen Gesichtern, jagten die Straße entlang und drängten die Wartenden, die sich zu weit auf den Fahrdamm gewagt hatten, zurück an den Bürgersteig. Die Bewegung brach sich an den Mauern der Häuser im Hintergrund. Nach einiger Zeit drängte alles wieder nach vorn, und die Motorräder kamen zurück. Dieses Spiel wiederholte sich viele Male, es steigerte die Spannung und führte sie allmählich zu dem hitzigen Zustand, der nur durch sein Erscheinen selbst noch gelöst werden konnte. Ich stand eingekeilt unter der Menge und kämpfte mit dem Entschluß weiterzugehen. Ich wollte die Zahl der Zuschauer nicht durch meine Anwesenheit vermehren. Wollte ich etwa Zeuge des Triumphzuges meines Feindes sein? Hatte er mich schon so sehr in seiner Macht, daß er selbst dieses letzte Gefühl von Stolz in mir zerbrochen hatte?

Die vielen Geschichten und Anekdoten, die man sich von der Magie seiner Augen und seiner Persönlichkeit erzählte, fielen mir wieder ein. Meine Neugier war geweckt. Ich sah die Menschen um mich herum, erregt von der Erwartung, ihn leibhaftig zu sehen. Eine Erregung, aber eine andere als die meiner Umgebung, bemächtigte sich auch meiner. Meine Mutter hatte mich einstmals zu den Kindern zurückgeführt, die mich aus ihrem Spiel verstoßen hatten. Jetzt stand ich hier und spielte mit in einem Spiel, das von Beginn an verloren war. Geh doch, sprach ich mir Mut zu, was wartest du, was suchst du hier? Deine eigene Schmach? Ist sie noch nicht groß genug? Und wenn man auf einmal entdeckt, wer du bist? Willst du es aller Welt kundtun? Warum stand ich noch immer hier, warum ging ich nicht weiter? Ich hatte nicht den Mut mehr, mir vorzuspiegeln, daß ich als neutraler Beobachter hierblieb, um eine Studie zu machen von ihm und von seinen Freunden, von ihrem Verhältnis zueinander, daß mich die ganze Angelegenheit im Grunde nichts anging und es nur ein Sport von mir war, hierzubleiben und zu schauen. Alle diese Ausflüchte, deren Gebrauch ich früher so meisterlich verstand, waren mir entfallen.

Aber warum ging ich denn nicht?

Auf einmal wußte ich es. Ich stand hier, um mich zu überzeugen, daß er wirklich lebte. Trotz der Abbildungen in den Zeitungen, Journalen, und trotz der Stimme, die ich gehört hatte, hatte die Legende, die sich um seine Erscheinung wob, in mir die Meinung keimen lassen, daß er eigentlich nicht existierte. Ein Mensch, der in einem solchen Maße die Phantasie und die Gemüter der Menschen gefangenhält, kann mit seinem Dasein in der Wirklichkeit die Kraft seines legendären Bestehens nicht erreichen. Nur dort, in den blauen Sphären der Vorstellung, ist er zu Hause, nicht hier auf der Erde.

Auch für mich hatte er nur dank der Phantasie sein Leben gefristet. Der Person, die meine Vorstellung geschaffen hatte, galten meine Gefühle von Furcht, Zuneigung, Haß. Er saß in einer luftigen Schaukel, und ich hielt sie mit meinem Atem in Bewegung, und was sich zwischen uns abspielte, geschah dort in den spielerischen Räumen, in denen die Phantasie gebietet, aber wo es darum nicht weniger ernst zugeht. Hatte ich in den abgelaufenen Jahren nicht jede Gelegenheit vermieden, um mich von seiner leibhaftigen Erscheinung zu überzeugen? Wollte ich eine Korrektur anbringen? Sie hätte das Spiel zerstört und nichts anderes zurückgelassen als die grausame Wirklichkeit.

Die grausame Wirklichkeit, die man nicht zu ertragen gelernt hat, wir sind nicht vorbereitet, sie aufzunehmen, gleichviel, ob sie ein Freundliches oder ein Feindliches bringt. Wir kleiden sie in Gewänder, die wir nach unseren Maßen verfertigen, behängen und verunzieren sie mit unseren Farben und wissen zugleich, daß eine andere gemeint ist. Wir wünschen nicht, ihr zu begegnen, noch einmal, wir sind nicht vorbereitet, und jedes tiefere Gefühl, dessen wir zaghaft fähig wären, fürchtet sein Démasqué.

An diesem späten Vormittag war ich nichtsahnend in eine Straße eingebogen, und unversehens sah ich mich vor eine Entscheidung gestellt, die ich in den Jahren zuvor gemieden hatte. Ich sollte meinen Feind von Angesicht zu Angesicht anschauen, und mein erster Gedanke war: weitergehen, diese Begegnung meiden!

Ein schwarzes, geschlossenes Auto fuhr langsam die Straße hinauf, und jedermann reckte den Hals, um zu sehen, wer wohl darinsaß.

Unschlüssig blieb ich auf meinem Platz und betrachtete die Gesichter der Menschen um mich her, sie waren gekommen, um ihm zuzujubeln und ihm zu seinem Triumph zu verhelfen. Für sie bestand er wirklich, sie hegten nicht den mindesten Zweifel an seiner Existenz, man konnte es aus ihren Zügen lesen. Ich betrachtete sie, und als ich länger hinsah, entdeckte ich, daß auch dies ein Betrug war. Es war Spiel und Betrug zugleich, wie das auch bei mir der Fall war. All das, was auf ihren Gesichtern zu lesen stand, die stolze Gehobenheit, die Selbstüberhebung und die Hingabe an ein Kommendes hatte nichts mit dem Ereignis zu schaffen, dessentwegen sie gekommen waren und nun hier standen und warteten. Es lief ihm voraus und schuf es und kleidete es an, wie sie es von ihm erwarteten. Sie waren die Urheber, ihre Lüsternheit, ihr verworrenes Begehren färbte ihre Wangen und Lippen im Genuß der Erfüllung, die dem Eigenen entstammt. Sie waren um ihrer selbst willen gekommen und nicht wegen des anderen, sie gedachten sich an einem Feuer zu wärmen, das sie sich selbst entfacht hatten. Es war das gleiche Spiel der Phantasie wie bei mir, das sie hierhergeführt hatte, ihre eigenen Gefühle und Vorstellungen, und sie gaben sich keine Rechenschaft. Sie hatten ihre Wirklichkeit im Spiel mit sich selbst erschaffen, und sie freuten sich an ihr und vergaßen darüber, daß es nur ein Spiel war.

Sie hatten noch viel weniger gelernt, die grausame Wirklichkeit zu ertragen. Sie waren noch viel weniger vorbereitet, sie aufzunehmen. Die leibliche Existenz dessen, dem ihr Zuruf galt, und seine eigene Bereitschaft zu diesem trügerischen Spiel täuschte sie über den Betrug hinweg. Dies ist die Situation des Verführens und Verführtwerdens, die sich kein Verführer entgehen läßt.

Mit jeder Minute, die uns seiner Ausfahrt näher brachte, wurden die

Menschen unruhiger. Sie standen lange Zeit dicht gedrängt und begannen nun einander weniger zu ertragen. Sogar die Polizisten wurden von dieser Unruhe ergriffen.

»He, drängel nicht so«, sagte einer von ihnen und schob eine jüngere Frau unsanft zurück.

»Rühr mich nicht an«, schrie sie zurück, »ich werde es ihm sagen, daß du mich geschlagen hast!«

»Wem willst du es denn sagen?« fragte der Polizist gutmütig zurück.

Die Frau sagte: »Wem? Nun J.«, und sie nannte B. einfach bei seinem Vornamen.

»J.?« wiederholte der Polizist, »was sagst du da, ist er vielleicht dein Bruder?«

Die Umstehenden begannen zu lachen. »Nein«, erwiderte sie herausfordernd.

»So, dann bist du mit ihm verheiratet, was?«

Jetzt begann die Frau ebenfalls zu lachen.

»Nein, verheiratet bin ich auch nicht mit ihm«, sagte sie.

»Ich dachte, er ist vielleicht dein Vetter, daß du ihn einfach bei seinem Vornamen nennst«, sagte der Polizist, um den Zwischenfall beizulegen.

»Leider gehört er nicht zu meiner Familie«, sagte die Frau besänftigt, »dann brauchte ich mir nämlich hier nicht die Beine in den Bauch zu stehen.«

»Wenn du müde bist, setze dich da oben hin«, sagte der Mann und wies auf die Fensternischen der hohen alten Häuser, an deren unteren Etagen Jugendliche hinaufgeklettert waren und nun dort auf den schmalen, leicht abschüssigen Fensterbrettern saßen und mit den Beinen baumelten. Andere wiederum saßen rittlings auf den kurzen, gußeisernen Lampen, die gleich Armen aus den Steinwänden hervorwuchsen, und hielten sich, die Hände jeweils auf die Schultern des Vordermannes gelegt, fest, während der erste sein Kinn auf die metallene, spitz zulaufende Kappe gestützt hatte und mit ausgebreiteten Armen die Kuppel umarmte.

Ich war, gleichsam um beschützt zu sein, auf den Bürgersteig zurückgetreten und lehnte gegen die Wand eines Hauses. Ich hatte gehört, wie

die Frau ihn bei seinem Vornamen nannte und was der Polizist ihr antwortete. Die Vertraulichkeit, die aus ihren Worten sprach, obwohl sie
sich stritten, hatte in mir das Gefühl bestärkt, nicht zu ihnen zu gehören und ausgeschlossen zu sein. Trauer überkam mich, als ich dort
stand, und alles fiel mir wieder ein von früher.

Ich trauerte um die Straße, um die Häuser in dieser Straße und die
Menschen, die in dieser Straße standen und warteten. Und ich wußte,
daß ich hier stand und traurig war und daß ich meinen Feind sehen
würde, ihn, den die anderen, die zugleich mit mir warteten, bei seinem
Vornamen nannten, daß sie scherzten, während ich allein traurig war.
Mochte es ein Wahn sein, der sie Scherze treiben und seinen Vornamen
vertraut aussprechen ließ, mochte es ein Betrug und nicht Wirklichkeit
sein, sie standen hier und freuten sich und würden ihn sehen und ihm
zujubeln, mochte dies alles Spiel und Betrug sein, mein Wahn zerbrach, ich fühlte, wie er allmählich seine Maske verlor und ein anderes
Gesicht dahinter erschien. Die ersten besorgt-drohenden Worte meines Vaters, die Gehässigkeiten der Kinder, der Spaziergang mit meinem Freund und später die Jahre, da ich im geheimen mit ihm stritt,
die Begegnung mit seiner Stimme, mein Wankelmut, alles, alles erschien mir in der Trauer aufs neue, und es war mir, als ob ich es zugleich verlöre. Die Angst, die er mir bereitet, und die Verzweiflung, in
die er mich gestürzt hatte, alles dies gehörte mir, schon damals, als ich
an der Hand meiner Mutter den Marktplatz überquerte und sie mich
zu den Kindern zurückbrachte, die mich ausgeschlossen hatten. Und
dann später all das Verworrene, die Irrwege, auf denen er mir wie ein
Dämon erschien und ich mein Leben an das seine schrecklich band,
auch dies gehörte zu mir, und ich war gefangen in allen diesen Verwir-
rungen und Irrwegen. Und schließlich später, als ich, dem Wahn völlig
verfallen, mich an diese Begegnungen gewöhnt hatte und sie lieben
lernte und selbst jenen, der mir drohend erschien, verwandelte, als
wäre er einer, der das Heil brächte. Und jetzt das Wissen und die Trauer, daß nichts mehr half, dort würde er aus seinem Haus kommen und
die Straße entlangfahren, und ich hier an die Mauer gelehnt und alles,
alles zunichte und unabänderlich. Und dann das leise Bedauern, daß es
so weit gekommen war.

Ich brauchte ihn nicht mehr zu sehen, um überzeugt zu sein, daß er in Wirklichkeit lebte. Ich hätte ruhig gehen können. Zugleich fühlte ich die ungeformte Begehrlichkeit meiner Umgebung, der er sich bediente und die ihn zu Taten verführte, in einem unheilvollen Wechselspiel.

Drei höhere Polizeioffiziere kamen auf ihren Motorrädern langsam die Straße herabgefahren und riefen den Wachleuten kurze Befehle zu. Kommandorufe und das Anspringen von Motoren in der Ferne, ein langer Sirenenton. Plötzlich war alles in Bewegung, und als das erste Auto durch das Portal fuhr, drängten die Menschen von den Fußsteigen weg auf den Fahrdamm. Die Wachleute reichten sich die Hände und stemmten sich rücklings gegen die aufdrängende Menge. Kinder schlüpften unter ihren Armen durch und begannen auf der Mitte des Fahrdammes ihre Bocksprünge. Einige Polizisten sprangen aus der Reihe, um die Kinder einzufangen, dabei lockerte sich die Absperrung, und die Menschen stießen in die Lücken vor und weiter auf den Fahrdamm.

Auch ich hatte mich von der Hauswand gelöst und war näher getreten. Ich stand in der letzten Reihe. Etwas Kühles strich über mich hin. Ich sah auf meine Uhr, es ging auf halb zwei. Ich war bereit.

Zuerst kamen zwei Wagen, vollgepackt mit schwerbewaffneten Soldaten, sie fuhren an den äußersten Flanken, die Menschen wichen langsam zurück. Ich wurde wieder gegen die Mauer gedrückt und blieb dort, auch als die anderen wieder nach vorn drangen.

Er befand sich im dritten Wagen. Wie gewohnt, saß er neben dem Fahrer. Er trug einen hellen Regenmantel und war barhäuptig. Er sah gesund aus, mit roten Bäckchen, als käme er eben aus dem Bad, ein Bild von Milch und Blut. Er erhob sich und stand nun neben dem Fahrer, hinter ihm saßen fünf schwerbewaffnete Männer, die mit argwöhnischem Lächeln in die Menge spähten. Er stand aufrecht, seine Hände hielt er krampfhaft vor dem Unterleib verschlungen und löste sie nur ab und zu zu einem abrupten Gruß. Er war freundlich gestimmt und sah lachend über die Menge hinweg, deren Anwesenheit er nur fühlte und vielleicht als ein unteilbares Rauschen hörte. Sein Gruß und Blick galten etwas, das zwischen Himmel und Erde schwebte, nicht den Menschen. Seine Augen sahen groß und glänzend, wie bei Schauspielern, die sich eine Essenz einträufeln, um auch in die Ferne wirken zu können. Es war ein freundlicher Herr, der da stand und von allen gesehen werden konnte, während er niemanden sah und nur leutselig hinter der Schutzscheibe des Autos stand und fühlte, daß alle gekommen waren, um ihn zu sehen. Von Zeit zu Zeit kam ein gespanntes Lachen in seine Züge, als sei er überrascht, als habe er dieses Rauschen in seinen Ohren nicht erwartet. Es war so gar nichts Besonderes an ihm, er hätte an irgendeiner Straßenecke in dieses Auto gestiegen sein können, ein Mensch wie du und ich, um ein Glas mitzutrinken oder einen Skat zu spielen.

Warum sollte man ihn nicht gern haben? Gerade dies ließ ihn so anziehend erscheinen, und man jubelte ihm zu, ein jeder auf seine Art, und ihm schien es sehr zu behagen. In meiner nächsten Umgebung gab es niemanden, der ihm nicht zujubelte. Nur ich stand und schwieg und sah ihn herankommen.

Eine tiefe Erregung stieg in mir empor. Ich begann zu zittern. Warum bin ich so erregt, sagte ich zu mir, um mich zu fassen. Aber die Frage blieb unbeantwortet, und meine Erregung wuchs. Das ist er, schoß es durch meinen Kopf, sieh ihn dir gut an, das ist er wirklich, ja, das ist er wirklich. Ich erkannte ihn von den unzähligen Abbildungen her. Aber es war ein anderer, der da stehend in seinem Auto langsam näher kam. Ich fürchtete, daß ich es gar nicht faßte, daß er es in Wirklichkeit war, den ich nur von Abbildungen kannte und dessen Stimme ich einst belauscht hatte. Ich fürchtete, daß er wie in der Ferne hier an mir entlangführe und daß meine Augen nicht stark genug wären, ihn zu sehen und immer wieder zu sehen und zu wissen, daß ich es war, der endlich, endlich ihn sah. Langsam löste ich mich von der Hauswand und machte ein paar Schritte über den verlassenen Fußweg und trat auf die Straße. Dort stand er, und hier stand ich.

Die Kinder, die noch immer mit ihren wie verhexten Müttern vor seinem Auto, das im Schritt fuhr, tanzten, vermochten anscheinend seine Aufmerksamkeit stärker zu fesseln. Seine Haltung veränderte sich. Er bog sich ein wenig nach vorn und rief – und wieder hörte ich seine Stimme – halb zu seinem Fahrer gewandt, halb zu den Umstehenden, gleichsam um sie zu warnen, während seine Hände nervös flatterten: »Vorsicht, die Kinder, die Kinder. Vorsicht!«

Erst heute fällt das ganze Licht auf die Bedeutung dieses Ausrufes, der damals so einfach und voller Besorgtheit erschien, heute, wo er die gleichen Kinder unbarmherzig im Streit opfert, die Kinder, die er damals von seinem Wagen nicht überfahren lassen wollte.

Sein Blick schweifte dabei im Halbkreis über den Weg, den sein Auto nahm. Ich erblickte das Irrlichtern seiner Augen und wünschte nur, daß sein Blick ein wenig mehr nach der Seite ausschlug, wo ich stand und wie im Traum seine wirkliche Gestalt anschaute. Auch ich verspürte, ähnlich wie das gaffende Volk, das, seinen Trieben folgend, alles mögliche anstellte, um seine Aufmerksamkeit auf sich zu lenken, den Wunsch, er möge mich anschauen. Nur für einen Augenblick wünschte ich mir sein Auge fest in dem meinen ruhend. Vielleicht, daß ich dann durchdrang hinter die Erscheinung, die sich mir entzog in dem Augenblick, da ich sie sah. Er war es nicht, den ich die Jahre hindurch gemeint hatte. Oder war er es doch, und war es ein anderes in mir, das ihn nicht in seiner Leiblichkeit zu erkennen vermochte? Das gewöhnliche Aussehen eines Mannes in den besten Jahren seines Lebens verwirrte mich. Ich hatte seine Stimme gehört und wähnte, hinter sein Geheimnis gekommen zu sein.

Aber es war eine andere Stimme gewesen, und sie ließ sich mit dem übrigen nicht gut einfügen in die Szenerie einer Triumphfahrt mit den Farben einer gutmütigen, leutseligen Ehrenhaftigkeit.

Da entdeckte ich, obwohl ich auch sie die ganze Zeit gesehen hatte, hinten in seinem Wagen die schwerbewaffneten Soldaten. Sie machten mit ihren finsteren Gesichtern einen weniger leutseligen Eindruck. Sie saßen da, ein wenig nach rechts und links gelehnt, zum Sprung bereit, und spähten in die Menge. Sie sahen jeden. Sie gehörten so völlig zu dem Bild, daß man sie fast vergaß über der Hauptperson vorn hinter der Schutzscheibe. Der ausgelassene Jubel der Straße schien sie nicht zu berühren. Sie saßen da mit gespannten Leibern, und als die Menschen zu dicht das Auto umschlossen, erhoben sie sich ein wenig von den Sitzen, stemmten ihre Füße fester auf den Boden und spähten noch finsterer umher.

Man schenkte ihnen noch immer nicht viel Beachtung. Sie waren die Beifiguren, und man nahm sie mit in Kauf, so gewöhnt war man, daß sie zu dem Bild gehörten.

Anscheinend war auch ich zu Beginn von seinem Anblick so sehr überrascht, daß der Gedanke nicht in mir aufkam, die Figuren des Autos als eine Einheit zu betrachten, in der es keine Haupt- und Nebenperson gab. Der ganze Aufzug war so schnell vorüber, die Eindrücke überwältigten mich, ich war erregt, und die Worte, die er so hastig ausgestoßen hatte: ›Die Kinder, die Kinder‹, hatten mich fast außer Fassung gebracht. Der Zufall hatte mich hierher verschlagen. Ich hatte keine Waffe bei mir, und überhaupt hatte ich nicht die Absicht, ihm etwas zuleide zu tun. Meinetwegen hätte er die bewaffneten Männer hinten in seinem Auto zu Hause lassen können. Da sah ich, wie sie ihre Leiber spannten, die Hände auf den Rand des Autos legten und sich ein wenig herausbogen, während sie jeden in der Menge scharf musterten. Der Gedanke schoß mir durch den Kopf, jetzt kommen sie, sie haben dich entdeckt, jetzt springen sie heraus, und dann packen sie dich. Ich biß die Zähne aufeinander. Zugleich sah ich, wie er noch immer leutselig und väterlich da vorne stand und anscheinend nicht wußte, wen er hinten in seinem Auto mittransportierte.

Plötzlich war alles verändert. Mein Wahn zerbrach. Ich begriff, daß ich mich täuschte und daß ich ihm half, sich und mich zu täuschen. Wenn ich ihn mir zum Freunde hielt, brauchte ich die Männer hinten in seinem Auto nicht zu sehen, und ich konnte ihn veranlassen, sie auch nicht zu sehen, wenn er sie mit sich herumführte. Aber sie waren immer um ihn. Sie waren ein Teil seines Selbst. Und wenn ich ihn mir zum Freund hielt und ihn veranlaßte, sie nicht zu sehen, dann brauchte auch ich nicht zu sehen, wen er hinten in seinem Wagen mit herumtransportierte. Es war ein doppelter Betrug.

Ich habe es bezahlt. Ich habe meine kindliche Torheit schwer bezahlt. Wie ein Kind bin ich ihm gegenübergetreten, voller Angst, voller Angst, daß man meine Gedanken erraten könnte. Ich selber sträubte mich, sie mir zu bekennen. Ich habe ihn umgebracht, in meinen Gedanken habe ich ihn erschossen. Niemand hat es gewußt. Vielleicht nur einer der Bewaffneten in dem hinteren Wagen. Noch bevor er sich umdrehen und den Befehl geben konnte, habe ich ihn erschossen. Es war nur ein Moment. Aber er fiel, ich habe es deutlich gesehen, daß er fiel. Er fiel nach hinten in die Arme der Bewaffneten, und ich konnte es nicht glauben, und als ich genauer hinsah, stand er aufrecht mit glänzenden Augen und blickte nach etwas, das zwischen Himmel und Erde schwebte. Ich schaute beklommen zu. Ich dachte nicht: Jetzt schieße ich, und ich hasse ihn, ich schieße ihn tot. In mir habe ich ihn erschossen. Nur dieser eine Gedanke beherrschte mich, während ich in der ganzen Wirklichkeit dastand und es zu fassen versuchte, daß er es war, der hier vorbeifuhr, der Gedanke: Welch eine Gelegenheit für einen Mann der Tat. Welch eine Gelegenheit!

Dann war wieder alles vorbei. Die Straße hinunter schwoll der Jubel an, er lief an den grauen Häusern entlang bis hoch an den Dachfirst und ebbte wieder ab. Weiter unten hörte man ihn wieder anschwellen und vergehen.

Nun war er in der Ferne nur noch ein Echo, und dann war es das eigene Ohr, das ihn wie eine Erinnerung vorgaukelte.

Ich stand wiederum an die Mauer gelehnt, und die Menschen zogen an mir vorbei. Ich sah ihre Gesichter und hörte ihre Gespräche, und alles war wieder so unwirklich in seiner Wirklichkeit.

»Ich habe ihn zum ersten Male ganz nahe gesehen«, sagte eine Frau und ging beglückt vorüber.

Ich sah seine Gestalt vor mir, sie tanzte wie eine Fackel vor meinen Augen. Ich trachtete, sie mit meinem Blick festzuhalten, aber es gelang nicht mehr. Dann fiel mir ein, daß in dem Augenblick, als er seine Augen schweifend über die Menge gehen ließ, unsere Blicke für den Bruchteil einer Sekunde sich zusammengefunden hatten.

Ich stellte es mir genau vor, wie sich alles zugetragen hatte, er dort und ich hier.

Aber vergebens. Das alte trügerische Spiel der Phantasie war beendet. Ich hatte ihn lebendigen Leibes aus der Nähe gesehen, und er war mir nähergekommen, sein Dasein gewann an Beweiskraft, in mir selbst hatte es sich bekräftigt. Der väterliche, leutselige Mann und im Hintergrund die Bewaffneten! Und dann der bohrende Gedanke: Welch eine Gelegenheit für einen Mann der Tat, welch eine Gelegenheit! Die Menschen um mich herum waren guter Dinge, sie hielten sich umschlungen, lachten und gingen um einen schönen Betrug reicher nach Hause.

Ich war bedrückt und müde. Am liebsten hätte ich mich auf eine

Bank in einem Park in der Nähe gelegt und geschlafen. Ich sah nur noch die Bewaffneten mit ihren drohenden Mienen, die Körper gestrafft und zum Sprung bereit. Seine Gestalt verschwand wie in einem Nebel, nur die Männer blieben. Er nahm sie überall mit, und sie führten seine Befehle aus. Er konnte sie ihnen durch das Telefon oder mittels einer Grammophonplatte vermitteln. Sie führten sie aus. Vor Jahren hatte ich seine Stimme über das Radio gehört.

Und so erschaute ich auch später in allen, selbst seinen grausamsten Taten noch einen Rest jenes undurchdringlichen Nebels, in dem er stand und aus dem heraus er seine Befehle gab und seine Taten verrichten ließ. Zu welchem Ziel?

Vielleicht war es dies, daß er noch furchtbarer in eines Höheren Macht stand als wir in der seinen?

XV

Eisblumen am Fenster, eisiger Wind ums Haus. Des Nachts stand die Mondsichel scharf am Himmel, als hätte die Kälte sie aus dem Firmament herausgebrochen. Draußen jagen, unsichtbar, Flugzeuge durch die sternbefrorene Nacht. Der dunkle Lärm ihrer Motoren ist die Sprache, die der Tod spricht in der Nacht, in der Nacht. Wer weiß, wem sie heute gilt? Ich liege angezogen auf meinem Bett, lausche nach dem Lärmen unter den Sternen und denke an dies und das. Wie kleine Flugzeuge fliegen die Gedanken in meinem Kopf ein und aus, in der Ferne steigen sie auf, es ist nur ein leises Vermuten, sie kommen näher, und jetzt sind sie über mir und um mich herum. Sie ebben wieder weg, und ich horche ihnen nach, und eine sanfte Gewißheit bleibt in mir zurück, daß sie einstmals bei mir waren.

Vor vielen Jahren hat mir jemand eine kleine Geschichte erzählt, es war eine Tiergeschichte, und obwohl ich Tiergeschichten nicht mag, hat sie mich damals sehr getroffen. Aber ich tat, als ginge sie mich im Grunde nichts an, als wäre es eine Geschichte von einem anderen Planeten. Man konnte sie bei sich behalten oder wieder vergessen, und ich hatte sie vergessen. Lange Zeit war sie meinen Gedanken entfallen.

Plötzlich tauchte sie wieder auf. Von Elchen war in ihr die Rede und von Wölfen und von mancherlei, was zwischen Elchen und Wölfen im Schwange ist. Damals begriff ich sie noch nicht ganz, alles war anders und verworren. Ich war jung und dachte, eine so einfältige Geschichte sei gerade gut genug für den Unterhaltungsteil einer kleinen Lokalzeitung am Sonntag. Ich erinnere mich noch, daß in ihr die Elche starben, da ihnen die Wölfe fehlten. Sie waren in ein anderes Land verpflanzt, und dort gab es keine Wölfe. Da Elche jedoch die Angst vor dem Wolf nötig haben, um am Leben zu bleiben, gingen sie ein. Es macht mir Spaß, mich dieser kleinen Geschichte wieder zu erinnern und dessen, der sie mir damals erzählte, der Himmel weiß, was ihn trieb, sie mir aufzutischen.

Ich habe es ihm nicht gedankt und bin kurz darauf weggegangen nach einem wortlosen Abschied.

Vielleicht bin ich selbst wie ein Elch gewesen, damals und die Jahre, die darauf folgten. Ach, hätte ich doch ein Wolf sein können! Aber ich widersetzte mich aus allen Kräften und verbarg mich selbst in meinen Ängsten. Vielleicht geschah es, daß ich den Tropfen Liebe nicht verlieren wollte, vielleicht, weil ich schon als Kind erfahren hatte, was in Dunkelkammern geschehen kann. Es währt eine Zeit, bis man gelernt hat, sein Leid zu tragen, wie man einen Rucksack trägt.

Die Geschichte der Elche ist zu Ende erzählt, sie gingen ein. Aber wie erging es den Wölfen? Wer erzählt ihre Geschichte zu Ende?

Diese und ähnliche Gedanken bestürmen mich, unablässig kommen sie ein- und ausgeflogen, und ich liege wach auf meinem Bett und lausche, wie draußen die Flugzeuge durch die eisige Nacht jagen. Es ist kalt in meinem Zimmer, und plötzlich springe ich auf und laufe zu dem kleinen eisernen Ofen, der ausgebrannt hinten in der Ecke steht.

Ich lege meine Hände auf die erkaltete Platte und fühle, wie es war, als ihn das Feuer von innen noch erwärmte. Früher kam mein Vater oft zu mir ins Zimmer und sah nach dem Feuer, bevor es völlig heruntergebrannt war. Er war alt und trug einen Eimer mit Holz und Torf, dann schüttelte er den Rost und fachte die Glut unter der Asche wieder an. Er wartete, bis das Holz brannte, und ging mit schlürfenden Schritten wieder hinaus. Ich habe ihn gehen lassen, er trug einen Rucksack auf seinem Rücken, als er ging. Die Mutter weinte.

Ich gehe in meinem Zimmer auf und nieder, bleibe stehen und schlage meine verschränkten Arme um die Brust und auf den Rücken. Eine wohlige Wärme steigt in mir auf, ich gehe zurück und lege mich wieder auf mein Bett. Und warte. So vergeht die Zeit. In meinem Kopf beginnt das alte, wirbelnde Spiel der Gedanken wiederum, ich sehe Menschen, Tiere, ein Auto mit einem Mann vorn neben dem Fahrer, Kinder, ich höre Gespräche, Rufe, und plötzlich ist mir, als ob mein Vater in die Stube getreten wäre. Ich weiß, daß alles nur ein Betrug der Phantasie ist, ein Spiel der Wünsche, denen die Wirklichkeit versagt bleibt, aber ich gebe mich ihm willfährig hin, ich widersetze mich nicht länger. In wenigen Stunden ist es Tag, und dann verspreche ich, die Dinge des Lebens von denen des Todes besser zu scheiden. Mein Vater ist alt, er erscheint mir älter als das letzte Mal, da ich ihn sah. Er spricht zu mir, oder sind es meine eigenen Gedanken, die in ihm laut werden, aber ich vernehme seine Stimme, und er sagt:

Erinnerst du dich meiner Worte?

Ja, Vater, antworte ich.

Er kommt auf mein Lager zu, und ich erhebe mich und gehe ihm entgegen.

Nun ist es soweit, sagt er, hast du keine Furcht?

Ich fürchte mich, erwidere ich befangen, aber solange ich es nicht wußte, stand ich stärker in seiner Macht als jetzt.

Hast du gehört, was man überall von ihm erzählt? Wie er in den Städten und Ländern haust?

Ich weiß es!

Er ist ein reißendes Tier. Auch dich wird er anfallen, wie er uns angefallen hat. Hast du es vergessen?

Ich vergaß es zuweilen, wenn ich auch meine Furcht vergessen wollte.

Er hat unser Leben mit Angst und Furcht vergiftet. Wie hätte es anders, besser sein können, wenn er nicht gewesen wäre.

Du irrst, Vater, sage ich langsam und schaue zu Boden, du irrst. Die Elche sind weggezogen, und sie sind eingegangen. Niemand begriff es,

225

warum sie eingingen. Aber jetzt ist das Sterben unter die Wölfe gekommen.

Er schweigt und läuft mit tappenden Schritten zu dem Ofen in der Ecke. Es ist kalt hier, sagt er, hast du kein Holz? Wer hat dir gesagt, daß das Sterben über die Wölfe gekommen ist?

Ich habe meinen Feind erkannt, Vater, antworte ich. Ich verdanke ihm viel. In meiner Furcht war es, daß ich ihn erkannt habe. Und die Bitterkeit der Feindschaft verschaffte mir die Süße der Erkenntnis.

Und was geschieht?

Auch die Wölfe sind sterblich. Sie stehen in der Macht eines Stärkeren, fürchterlicher als die Elche in der ihren.

Ich kann es nicht mehr glauben. Warum geschah dies nicht früher? Gab es für uns keine Gnade?

Auch der Feind ist der Gnade teilhaftig, ich kann dies nicht vergessen. Zu lange hat es mich gehindert, seine Vernichtung zu wünschen.

Ich fasse es nicht mehr, sagt er voller Trauer. Siehst du das Alter deines Vaters, soll ich dir von meinen Ängsten erzählen?

Ich kenne sie, verzeih mir, daß ich sie kenne. Zu viel habe ich selbst gelitten. Die Zeit der Wölfe bestimmen die Elche mit. Aber jetzt ist mein Gemüt festlich gestimmt, und bald wird man feiern.

Festlich gestimmt? Feiern? Ich höre sein verzweifeltes Lachen, und er tritt in den dunklen Hintergrund der Kammer. Du lästerst, sagt er bitter, ich bin nicht gekommen, um zu hören, wie du lästerst.

Ich bereite mich auf seinen Tod vor, Vater. Nicht mehr lange und er wird sterben.

Auf seinen Tod? Mein Sohn, komm an mein Herz, sei gesegnet. Erzähle mir von seinem Tod, von dem Ende aller Leiden. Wünschest du nicht auch das Ende? Endlich werden wir gerächt. Doch erzähle von seinem Tod!

Er bleibt in dem dunklen Hintergrund, und ich schließe die Augen, um ihn noch einmal in seiner vollen Gestalt sehen zu können.

Ich fürchte, daß ich es nicht kann. Es ist so anders, als Haß und Rache es wünschen.

Seine Stimme:

Sein Tod allein genügt. Erzähle!

Er wird fallen, Vater, wie ein Abgestorbenes fällt, ein morscher Zweig, kahl und vertrocknet, den der Bergbach mit sich in den Abgrund reißt, oder ein Stein, erkaltet und in seiner Härte gefeit gegen die Verwundungen seines Sturzes durch die blinde Nacht, keine leuchtende Spur, die im Gedächtnis Fackeln entzündet, bevor er tief in den Boden der Steppe schlägt, die kein Mensch oder Getier je betritt – so wird sein Tod sein, karg und unfruchtbar wie der Steinschlag, in dem er unerkannt liegt, ein Abfall erloschener Planeten, und nichts gibt es mehr zu erzählen.

XVI

Ich kann nicht länger mehr warten – der Tod, ich kann nicht länger mehr auf seinen Tod warten. Einst wird die Nachricht kommen, vielleicht morgen, oder heute gar? Ja, vielleicht morgen, aber auch bis morgen kann ich nicht mehr warten.

Ich habe die Nachricht erhalten, die lang ersehnte. Kein Ort, keine Zeit war angegeben. Es heißt, daß er schon vor Wochen, von aller Welt verlassen, irgendwo sein Ende gefunden hat. Er starb den Tod, der einzig ihm bestimmt war, aus eigener Hand – und nicht den Tod des Märchens. Sein Grab ist unbekannt. Ich schließe diese Aufzeichnungen, er selber hat sie geschlossen. Mit einem Schlage, gleichsam über Nacht, hat sich sein Geschick vollzogen, in meinem Gefühl sind es Hunderte von Jahren, da es geschah.

Eine düstere Stimmung überkommt mich, ich sitze hier und denke an diesen und jenen, der mir nahestand und der mir lieb war, ich denke in einem umfassenden Gedanken an alle, die ich durch ihn verloren habe. Ich empfinde Trauer und Schmerz, mein Leben ist leer geworden, beinahe hätte ich geschrieben, daß es mit seinem Tode noch leerer geworden ist. Aber schon regt sich der Zweifel in mir, und ich horche in mich hinein, ob nicht die Freude ihre Stimme erhebt, daß er nun endlich tot ist. Man hätte ihn totschlagen müssen!

Er selbst hat sich totgeschlagen.

Ich wußte von Anfang an, daß ich ihn verlieren würde, ja, es bestand nicht der geringste Zweifel in mir, daß nicht er mich, sondern daß ich ihn verlieren würde. Er hätte es schwerlich ertragen können, zuletzt allein ohne mich weiterzuleben. Meine Gegenwart beunruhigte ihn. Seine Unrast verbürgte ihm lange Zeit sein Bestehen. Solange er mich bestreiten konnte, hatte er festen Grund unter seinen Füßen. Als ihm alles gelang und er Sieger ward, hatte er ihn schon wieder verloren. Der Tor, er hat in mir bekämpft, was er in sich selbst nie Auge in Auge zu schauen wagte. Zum Schluß gebrauchte er mich, um sich dahinter rasend vor sich selbst zu verbergen. Er hat sich nie gekannt. Ich habe in ihm geliebt, was ich in mir selbst nicht vernichten konnte. Ich wollte diesen Verlust verhindern, ich dachte, daß es in meiner Macht läge, ihn zu verhindern und zu etwas Bleibendem umzugestalten. Auch habe ich vieles vergessen und andere Verluste einstecken müssen, die ich übersehen hatte und die nun schmerzlich sind. Ich Narr, bis ich merkte, daß es mir an den Kragen ging.

Aber auch damals habe ich ihn nicht völlig verlassen. Ich wußte, daß er es war, der unsere Feindschaft verraten und verlassen würde. Wenn ihr wollt, bin ich ein wenig froh, daß er nun tot ist. Und zugleich schmerzt mich sein Verlust. Warum?

Ein Stück meines Lebens hat er mit in seinen Tod hineingenommen, unwiederbringlich. Und ein Korn seines Todes hat seine bestürzende Saat in mich ausgestreut.

»Ich bringe Ihnen Ihre Aufzeichnungen zurück.«

Der Advokat saß in seinem Büro hinter seinem vollbepackten Schreibtisch, ein Wahn von Zigarrendampf hing in der Luft.

Er kam mir entgegen und sagte: »Meine Aufzeichnungen? Denken Sie wirklich …? Es sind nicht die meinen.« Er lachte.

»Sie sind echt«, fuhr er fort.

Ich übergab ihm das Bündel.

»Eine Zigarre?«

»Danke.«

Wir setzten uns.

»Und?« begann er wiederum, »sagen Sie endlich etwas«, begann er mich auf eigentümliche Art zu einer Äußerung zu reizen, »sprechen Sie!«

»Was wollen Sie hören?«

»Nichts Bestimmtes, haben sie Ihnen gefallen? Nun, äußern Sie sich schon.«

Ich lachte. »Sie werden keine literarische Kritik von mir erwarten«, sagte ich. »Ästhetische Urteile sind die größten Mystifikationen, zu denen man sich verleiten lassen kann. Außerdem steht ja sehr deutlich in den Blättern, daß sie nicht als literarisches Produkt beabsichtigt waren. Es wäre unfair, dem nicht Rechnung zu tragen.«

»Eine diplomatische Antwort«, entgegnete er. »Ich empfing sie von dem Verfasser mit der Versicherung, daß sie kein Wort enthielten, das mich in Gefahr brächte, wenn ich sie aufbewahrte.«

»Haben Sie es ihm geglaubt?«

»Im Anfang ja, aber damals hatte ich sie noch nicht gelesen. Später warf ich einen Blick hinein.«

»Und dann?«

»Habe ich sie begraben. Sie sehen es dem Papier an, daß es feucht geworden ist. Wir leben in einem Wasserland.«

»Wie kann man so naiv sein zu glauben«, sagte ich. »Auch wenn er sich alle Mühe gegeben hat, in seinen Aufzeichnungen die Spuren zu verwischen, aus denen man genauere Schlüsse ziehen könnte, finde ich es ziemlich deutlich, wer der Schreiber war und woher er kam.«

»Ich auch«, antwortete er lachend.

»Er selbst anscheinend nicht. Ihn interessierte wohl nur die Camouflage.«

»Er schrieb es unter Druck im verborgenen, vergessen Sie das nicht«, sagte er heftig, »darum die ungenauen Angaben des Ortes und der Zeit. Aber halten Sie das für so wichtig?«

Ich sah ihn an.

Er war ein großer, breitschultriger Mann. Während des Hungerwinters war er um Pfunde abgemagert und hatte noch nicht sein früheres Aussehen wiedererlangt, das dem Bild entsprach, das man sich von ihm machte, ein gutgenährter, etwas schwerer holländischer Typ mit dem ausgeprägten Kopf eines Intellektuellen.

Ich wußte, daß er während des Krieges hinter den Kulissen eine hervorragende Rolle gespielt hatte und mit den Besatzungsbehörden auf eine ungemein schlaue und beflissene Weise umgegangen war, die ihnen mehr schadete als manches Sprengstoffattentat. Auch jetzt noch schien er imstande, mit diesen Aufzeichnungen mich zum Narren zu halten. Anscheinend erriet er meinen Zweifel. Es machte ihm Vergnügen, mich vorläufig im Ungewissen zu lassen.

»Eine merkwürdige Geschichte ist es auf jeden Fall«, sagte ich, »ein Elch, der um den Wolf trauert, der ihn zu fressen bestimmt ist. Eine menschlich fragwürdige Haltung, wenn ich sie auch begreife.«

»Sie vergessen«, erwiderte er feurig, »daß Tausende sich so haben jagen lassen, bis in den Tod. Ich habe es mitangesehen, wie sie den Süden unserer Stadt leergefegt haben.« Er schwieg, blickte dem Rauch seiner Zigarre nach. Mich hatte er so gut wie vergessen.

»Die Trams«, sagte er vor sich hin, »die Trams fuhren später unablässig in der Nacht, niemand schlief, und dann das Pfeifen und Kreischen der Wagen in den Geleisen, wenn sie in der Kurve lagen. Entsetzlich.«

Schweigen.

»Warum hat er seine Aufzeichnungen nach dem Kriege nicht zurückgeholt?« sagte ich. Der Advokat zuckte die Achseln. Er rauchte.

»Ich begreife es nicht«, fuhr ich fort.

»Viele haben ihre Sachen nicht mehr abgeholt.«

»Das ist etwas anderes.«

»Sie denken, daß er noch lebt?«

»Er hat es selbst geschrieben, er hat den Tod seines Widersachers geschildert.«

Er überlegte kurze Zeit, richtete seinen Blick auf mich und biß sich auf die Unterlippe.

»Er ist tot«, sagte er.

»Tot?«

»Ja, gefallen.«

»Aber er hat doch geschrieben?«

»Phantasie«, entgegnete er kurz.

Ich schwieg.

»Wann ist er gefallen?« fragte ich.

»Vor dem Ende.«

»Vor dem Ende?«

»Ja.«

Ich dachte darüber nach, daß er gefallen war, und schwieg.

»Er ist tot«, sagte er, »ich kann es Ihnen getrost erzählen. Er war einer unserer Helden. Kein Holländer von Geburt, er kam als Flüchtling ins Land. Später, kurz vor dem Krieg, ließ er seine Eltern nachkommen. Ich war ihm damals mit einem Gesuch an unsere Regierung behilflich. Sie lebten in einem Holzhaus, irgendwo auf dem Lande. Er leitete eine Fälscherzentrale, sie fälschte wichtige Stücke, Pässe, Dokumente. Außerdem stellte er Mikrofilme her. Nur wenige wußten es.«

»Und Sie?«

»Ich auch nicht.«

»Wie ist er denn gefallen?«

»Sehr simpel, sehr unheldisch, durch eine Liebesaffäre, er hatte ein Mädchen, das anscheinend das eine und das andere wußte.«

»Sie hat ihn verraten?«

»Es ist nicht bewiesen«, sagte er ruhig. »Wahrscheinlich hat sie mit einer Freundin darüber gesprochen. Ich glaube, sie liebte ihn. Die Freundin hatte anrüchige Beziehungen, ohne daß man direkt sagen kann, daß sie ihn verraten hat.«

»Eine komplizierte Sache«, erwiderte ich.

»Er war unvorsichtig«, sagte er, »das ist, wie mir scheint, die Lösung der Frage, unvorsichtig, wenn es um Frauen ging.«

»Um Frauen? Unvorsichtig, wenn es um die Liebe ging«, unterbrach ich ihn. Die Schärfe, die plötzlich in meine Stimme gefallen war, reute mich im gleichen Augenblick, als ich sein verwundertes Gesicht sah. Dennoch hatte ich nicht den Eindruck, daß er sich angefallen fühlte.

»Wenn es um die Liebe ging«, wiederholte er nachdenklich und nickte mir leicht zu, als verscheuche mein Zwischenwurf auch den letzten leisen Zweifel an seinem Ende.

Dann fuhr er fort: »Eines Tages erschien er am Nachmittag gegen vier Uhr zum Tee bei ihr.«

»Bewegte er sich frei?«

»Er hatte einen ausgezeichneten Paß.«

»Echt?«

»Gefälscht natürlich! Auf derselben Etage wohnte die Freundin des Chefs der gegnerischen Sicherheitsstelle. Anscheinend war man ihm auf der Spur. Die Freundin seiner Geliebten muß sich verplappert haben gegenüber der Freundin des Chefs. Er klingelte. Als die Tür geöffnet wurde, sah er oben an der Treppe eine Uniform. Er lief weg. Der andere folgte ihm, auf der Straße schoß er ihn nieder.«

»Eine Riesendummheit, er lief also in die Falle.«

»Die Geschichte ist noch nicht aus. Hören Sie. Er trug stets einen Revolver bei sich. Er war getroffen. Als er fiel, hatte er schon seinen Revolver gezogen und schoß im Fallen. Der andere starb kurz nach ihm.«

»Er hat also doch geschossen«, sagte ich.

»Ja«, erwiderte er. »Sie dachten, daß er log, was er schrieb? Natürlich hat er geschossen und gut getroffen, sie lagen beide auf dem Bürgersteig. Wir hatten einen guten Mann verloren und einen gefährlichen Feind. Zur Erinnerung haben wir an der Stelle, wo er fiel, eine Plakette anbringen lassen. Sie trägt nur seinen Namen und das Datum.«

(1942/1959)

Heinrich Detering

Ich war der Niemand

Über Hans Keilsons Roman *Der Tod des Widersachers*

Der Feind in mir

Der Tod des Widersachers, erschienen 1959, war das dritte Buch des Autors, der 1933 als letzter jüdischer Debütant des Verlags S. Fischer den Roman *Das Leben geht weiter* veröffentlicht hatte – mit seinen eigenen Worten »gerade noch zeitig genug, um verboten zu werden«. Oskar Loerke, sein Lektor und Mentor, hatte damals in sein Tagebuch geschrieben: »K. ist Sportlehrer, Medizinstudent im 10. Semester, Musikant auf Trompete, Geige, Harmonika. Imponierend, wie sich junge Leute dieser Art durchschlagen.«

Die Arbeit am *Widersacher* begann 1941 in Hans Keilsons niederländischem Exil; aus Furcht vor Entdeckung hat er die ersten fünfzig Seiten dann in einem Garten vergraben. Erst nach dem Ende von Krieg und Besatzung, nach der Gründung der Vereinigung »Le Ezrat ha Jeled«, in der er jüdische Waisenkinder mitbetreute und jene psychologischen Studien durchführte, aus denen dann sein wissenschaftliches Œuvre hervorging, nach dem Erscheinen schließlich seiner *Komödie in Moll* 1947 bei Querido – nach alldem erst nahm er das Fragment wieder auf, das zu seinem literarischen Hauptwerk werden sollte. Als der Text dann endlich erschien, wurde er auf eigentümliche Weise zugleich als Exil- und als Nachkriegsroman gelesen. Das *Time Magazine*, das im September 1962 eine ausführliche Rezension unter der Überschrift *Anatomy of Hatred* veröffentlicht hatte, setzte *The Death of the Adversary* auf die Liste der zehn wichtigsten *Fiction Books* des Jahres 1962, zusammen mit Büchern von Katherine Anne Porter, Faulkner, Nabokov, Philip Roth, Borges. Keines von Keilsons Büchern ist häufiger übersetzt, keines öfter und kontroverser besprochen worden.

Tatsächlich entfaltet der *Tod des Widersachers* ein ästhetisch überaus komplexes Spiel auf der Grenze zwischen Roman und Essay, und er reflektiert die Spannungen von faktualem und fiktionalem Erzählen von Beginn an mit. Da ist ein fiktiver Herausgeber, dem ein niederländischer Rechtsanwalt das deutschsprachige Manuskript übergibt; der hat es seinerseits während des Krieges erhalten und vorsichtshalber vergraben. Erst nach der Lektüre (seiner eigenen und derjenigen der Leser) erfährt der Herausgeber, wer der Verfasser war: der politisch verfolgte Betreiber einer Fälscherwerkstatt, die Pässe für andere Exilierte hergestellt habe; auf der Flucht angeschossen, habe er seinerseits sterbend seinen Verfolger getötet. »Er war«, behauptet der Anwalt, »einer unserer Helden«. Aber ist das die Wahrheit oder doch bloß eine neue Mystifikation?

Schon diese knappe Rahmenerzählung erzeugt eine Spannung zwischen Wahrheitsanspruch und Fiktionalität, die nirgends aufgelöst wird. Die Aufzeichnungen des toten (oder jedenfalls abwesenden) Autors selbst umspannen eine Reihe von Episoden, die weniger durch kausale Beziehungen als durch Themenverwandtschaft und Motivechos aufeinander bezogen sind, immer wieder unterbrochen durch Binnenerzählungen zweiten Grades und durch Reflexionen des Erzählers. Zwischen zeitdeckend erzählten Passagen werden oft mehrjährige Abstände mit knappen Bemerkungen übersprungen. So bleibt die äußere Chronologie überwiegend im Hintergrund eines inneren Geschehens, das durch Gedanken und Erinnerungen bestimmt wird und in das die politische Geschichte mehrmals um so schockhafter einbricht.

Ende der zwanziger Jahre ist der in der Provinz aufgewachsene Erzähler in Berlin angekommen, wo er sich in wechselnden Berufen durchgeschlagen hat; auto(r)biographische Anspielungen sind unübersehbar. In einem entscheidenden Augenblick seiner frühen Jugend ist ihm im Gespräch mit dem Vater zum ersten Mal die unentrinnbare Bedrohung durch einen geheimnisvollen Mann klar geworden, der hier keinen Namen hat und doch sein Leben bedroht. Er ist einfach »der Feind«, »der Widersacher«, und er betrachtet diejenigen, zu denen der Erzähler und seine Familie selbst gehören, als *seine* Feinde. So steht am Anfang seiner Adoleszenz »die schmerzliche Erkenntnis, daß ich selbst zum Feind ausersehen war«. Der Aufstieg des Feindes zur Herrschaft bewirkt eine vom Heranwachsenden kaum verstandene soziale Deklassierung, seine Isolierung, dann Stigmatisierung unter den Gleichaltrigen durch das »Zeichen des Verfemten, des Besonderen«. Aber wer genau ist der Feind, diese diktatorische Autorität, und was treibt ihn an? Diese Frage auf Leben und Tod ist es, die den Roman in Gang hält.

Alle Gespräche kehren irgendwann zu dieser gleichermaßen unheimlichen und faszinierenden Figur zurück, die fast ausschließlich in wechselnden Facettierungen sichtbar wird. Dreimal nur kommt es zu einer Begegnung: bei einer politischen Kundgebung, an der der Erzähler aber nur als Zuhörer in einem Nebenraum teilnimmt, dann bei einem Opernbesuch, schließlich während des Triumphzugs des an die Macht Gelangten in der Hauptstadt. Als im Zuge des wachsenden Terrors die Eltern des Erzählers deportiert (und offenbar ermordet) werden, gelingt ihm selbst die Flucht ins Ausland; ein unbestimmt bleibender Krieg beginnt; am Ende ist der Niedergang des Feindes abzusehen.

Anfang und fiktiver Anlaß für die Niederschrift ist nicht lediglich die Absicht, diesen »Widersacher« zu verstehen, sondern der Wunsch, ihn zu töten. Am Ende steht dann die Erinnerung an jenen Moment, in dem der Erzähler genau das tatsächlich getan haben will – allerdings, mit einer höchst eigenartigen Wendung, nur »in meinen Gedanken«: »Niemand hat es gewußt. [...] In mir habe ich ihn erschossen.« Auch der physisch noch weiterlebende Feind aber wird, so ahnt der Erzähler voraus, bald an sich selbst zugrunde gehen, sich selbst töten müssen. Denn: »Es ist seine eigene Vernichtung, die ihn antreibt.«

Diese am Ende erzählte Episode – ihr Vorbild ist natürlich Hitlers Triumphzug am 30. Januar 1933, dessen Augenzeuge Keilson war – hat sich in der Chronologie bereits mehrere Jahre zuvor ereignet. Nur kompositorisch also suggeriert der Trug-Schluß ein Verhältnis von Vorsatz und Erfüllung. Und überdies wird das Attentat zum Seelenmord, von einem physischen Ereignis zu einem psychischen, das sich zwischen unterschiedlichen Instanzen im eigenen Ich vollzieht. Erst die Rahmenerzählung wird dann ergänzen (und das Melodramatische der

Szene durch die nüchterne Distanz des fiktiven Herausgebers brechen): Eine wirkliche Tötung vollzieht der Erzähler nur an einem der Schergen des »Feindes«, und erst im Augenblick seines eigenen Todes.

Abstraktion

Was vielen Kritikern zu schaffen gemacht und sich mittlerweile als die provozierendste Leistung dieses Buches erwiesen hat, ist sein Stilprinzip: die lakonische Abstraktion der Figurennamen, der Konflikte, der Handlungsorte. Die Ereignisse, auf die doch unmißverständlich angespielt wird, werden nur so weit zeitgeschichtlich konkretisiert, daß der Horizont von nationalsozialistischer Herrschaft, Judenverfolgung, Exil und Krieg zu erkennen ist. Aber vom Nationalsozialismus ist nirgends ausdrücklich die Rede, ebenso wenig von Juden oder von einem Diktator namens Hitler.

Diese Vermeidung historischer Namen, Zeit- und Ortsangaben bringt das Geschehen so weit auf Distanz, daß es jenseits seiner historischen Beziehbarkeit lesbar wird als ein sozialpsychologisches Modell individueller und kollektiver Identitätszuschreibungen, ein Modell für Stigmatisierung und Selbstbehauptung unter den Bedingungen totalitärer Herrschaft. So gelingt auch die verfremdende Distanzierung von Erfahrungen, deren traumatisierendes Potential der Psychoanalytiker Keilson immer wieder eindringlich beschrieben hat. Gerade *weil* das diskurs- und definitionsmächtige Gegenüber des Erzählers einen Namen trägt, »den ich nicht mehr vergessen sollte«, ist konsequent nur von »dem Feind« die Rede, von »meinem Feind«, »dem Widersacher«. Muß einmal doch ein Name genannt werden, dann bleibt es bei einer erklärtermaßen willkürlich erfundenen Chiffre: »ich werde ihn B. nennen«.

Die Frage danach, wer »wir« eigentlich sind, fällt für den Heranwachsenden mit derjenigen nach dem Feind zusammen. So bleibt denn schon das Judentum, das Jude-Sein selbst hier unbenannt, als sei es unaussprechbar. Einmal fragt der Heranwachsende seinen Vater: »›Was haben wir denn getan?‹ ›Wir sind …‹ erwiderte mein Vater. Stille.«

Schon in der Erzählung *Komödie in Moll* wird den niederländischen Freunden nachgerühmt, es sei »nicht ihre Gewohnheit, über *die* Juden zu sprechen«. Und folgten dort die Gedanken des Protagonisten schließlich den Zügen nach Osten »bis ans Ende, bis ans – «, so spricht auch der alle Namen und *labels* meidende Erzähler des *Widersachers* nun umschreibend nur von den »Jahren davor«, vor »dem *Ereignis*«. *Wohin die Sprache nicht reicht* wird viele Jahre später der Titel einer Essaysammlung Keilsons lauten. Er bezeichnet genau die Grenze, an der hier im Roman das Erzählen einsetzt – und die er präzise einhält, um angesichts des Grauens nicht die Sprache zu verlieren. So bewahrt der Text von 1959 nicht zuletzt auch die Spuren der 1941 durch die Schreibumstände erzwungenen Camouflage – und führt zugleich vor, wie deren defensive Funktionen die produktiven Effekte einer experimentellen Modellbildung freisetzen, die in der deutschsprachigen Nachkriegsliteratur ihresgleichen sucht. Immer wieder reflektiert der Erzähler dabei das Verhältnis von Erinnerung, Gedächtnis und Zensur mit selbstkritischen Bemerkungen, die sich auch gegen seine eigene Darstellung wenden lassen. Ihr Ziel ist eine Wahrheit, an die die Sprache nicht reicht: »Die einzige Bewegung, die auf Erden ungebrochen verläuft und mich interessiert, ist die Bewegung eines beseelten Körpers. Alles andere ist denaturierte Wirklichkeit. Begriffe sind ihr Prunksarg.«

Im semantischen Kern dieses selbstreflexiven Erzählens mit seinen Identitätsrätseln und seiner Namensverweigerung steht ein sozialpsychologischer Grundgedanke, der immer neu variiert wird. Es ist die Idee einer wechselseitigen Abhängigkeit von »Freund« und »Feind«, in deren Dynamik sich nicht nur die komplementären Rollenzuschreibungen von Eigenem und Anderem vollziehen, sondern in der auch die Diskursmacht verhandelt wird.

Die erste Formulierung dieses Gedankens in Keilsons Werk bildet ein 1939 im niederländischen Exil unter dem Pseudonym »Alexander Kailand« veröffentlichtes Gedicht. In drastischen Bildern wird darin die wechselseitige Bindung von Aggressor und Verfolgtem geschildert, bis am Ende das »Ich« des Verfolgten und das »Du« des Verfolgers auf unheimliche Weise verschmelzen. »In deinem Angesicht«, so wird der

»Feind« hier angeredet, »bin ich die Falte, / eingekerbt um deinen Mund, / wenn er spricht: du Judenhund.« Projektion und Identifikation, Externalisierung des Fremden im eigenen Ich und Sündenbockfunktion des Anderen – sie vollziehen sich diesem Gedicht zufolge prinzipiell in *beiden* Richtungen: »Im Schnitt der Augen, wie deine Haare fallen, / erkenn ich mich, seh ich die Krallen / des Unheils wieder, das ich überwand.« Mit dieser Einsicht wird überraschend auch der Gedichttitel ambivalent: Das *Bildnis des Feindes* ist zugleich ein Fremd- und Selbstporträt.

Diese schaurige Ambivalenz wird im Roman entfaltet. Zur Projektionsfläche des Selbstvernichtungswillens seines »Feindes« geworden und damit seinerseits gezwungen zum Haß auf den Hassenden, erfährt der Erzähler seine eigene Identität als von Beginn an deformiert. Beim Blick in den Spiegel glaubt er das Bild jenes anderen zu erblicken: »Auf eine seltsame Weise, ohne daß ich es merkte, hatte es sich mit Krallen und Haken in mein Fleisch hineingelassen. Je mehr ich auch daran rüttelte, um so stärker fühlte ich nur die Schmerzen seiner Verankerung. – Unverwandt sah ich so lange in den Spiegel, bis ich mich selbst in ihm zu erkennen glaubte.«

Mehrfach werden Motive, auch einzelne Verse des Gedichts im Roman wieder aufgenommen; es bestimmt nicht nur den Grundeinfall, sondern trägt auch zu dessen Entfaltung bei. Eine vergleichbare Funktion hat die von Keilson aufgegriffene Anekdote von den Wölfen und den Elchen. Zweimal wird sie im Text erzählt, einmal in langer, ein zweites Mal in knapp resümierender Version: »Damals begriff ich sie noch nicht ganz, alles war anders und verworren. [...] Ich erinnere mich noch, daß in ihr die Elche starben, da ihnen die Wölfe fehlten. Sie waren in ein anderes Land verpflanzt, und dort gab es keine Wölfe. Da Elche jedoch die Angst vor dem Wolf nötig haben, um am Leben zu bleiben, gingen sie ein.« Diese Grundidee einer agonalen Symbiose von Verfolgern und Verfolgten wird in einem späteren Kapitel zur schockierenden Erfahrung: »Ich hatte ihn unter den Gürtel getroffen. Ich sah ihn liegen und war befriedigt und sogleich war ich selbst der Getroffene, der sich dort wand, und war entsetzt über die Gewalt, mit der ich ihm den Tritt versetzt hatte.«

Die eindringlichste *erzählerische* Formulierung dieses Grundgedankens findet sich in jenem beklemmenden Kapitel, das die erste Begegnung des Erzählers mit dem »Widersacher« schildert. Genau genommen handelt es sich nur um die Begegnung mit einer Stimme. Sie steht metonymisch für den »Feind« selbst, der zudem in unmittelbarer physischer Nähe zu seinem Zuhörer spricht, im Nebenraum. Anders als bei einer Radioansprache sind beide einander also physisch nahe. Im Unterschied zur unmittelbaren Konfrontation wiederum bleibt die Begegnung medial vermittelt, erlaubt und erfordert also reflexive Distanz. In dieser realistischen Konstellation, die zugleich wie eine analytische Versuchsanordnung angelegt ist, wiederholt sich im kleineren Maßstab die Balance von realistischer Darstellung und modellhafter Abstraktion, die für den Roman insgesamt so charakteristisch ist.

Der von seinen Anhängern wie eine Gottheit gefeierte »Widersacher« – er hält eines Abends in einem Gasthaus ebenjener Mittelstadt eine Kundgebung ab, in die es den Erzähler zufällig verschlagen hat. Weil dieser einerseits neugierig ist, andererseits Abstand halten will, setzt er sich in einen fast leeren Nebenraum, in den die Rede über Lautsprecher übertragen wird. So konzentriert er sich ganz auf die Physiognomie der Stimme eines Menschen, den er noch immer nicht gesehen hat.

Aufmerksam registriert er, wie die Rede monoton und tastend, »dunkel-tief, etwas unheimlich« einsetzt: »Es klang wie aus einem Grabe.« Wie ein lebender Toter tritt der Redner auf, der sich erst im Niederringen eines imaginären Gegenübers die eigene bedrohte Vitalität wieder erkämpfen muß. »Allmählich befreite sich die Stimme« von anfänglichen Zwängen, redet »aus voller Brust« und geht »zum Angriff über«. Damit wird der Monolog zum Rollenspiel eines Dialogs, dann eines Kampfes: »Mit fester Stimme verkündete er einige Wahrheiten so allgemeiner Art, daß jedermann, ob er wollte oder nicht, zustimmen mußte [...] Wenn auch niemand da war, der eine andere Wahrheit ausgesprochen hatte oder die eben verkündete in Zweifel zog, so tat er doch, als bestünde dieser Niemand und wäre selbst hier im Saale irgendwo versteckt. Er hatte sein Ziel erreicht. Die ersten zustimmenden Rufe erschollen. [...] Wiederum gab er sich den Anschein, als setzte er sich mit diesem Niemand auseinander. Er erhob ihn zu seinem Widersacher und begann mit ihm vor den Augen des Saales einen Strauß. Eine tolle Erfindung!«

Der bekämpfte »Niemand« freilich scheint kein anderer zu sein als wiederum der kämpfende Redner selbst – denn der »legte ihm alle Fragen in den Mund, die aus seinem eigenen Gehirn kamen, und da er selbst die ganze Zeit das Wort führte, auch wenn er seinen Widersacher allmählich zu Wort kommen ließ, gelang es ihm, seine Zuhörer in den Bann zu ziehen. Er begann eindringlicher zu sprechen, und als er merkte, daß er an Einfluß gewann, begann er auf einmal unvermittelt – nur ein Gespanntsein in seiner Stimme hatte es schon im voraus angekündigt – zu schreien. [...] Er griff an, er beschuldigte, machte lächerlich, widerlegte Behauptungen, die niemand behauptet hatte, und regte sich furchtbar dabei auf. Der andere hatte niemanden mehr, der für ihn sprach. Er, der nie bestand, wurde durch die Stimme totgemacht, und da er schwieg, vermeinte ein jeder, daß er tot sei.«

Erst zweieinhalb Druckseiten nach diesen Passagen wird die triumphale Selbststabilisierung als Symptom eines Ichzerfalls interpretiert, der nur durch diese symbolische Tötung eines Ich-Anteils durch einen anderen abgewendet werden kann und der doch, als der innere Widersacher, eine fortwährende Bedrohung bleibt. Es verdient ein ausführlicheres Zitat, wie in dieser Passage distanzierte Außen- und einfühlende Innenperspektive rasch abwechseln:

Etwas lag in dieser Stimme, was mit dem Mann selbst nichts zu tun hatte. [...] Ein kleiner, unansehnlicher Mann, ergriffen von etwas, das stärker war als er selbst, sprach, als würgte er sich selbst. Er stand wie in einer Verdammnis. Eine Fackel flackerte an einem Scheidewege. Er mußte wählen. Ein Schicksal kündigte sich an. Und wer mit ihm in Berührung kam, wurde gezeichnet. Doch er selbst blieb klein, ambitiös, ein Kommis, der gern selbst Chef gewesen wäre. Von Zeit zu Zeit, wenn das Fremde, Größere in ihm durchbrach und volle Macht über ihn gewann, wurde er ratlos und stand vor einem Unfaßbaren. Es ergriff ihn, aber er ergriff es nicht. Wer war er denn? Ohne Unterlaß fragte er sich selbst. Er wußte es nicht. Er wurde sich fremd in diesen Augenblicken, und das, was über ihn kam, war das Fremde. Manchmal aber dachte er auch, daß das, was ihn überkam, er selbst sei. Dann wähnte er sich ebenso groß und mächtig und unaufhaltsam wie ein Fluß. Er begann zu drängen, zu schreien und zu toben. Er konnte sich nicht halten, er trat über seine Ufer. Doch er begriff es nicht. Mir war, daß er schrie wie einer, der gerettet werden will, da er ertrinkt.

Die individuelle Dialektik von Ich-Schwäche und narzisstischem Größenselbst, die in dieser Bildlichkeit von anbrandendem, überflutendem Es, diffusen Über-Ichs und haltlos um sein Überleben ringenden Ich emotional eindringlich vergegenwärtigt *und* interpretiert ist – im Folgenden wird sie sozialpsychologisch kontextualisiert. Und auch das geschieht nicht theoretisch, sondern narrativ. Zunächst wird sichtbar, wie der Selbstvernichtungswille umschlägt in eine durch Externalisierung, Verschiebung und Projektion begründete Destruktivität von tödlichen Dimensionen, in der »der andere« niedergeredet wird, ausdrücklich »totgemacht«. So notiert es der Erzähler im Rückblick: »Wehrlos saß ich in der Gaststube. Ich war der Niemand da in dem Saale. Ich hörte meine eigene Vernichtung.« Etwas später, wieder ganz auf die Stimme des Redners konzentriert, bemerkt er beiläufig: »In ihr lag das endgültige Ziel beschlossen.« Da klingt als geahnte Vernichtung die »Endlösung« bereits an.

Der Zuhörer dieser Stimme steht zum Redner in einer doppelt ambivalenten Beziehung. Er kann nicht umhin, sich zuhörend so in ihn einzufühlen, daß er schließlich seine Empfindungen aus der Innensicht zu schildern vermag. In der schreibenden Reflexion aber gewinnt er wieder analytische Distanz. Die so gewonnene Erkenntnis steht in Spannung zu einer Nähe, die auf »irgendeinem Einverständnis« beruht. Denn die im anderen wahrgenommene Psychodynamik könnte auch im Wahrnehmenden selbst vorhanden, das Verhältnis von Bedrohung und Stabilisierung könnte wechselseitig sein – »Ich war nur eine Fratze, eine Maske, die er sich in seiner Bedrängnis zurechtgeformt hatte. Aber sie genügte ihm. Vielleicht hatte auch ihm sein Vater einst zugeflüstert: ›Wir sind …!‹« Auf dem Höhepunkt dieses Versuchs, schreibend die äußerste Bedrohung zu bewältigen, gewinnt der Haß geradezu eine eigene Intimität, die Züge eines makabren Liebesverhältnisses: »Kein Liebhaber kann anhänglicher vom Gegenstand seiner Liebe sprechen als auf die Weise, die die seine war, auch wenn er mich verwünschte. Er suchte mich. War dies nicht deutlich? Stets war ich bei ihm.« Womöglich »enthüllt sich der Urgrund unseres Bestandes« in diesen »Maskeraden unserer Feindschaft«. Vielleicht nur *ein* Text der deutschsprachigen Exilliteratur ist der Radikalität solcher Passagen vergleichbar: Thomas Manns Essay *Bruder Hitler.*

Eine Reihe von Episoden umkreist diesen Grundgedanken, am eindringlichsten die Schilderung einer Bande von Jugendlichen, die nachts »wie die Wölfe« einen (ohne daß das Wort fällt: jüdischen) Friedhof verwüsten. Wiederum gehen diese Passagen vom drastisch vergegenwärtigten Ereignis in dessen psychoanalytische Deutung hinüber. »Wir waren gekommen«, bekennt einer der Rädelsführer, »die Toten umzubringen«, um »den Tod [zu] zertrampeln.« Abermals bleiben die Seelenregungen derjenigen, die doch seine Todfeinde sind, dem Erzähler selbst keineswegs fremd. »Seit Tagen und Wochen«, so hatte er im ersten Satz notiert, »denke ich an nichts anderes mehr als an den Tod«; und am Ende dieses Prologs stand das Resümee: »So voll bin ich vom Tod, so gesättigt.« Während er jedoch im Schreibprozeß diese Angst zu bearbeiten sucht, gehen jene den Weg der Gewalt. Indem sie Sterblichkeit und Todesangst, den »inneren Feind«, auf die anderen projizieren, suchen sie diese Bedrohungen stellvertretend zu vernichten. Damit wird auch die realistisch geschilderte Grab- und Leichenschändung zur symbolischen Repräsentation der unaussprechlichen Shoah.

Vielleicht auch deshalb ist dies eine der Sequenzen, in der eine traditionelle religiöse Bildlichkeit so überzeugend psychologisch umakzentuiert wird wie die Titel-Figur des diabolischen »Widersachers«. »Ich glaube nicht an die Hölle«, behauptet einer der jugendlichen Grabschänder gegen die Gewissensnöte, »aber ich muß fortwährend an sie denken«. Als einziger humaner Ausweg aus diesem Mechanismus der Gewalt zeichnet sich, im selben Kapitel, das Ethos der Bergpredigt ab.

Mit dem tödlichen Übergriff des »Feindes« und seiner Helfer auf die eigene Familie gelangt das beharrliche Verstehensbemühen des Erzählers an eine letzte und unüberschreitbare Grenze, die sich auch als Sprachgrenze erweist. In dem Augenblick, in dem es um die Deportation der Eltern des Erzählers geht, gerät der Text selbst an den Rand des Verstummens. Nach dem mehr als vierzig Seiten umfassenden Kapitel über die Zerstörung des jüdischen Friedhofs folgt nun ein Kapitel von nur einer einzigen Seite; es läuft hinaus auf den Satz: »Sie nahmen die alten Leute mit.« Knapp angedeutet werden die vergeblichen Warnungen des Sohnes, dessen erfolgreiche Flucht und dessen Selbstvorwürfe – »Als ich sie im Stich ließ.«

Das darauf folgende zwölfte Kapitel gewinnt die Sprache zurück. Es ist das bedrückendste des Romans, gerade weil es auf alle Sentimentalisierungen verzichtet und sich auf einen einzigen, sinnlich konkreten Sachverhalt konzentriert. Berichtet wird von jenem Augenblick, in dem der Erzähler seinen Vater auf dem Dachboden dabei antrifft, wie er in aller Heimlichkeit seinen Rucksack packt. In plötzlich wortreich-umständlichen Erzählerkommentaren geht es dann um die alltäglichen Dinge, die es einzupacken gilt: eine Inventur von Seife, Handtüchern, Wäsche, Tabak, Schnaps, Schlaftabletten. Von allem ist die Rede, nur nicht vom Ziel der Wanderung – bis jäh die Katastrophe hereinbricht in diesen ein letztes Mal durchgespielten Alltag einer bürgerlichen Bildungskultur. So endet das Kapitel dann mit der einzigen rückhaltlos pathetischen Passage des Romans, der furchtbar paradoxen Anklage Gottes selbst: »Merkst Du denn nicht, daß Du Dich selber zum Widersacher geschaffen hast all derer, die Du ihre Rucksäcke packen ließest, und all derer, die zweifelten?« Die Imagination einer Gottestötung, auf die das hinausläuft, stellt das Kapitel in die Reihe der großen jüdischen *Hiob*-Dichtungen des 20. Jahrhunderts.

So wird für den Erzähler selbst die Niederschrift zu einem agonalen Erkenntnisprozeß, an dessen Ende er die lebenslange Fixierung auf den einen »Feind« *als Fixierung* zu befragen vermag. Als dessen Ursprung wird erst am Ende die Erinnerung an eine überraschend aufgedeckte »Urszene« erkennbar. Es ist die makabre Pointe jener Begegnung mit dem an seinen Bewunderern vorbeifahrenden Triumphator. Der nämlich erblickt – und erst jetzt vermag der Erzähler sich daran zu erinnern – auf der Fahrbahn spielende Kinder und ruft seinem Chauffeur zu: »Vorsicht, die Kinder, die Kinder.« Diese Szene steht am Ende der Erzählung. Und sie markiert deren Ursprung – einer Erzählung, in der es um das Ende der eigenen Kindheit gegangen ist, um die Deportation und Ermordung der Eltern, um den Kinderfreund als Todfeind. Als untergründiges Thema erscheint von hier aus die Auseinandersetzung des Kindes, das der Erzähler gewesen ist, mit unterschiedlichen Vater-Instanzen: dem geliebten leiblichen Vater, den der Sohn nicht zu retten vermochte; dem wie in einer traumatischen Fixierung umkreisten Mörder als dessen alptraumhaftem Antipoden; dem zwischen der Frömmigkeit des Vaters und der Abwehr des Sohnes oszillierenden Gottesbild. Und erst von hier aus wird sichtbar, wie leitmotivisch überhaupt *Kinder* im Roman erscheinen; so kulminierte die ausgedehnte Friedhofs-Sequenz scheinbar funktionslos in der Schändung ausgerechnet von Kindergräbern. In der narrativen Entwicklung dieser Motivkonstellation könnten auch die psychoanalytischen Erfahrungen eine Rolle spielen, die der Autor mittlerweile gewonnen hatte. Parallel zur Vollendung dieses erzählerischen Hauptwerks entstand ja auch die bedeutendste wissenschaftliche Arbeit Hans Keilsons, eben die große Studie *Über sequentielle Traumatisierung bei Kindern*, das Ergebnis seiner jahrelangen Arbeit mit jüdischen Waisenkindern, traumatisierten Überlebenden der Shoah.

Sein Roman *Der Tod des Widersachers* ist so ein in der deutschen Nachkriegsliteratur wohl beispielloses Experiment mit dem Erzählen vom Unsagbaren geworden: von der Shoah, von den Voraussetzungen und Mechanismen von Judenhaß, Verfolgung und Vernichtungswunsch. Schärfer vielleicht als nach seinem ersten Erscheinen tritt heute die Provokationskraft hervor, die sich aus der experimentellen Verbindung von Roman und Essay ergibt – jener Verbindung, die der junge Hans Keilson bei Lieblingserzählern wie Hermann Hesse und Thomas Mann zuerst kennengelernt hatte. *Der Tod des Widersachers* betreibt und reflektiert die Suche nach einer adäquaten künstlerischen Reflexion einer Wirklichkeit, die sich allen Konventionen eines mimetischen Realismus entzieht. »Es könnte der Eindruck entstehen, daß man darüber, worüber man nicht reden kann, schweigen sollte«, hat Hans Keilson 1984 in einem Essay geschrieben und geantwortet: »Ich teile diese Meinung nicht. Man sollte es immer wieder aufs neue versuchen.«

Hans Keilson
Werke in zwei Bänden
Herausgegeben von Heinrich Detering
und Gerhard Kurz
Band 1: Romane und Erzählungen
Band 2: Gedichte und Essays
1096 Seiten. Gebunden im Schuber

Hans Keilsons Werke sind Porträts, Psychogramme und Bilder aus der Zeit der späten Weimarer Republik, des zerstörerischen Nationalsozialismus und des Exils. Wie kaum ein anderer Autor hat Hans Keilson auch in seinen aktuellsten Texten die seelischen, politischen und kulturellen Folgen der NS-Zeit analysiert und sprachlich vergegenwärtigt; ein literarisches Engagement, das bis heute anhält.

In großem Kontrast zu den lauten Wirren des Jahrhunderts stehen die geradezu leisen, manchmal komischen, immer aber zutiefst menschlichen Darstellungen seiner Figuren und ihrer existenziellen und geschichtlichen Erfahrung.

Hans Keilson ist ein großer Dichter in seiner Prosa und ein hellsichtiger Analytiker in seiner Dichtung. Sein bewegendes Werk liegt zum ersten Mal in einer Gesamtausgabe vor.

Band 1 enthält: Das Leben geht weiter, Der Tod des Widersachers, Komödie in Moll, Dissonanzen-Quartett
Band 2: Sprachwurzellos, Einer Träumenden, Wohin die Sprache nicht reicht, verstreute Texte.

S. Fischer

fi 1-049516 / 1

Stefan Zweig

Der Amokläufer
Erzählungen
Band 9239

Angst
Novelle
Band 10494

Auf Reisen
Feuilletons
und Berichte
Band 16012

**Begegnungen
mit Büchern**
Band 2292

**Brennendes
Geheimnis**
Erzählung
Band 9311

**Brief einer
Unbekannten**
Erzählung
Band 13024

Clarissa
Ein Roman-
entwurf
Band 11150

**Geschichte eines
Untergangs**
Band 11867

Meisternovellen
Band 14991

**Phantastische
Nacht**
Erzählungen
Band 5703

**Rausch der
Verwandlung**
Roman aus
dem Nachlaß
Band 5874

Schachnovelle
Band 1522

**Sternstunden
der Menschheit**
Band 595

**Ungeduld
des Herzens**
Roman
Band 1679

**Verwirrung
der Gefühle**
Erzählungen
Band 5790

Fischer Taschenbuch Verlag

fi 555 016 / 6 / d

Alfred Döblin
Das Lesebuch
Herausgegeben von Günter Grass
Ausgewählt und zusammengestellt unter Mitarbeit
von Dieter Stolz
752 Seiten. Gebunden

Alfred Döblin wurde vor allem durch seinen Roman »Berlin
Alexanderplatz« zu einem der kanonischen Autoren der literarischen Moderne. Das Lesebuch, das Nobelpreisträger
Günter Grass zu Ehren Alfred Döblins zusammengestellt
hat, erinnert daran, dass Döblin schon lange vor seinem Er-
folgsroman ein höchst vitaler Autor der Avantgarde war und
mit seinen fast vergessenen Exilromanen maßgeblich zur
Aufklärung des 20. Jahrhunderts beigetragen hat. Neben
Auszügen aus den wichtigsten Erzähltexten enthält das Lesebuch zahlreiche Beispiele von Döblins kritischer Publizistik
und zentrale autobiographische Dokumente. Eingeleitet
wird der Band mit Günter Grass' berühmter Rede »Über
meinen Lehrer Döblin«.

S. Fischer

fi 1-015512 / 1

Thomas Mann

Buddenbrooks
Verfall einer Familie
Roman
Band 9431

Königliche Hoheit
Roman
Band 9430

Der Zauberberg
Roman
Band 9433

Joseph und seine Brüder
Roman

I. Die Geschichten Jaakobs
Band 9435

II. Der junge Joseph
Band 9436

III. Joseph in Ägypten
Band 9437

IV. Joseph, der Ernährer
Band 9438

Lotte in Weimar
Roman
Band 9432

Doktor Faustus
Das Leben des deutschen
Tonsetzers
Adrian Leverkühn,
erzählt von einem Freunde
Roman
Band 9428

Der Erwählte
Roman
Band 9426

**Bekenntnisse des
Hochstaplers Felix Krull**
Der Memoiren erster Teil
Band 9429

Fischer Taschenbuch Verlag

fi 555 042 / 1

Sigmund Freud
Das große Lesebuch
Band 90171

Unter der zivilisierten Oberfläche des Menschen diagnostizierte Sigmund Freud unbändige Sexualität, deren Entwicklung er in die Kindheit zurückverfolgte. Religion erklärt er als universelle Zwangsneurose. Zu seiner Zeit war Freud ein Skandal. Mit Begriffen wie »Ödipuskomplex« ist der Vater der Psychoanalyse inzwischen längst in die Alltagskultur eingegangen. Neben einer Auswahl der wichtigsten Texte enthält das Lesebuch einen fortlaufenden Kommentar, der leichtfüßig und kenntnisreich durch das Gesamtwerk eines der einflussreichsten Denker des 20. Jahrhunderts führt.

Inhalt: ›Zum psychischen Mechanismus der Vergeßlichkeit‹, ›Einige Bemerkungen über den Begriff des Unbewußten in der Psychoanalyse‹, ›Trauer und Melancholie‹ und viele andere.

Das gesamte Programm von Fischer Klassik
finden Sie unter:
www.fischer-klassik.de

Fischer Taschenbuch Verlag

fi 90171 / 1

Franz Kafka
Gesammelte Werke in zwölf Bänden

Aufgrund der Kritischen Ausgabe
Herausgegeben von Hans-Gerd Koch

Ein Landarzt und andere
Drucke zu Lebzeiten
Wolfgang Kittler,
Hans-Gerd Koch und
Gerhard Neumann (Hg.)
Band 18113

Der Verschollene
Roman
Jost Schillemeit (Hg.)
Band 18120

Der Proceß
Roman
Malcolm Pasley (Hg.)
Band 18114

Das Schloß
Roman
Malcolm Pasley (Hg.)
Band 18116

Beschreibung eines Kampfes
und andere Schriften aus
dem Nachlaß
Malcolm Pasley (Hg.)
Band 18111

Beim Bau der
chinesischen Mauer
und andere Schriften aus
dem Nachlaß
Malcolm Pasley (Hg.)
Band 18110

Zur Frage der Gesetze
und andere Schriften aus
dem Nachlaß
Jost Schillemeit (Hg.)
Band 18121

Das Ehepaar
und andere Schriften aus
dem Nachlaß
Jost Schillemeit (Hg.)
Band 18112

Tagebücher
Band 1: 1909-1912
Hans-Gerd Koch und
Michael Müller (Hg.)
Band 18117

Tagebücher
Band 2: 1912-1914
Hans-Gerd Koch und
Michael Müller (Hg.)
Band 18118

Tagebücher
Band 3: 1914-1923
Hans-Gerd Koch und
Michael Müller (Hg.)
Band 18119

Reisetagebücher
Malcolm Pasley (Hg.)
Band 18115

Fischer Taschenbuch Verlag

fi 666 041 / 1